BALLADA O PEWNEJ PANIENCE

WSZYSTKIE
NAJWAŻNIEJSZE
OPOWIADANIA

SZCZEPAN TWARDOCH

BALLADA O PEWNEJ PANIENCE

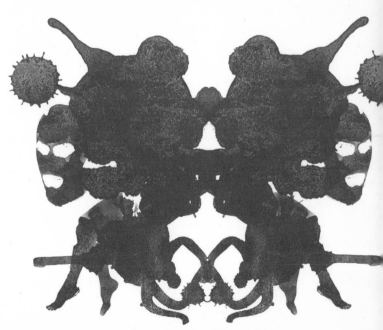

WYDAWNICTWO LITERACKIE

BALLADA O PEWNEJ PANIENCE

Na pogrzeb mojej narzeczonej przyszedłem trochę jeszcze pijany, ale bardziej już na kacu, ubrany nieodpowiednio i w znakomitym humorze.

Ojciec zmarłej patrzył na mnie spode łba, bo winił mnie za jej śmierć — i miał rację, byłem tej śmierci winien. Odpowiadałem za śmierć jego kwiatuszka, światełka żywota jego, to przeze mnie to liliowobiałe ciało leży w niezasłużenie białej trumnie, to przeze mnie lakierowana biała trumna spoczywa w czarnym, przeszklonym karawanie, a konie na łbach niosą czarne pióropusze.

Zawsze kochała konie, kochała konie bardziej niż ludzi i nie mam tu przecież na myśli tylko samego siebie. Co do tego nigdy nie miałem złudzeń. Sypiała ze mną, oczywiście, zwłaszcza gdy sprawiłem jej drogi pierścionek zaręczynowy, chadzała ze mną na fajfy i bale, lubiła pokazywać się w mieście na prawym siedzeniu mojego odkrytego buicka, ale przecież oboje wiedzieliśmy, że mimo pierścionka żadnego ślubu nie będzie. Żadnych białych sukien, wzruszonych ciotek, znudzonego klechy.

Tylko, owszem, bardzo udana miłość cielesna w pewnej szczególnej formie, owszem, tańce, miłe towarzystwo, szampan i wódka, a pierścionek tylko po to, aby zawrzeć mordę ojcu, gdyby chciał przeszkadzać nam w schadzkach. Oraz dlatego że sobie tego pierścionka zażyczyła.

Nie oddała go, kiedy wszystko stało się jasne, i miała go na palcu w tej białej trumnie w czarnym karawanie, i zaraz razem z nią spocznie pierścionek w gliniastym grobie, ją zjedzą robaki, a pierścionek, drogi, z brylantem, tylko się zmarnuje.

Kochała więc konie, towarzystwo, pieniądze, zabawę do rana, sławnych aktorów, szampana i szczególny rodzaj miłości cielesnej i nie kochała ludzi. Nikogo.

Przekonany jestem, że nie kochała nawet rodziców. Trudno jej się dziwić, ojciec niemiecki ewangelik surowy jak Luter, matka jemu podobna, chociaż katoliczka, dewotka zapatrzona w proboszcza tak samo, jak córka jej w kinowych aktorów.

Rodzeństwa nie miała. Gdyby miała, to pewnie zagryzłaby w kołysce.

Nie myślcie tylko, że czuję się przez nią skrzywdzony. Byliśmy siebie warci, ja i ona. Emablowała pięknych aktorów na rautach, na które przyszła ze mną, emablowała ich otwarcie, na moich oczach, upokarzając mnie z rozmysłem — ja więc odpłacałem jej, jak mogłem, opowiadałem o moich prawdziwych lub zmyślonych miłosnych przygodach. Śmiała się, ale miałem nadzieję, że ją te moje miłostki bolą. Po to też się za nimi uganiałem, tracąc czas, pieniądze i witalną energię. Nawet nie po to, by ją zranić, bo nie wydawało mi się to możliwe. Po to, by nie pozostawać jej dłużnym.

Wieczór przed pogrzebem spędziłem w miłym towarzystwie moich wspólników. Było nas trzech: Loewe, Krupiński i ja. Zaprosiliśmy pięć wesołych dziewcząt, których zawodowo-rozrywkowy status nie był precyzyjnie określony — czasem brały pieniądze, czasem nie. Od nas zwykle nie, bo byliśmy na to zbyt bogaci. Nie brały, bo liczyły na coś więcej niż zapłata według cennika, nawet kiedy na trzech chłopa zapraszaliśmy ich pięć.

Wszystkie były piękne, urocze powabem należącym do zawodowych obowiązków, czyli najlepszym, godziły się bez kapryszenia na wszystko, czego od nich oczekiwano, i nie miały do siebie za grosz szacunku.

My, to znaczy Loewe, Krupiński i ja, nie szanowaliśmy ani ich, ani samych siebie, szanowaliśmy jednak siebie nawzajem. Nie nazwałbym naszej relacji przyjaźnią, bo nie mam zbyt dobrego zdania o przyjaźni. To, co łączyło naszą trójkę, było czymś o wiele lepszym niż przyjaźń. Potrzebowaliśmy siebie i dawaliśmy sobie nawzajem to, czego potrzebowaliśmy, w naszej skromnej kancelarii i w życiu towarzyskim.

Loewe znał wszystkich stołecznych bogaczy, jadał z nimi kolacje i lancze, woził się ich limuzynami i siadywał w ich lożach w teatrze i w operze, i to on znajdował nam klientów, bo też tylko najbogatsi mogli sobie na nas pozwolić.

Krupiński, kapitan rezerwy, kawaler licznych orderów i weteran trzech ostatnich wojen z bolszewikami, zajmował się realizacją, dodawał nam również wiarygodności tam, gdzie jego Virtuti Militari, Krzyże Walecznych, medale za kampanie krymskie, inflanckie, białoruskie i kaukaskie wiarygodności były podstawą. Na tę okoliczność zachował oficerski mundur starego wzoru, bo przecież do marynarki tych orderów przypiąć nie sposób.

Ja zaś, mówiąc najprościej, byłem całego przedsięwzięcia pomysłodawcą i organizatorem. Ja, chłopiec z biednej, górniczej rodziny, pierwszy od pokoleń bez węglowego pyłu za paznokciami i w płucach.

Kosztowało mnie wiele wysiłku, by nie pójść w ślady dziadka, ojca, braci. Pierwsze prawdziwe pieniądze, większe niż to, co robotnik może odłożyć ze swojej pensji, zdobyłem jeszcze w rodzinnym mieście. Nie była to fortuna, ale pozwoliły mi one wynieść się z ciasnego mieszkanka rodziców w wielorodzinnym domu i po raz ostatni spojrzeć na patronackie, przykopalniane osiedle z czerwonej cegły, już z okna pociągu, z biletem w jedną stronę w kieszeni pierwszego porządnego garnituru.

Gimnazjum ukończyłem z wyróżnieniem, nie zawiodłem mojego patrona, właściciela kopalni, w której pracowali mój ojciec i jego bracia, i moi bracia. Przemysłowiec nazywał się Udo Heinrich Graf von Donnersmarck i ufundował dla mnie stypendium, osobiście zapoznawszy się z moją niezwykłą u górniczego dziecka inteligencją i wiedzą. Myślał może, że wyrośnie ze mnie drugi Godulla? Nie wyrósł jednak.

Po maturze chciałem studiować, ale mój dobroczyńca miał wobec mnie inne plany. Uważał mnie za swoją własność, jak konia, którego osobiście ujeździł, albo psa, którego sam nauczył różnych sztuczek. Brakowało mu ludzi władających trzema językami, którymi mówiono w kopalni, a zdolnych przy tym do pracy biurowej. Obiecywał mi wielką przyszłość.

— Popracuj tu, chłopcze, lat dwadzieścia, a zrobię cię dyrektorem tej kopalni — mawiał, szczypiąc mnie pieszczotliwie w policzek.

Wierzyłem mu, był człowiekiem słownym, uczciwym i wielkiego serca. Dolą ludu przejęty głęboko, czynił, co mógł, by jej ulżyć, jeśli nie uszczuplało to jego stanu posiadania. Troska ta wynikała zarówno z jego głęboko chrześcijańskich przekonań, jak i ze strachu przed komunistycznymi agitatorami, którzy w kopalniach i hutach Donnersmarcka znajdowali posłuch o wiele mniejszy niż gdzie indziej.

Mnie uważał słusznie za jednostkę wybitną i przekonany był, także słusznie, że zajdę daleko. Po maturze więc nie zgodził się na mój wyjazd na studia, dał mi za to pracę w kopalnianej kasie, gdzie zostałem jednym z urzędników odpowiedzialnych za górnicze wypłaty.

Ojciec i matka pękali z dumy. Moja pierwsza pensja równała się ojcowskiej po jego dwudziestu latach ciężkiego znoju na dole. Całą, jak ojciec i bracia, oddałem matce, ta zaś wydzieliła mi skromne kieszonkowe, jak ojcu i braciom.

Nie chciałem jednak pracować na kopalni.

Nawet w kasie, nawet w czystym garniturze zamiast górniczych drelichów i kasków, nawet siedząc na wygodnym krześle zamiast gięcia karku na niskich przodkach. Nie chciałem wcale za dwadzieścia lat zostać dyrektorem kopalni należącej do Donnersmarcka, chciałem być kimś o wiele większym niż dyrektor kopalni należącej do Donnersmarcka, postanowiłem więc Donnersmarcka okraść.

Przyszło mi to z łatwością, bo pozostali urzędnicy pracujący w kasie nie byli zbyt lotni, zwłaszcza w porównaniu ze mną. Zanim ktokolwiek połapał się, że z miesiąca na miesiąc rośnie manko, ja byłem już za granicą, w stolicy i studiowałem prawo.

Ojca i braci Donnersmarck na pewno zwolnił za moje winy, posądzając ich o współudział w mej zbrodni. Ubolewałem nad tym, bo egzystencja mej rodziny, nagle pozbawionej wszystkich źródeł dochodu, bez wątpienia została zagrożona. Zapewne przymierali głodem, zanim ojciec czy bracia nie znaleźli roboty gdzieś indziej. Ubolewałem więc, ale zostawiłem ten czarny świat za sobą, odciąłem tę część mego życia niczym nożem i wiedziałem, że tam nie wrócę. Nie dzwoniłem, bo oczywiście nie mieli telefonu. Nie pisałem listów i nie słałem telegramów, chociaż mieli adres, nie chciałem więcej oglądać moich dobrych rodziców i rzetelnych braci, za moje winy skrzywdzonych przez człowieka, do którego tak naprawdę należeli, chociaż nazywało się to, iż jedynie dlań pracują.

Ich życie nie było moim życiem. Nie moją była ich nędza, czarny pył za paznokciami i dookoła oczu, szary brud ulic patronackiego osiedla i dziwaczny język, w którym od wyjazdu za granicę nie powiedziałem już nigdy ani słowa. Zostawiłem ich z tym wszystkim.

Na studiach poznałem Loewego i to od niego dowiedziałem się czegoś bardzo ważnego — tego, że pilna nauka, studia, egzaminy ustne i pisemne, kolokwia i seminaria są dla ludzi głupszych od nas. My, ja i on, jesteśmy na to za mądrzy i zbyt chciwi życia. Dzięki pieniądzom Donnersmarcka, zamiast studiować, bywaliśmy w najlepszych lokalach, a w takich bywał też Krupiński i tak się poznaliśmy.

Krupiński wrócił właśnie z Kaukazu, z trzeciej wojny z Rosją, gdzie służył w wywiadzie zakordonowym, kontraktując kaukaskich górali do aktów terroru daleko za wrogimi liniami. Potem przegnali go z Kaukazu radykalni emirowie. Wcześniej był na Ukrainie instruktorem, uczył wolnych Ukraińców obsługi francuskich czołgów marki Renault, które transport za transportem szły do Kijowa na otwartych platformach długich pociągów wojskowych.

Po kampanii kaukaskiej uznał, że dość się już nawojował, i z pomocą wpływowego stryja w randze generała broni przeniósł się do rezerwy. Planował zająć się swoimi pasjami, to jest polowaniami i tenisem. Kaczki i korty znudziły mu się jednak szybciej niż wojna, na życie nie musiał zarabiać jako rentier i właściciel pokaźnej fortuny, którą brawurowo zdefraudował, zajmując się dystrybucją pomocy wojskowej na Ukrainie. Chętnie przechwalał się, że do jego kieszeni trafiało co najmniej pięć z każdych stu dolarów wydanych na czołgi, karabiny i działa przeciwpancerne, z których wolni Ukraińcy strzelali do bolszewików. Zaznaczał jednak, że z tego piątaka musiał pokryć koszty łapówek i reprezentacyjne, więc ostatecznie trochę mniej. Teraz, nudząc się w rezerwie, siadywał z dziewczętami lub chłopcami w Rialto, w Studio, w Kulturalnej albo w Adrii, ruchał na potęgę, czasem organizował orgie sławne na całe miasto, zażywał narkotyki, pił wódkę i czekał, co się wydarzy, wydarzyliśmy się zaś Loewe i ja. Potrzebowaliśmy kogoś takiego jak on, a on potrzebował zajęcia.

— Potrzebuję zajęcia — mówił. — Takiego jednak, przy którym nie będę musiał rozpinać rozporka, jasne?

W wigilię pogrzebu mojej dziewczyny świętowaliśmy umiarkowanie, chociaż z płatnymi paniami. Krupiński opuścił nas dość szybko, po realizacji był zmęczony i nie miał ochoty na dziewczęta, po realizacji zwykle wolał chłopców. Zostaliśmy sami z Loewem i kurwami, w siedmioro. Bawiliśmy się wesoło, chociaż niezbyt hucznie. Loewe chciał posiąść wszystkie, sił witalnych wystarczyło mu jednak na trzy. Ja nie zamierzałem bić rekordów jurności, zadowoliłem się pozostałymi dwoma, za to jednocześnie.

Nad ranem Loewe zapowiedział, że nie idzie na pogrzeb. Nie miałem mu tego za złe, sam postanowiłem nie kłaść się wcale. Bawiliśmy w największym apartamencie hotelu Metropol, zamówiłem śniadanie do pokoju, zjadłem cztery jajka benedict, popiłem kawą i małą butelką Mumma, dziewczęta miały kokainę, z której skorzystałem, i już byłem gotów na pogrzeb mojej dziewczyny.

Powinienem się był oczywiście przebrać, ale kiedy o tym pomyślałem, zrobiło się już zbyt późno. Z jednej strony nie miałem tego we krwi, chłopiec wychowany w nędzy patronackiego osiedla przy kopalni, z drugiej zaś podejrzewam, że podświadoma część mnie chciała, naprawdę chciała tej gafy, jaką jest przyjść na pogrzeb w smokingu. W nieświeżej koszuli z plamami po przygodach dnia poprzedniego na marszczonym gorsie.

Spóźniłem się, było już po mszy, żałobnicy wylegli z kościoła, skąd poważni panowie w czarnych surdutach wynosili na ramionach białą trumnę, na schodkach podtrzymując ją delikatnie, aby się im z ramion nie zsunęła. Wysiadałem właśnie z taksówki i płacąc za kurs, wyobraziłem sobie, jak biała trumna wymyka się z rąk grabarzy, spada na bruk, roztrzaskuje się i pośród desek leży liliowe ciało w białej, dziewiczej sukience, bezwładne, martwe. Roześmiałem się do tej myśli, nic takiego się jednak nie stało. Trumna trafiła prosto do przeszklonego karawanu, do mnie zaś dotarły teatralne szepty żałobników.

— Patrzcie, w jakim stanie przychodzi, patrzcie, pijany, prosto z biesiady jakiejś, nawet się nie przebrał, narzeczony, dobre sobie, śmieje się jeszcze — szemrali, bezradni, ale niosło się to ich szemranie i dotarło nawet do mojego o mało co teścia. O mało co przynajmniej w jego mniemaniu.

Patrzył na mnie z niechęcią, nie było go nawet stać na nienawiść. Uśmiechnąłem się doń, za nic miałem jego niechęć, o której wiedziałem od samego początku, od kiedy tylko powiedziała:

— Papo, to mój narzeczony. Chciał cię prosić o moją rękę, ja jednak nie uważam, byś rozporządzał moim życiem, więc ci po prostu fakt mojego narzeczeństwa podaję do wiadomości.

Przyjął to ze wstrętem i ze złością, ale bez protestu, bo wiedział dobrze, że jest od niego silniejsza. Bał się jej.

Ode mnie też była silniejsza, może nawet fizycznie, bo zawsze byłem raczej wątły, ale przede wszystkim miała charakter konkwistadora, normańskiego jarla płynącego przez Atlantyk ku zielonym brzegom Vinlandu. Była wolą i siłą, odważna, zaciekła, zdeterminowana. Dorównywała mi wzrostem i chociaż od ćwiczeń fizycznych poza jazdą konną stroniła, to nie brakowało jej zręczności i siły.

Tak, byliśmy siebie warci, ja i ona, ona silna, ja wątły i delikatnego zdrowia, chociaż przystojny, oboje przeczący płciowym stereotypom.

Swoją drogą, to fizyczna wątłość, jak sądzę, sprawiła, że tak niezwykle rozwinęła się ma cyniczna i perwersyjna inteligencja, raczej rzadko spotykana na patronackich osiedlach z czerwonej cegły.

Ojciec sprawnością mego umysłu przerażony był, od kiedy tylko ją dostrzegł. Dostrzegł ją zaś dość późno, dopiero gdy miałem sześć lat i nagle okazało się, że przez nikogo nie nauczany biegle czytam psalmy i modlitwy z jedynej książki, jaką kiedykolwiek czytywała moja matka — i to czytam je po polsku, po niemiecku i po łacinie. Tej ostatniej jeszcze wtedy nie rozumiałem, nauczyłem się jej dopiero później, w klasycznym gimnazjum. Niemieckim i polskim posługiwałem się od dziecka, chociaż w domu naszym mówiło się wyłącznie wspominanym już słowiańskim narzeczem, którego się brzydzę i w którym słowa nie wypowiedziałem od ucieczki z domu i już nie wypowiem.

Moja nieżyjąca już narzeczona, o której nigdy nie myślałem jako o narzeczonej, od razu zauważyła mój niezwykły potencjał, sama bowiem dysponowała niemałym, nie mieszcząc się w ramach mieszczańskiego stylu życia, tak samo jak ja nie mieściłem się w ciasnych ramach kopalni, wielorodzinnych domków i kościoła, wyznaczających horyzont miejsca, z którego pochodzę.

Tymczasem kondukt ruszył za człapiącymi dostojnego stępa końmi, ciągnącymi karawan z ciałem mojej narzeczonej. Nie poszedłem zaraz za trumną, umieściłem się w połowie licznej kolumny żałobników i szliśmy, noga za nogą, rozkołysanym jak u pingwinów powolnym krokiem. Przez chwilę pomyślałem, że gdyby to zaczęło się jakoś inaczej, to może mógłbym ją pokochać. Skończyłoby się i tak bez wątpienia tak samo, ale może początek mielibyśmy inny?

Świętowaliśmy wtedy nasze pierwsze zlecenie. Siedzieliśmy u Loewego, miał piękne mieszkanie na Saskiej Kępie. Krupiński, podniecony sukcesem, czyścił pistolety, które zawsze zabierał na realizację: dużego, płaskiego colta w kaburze pod pachą, małego walthera w kieszeni spodni. Nas też próbował przekonać do noszenia broni, ale się obaj z Loewem wzbranialiśmy, póki nas brutalnie nie pobito.

— Panowie, weszliśmy w interes wysokiego ryzyka osobistego — rzekł wtedy Krupiński, odbierając nas ze szpitala, i sprezentował nam później po małym brauningu, nauczywszy nas uprzednio podstaw strzeleckiego rzemiosła na polance w Lesie Kabackim. Strzelaliśmy do wielkich fotosów z najprzystojniejszymi aktorami i piosenkarkami. Pif-paf, dwa strzały w piersi Garbo, pif-paf, Gable ma dziurę w czole, pif-paf, półnaga Hayworth nie żyje zastrzelona w brzuch.

Pobito nas po trzecim zleceniu, zaszliśmy za skórę pociotkowi pewnego ministra, potężnie umocowanemu w neosanacyjnych kręgach. Podobno miał znajomości na samej górze Obozu Zjednoczenia Narodowego. Facet nie był głupcem, nie marnował czasu na sądy ani nie załatwiał spraw własnymi rękami, uruchomił znajomości w policji politycznej, jakiś inspektor pogadał z jakimś stójkowym, stójkowy komuś obiecał, że na coś przymknie oko, i pięciu bandytów dopadło Loewego i mnie, kiedy wychodziliśmy z paniami z Kulturalnej zupełnie zalani. Żaden z nas nie umie się bić, więc konfrontacja była zwięzła: złamali mi nos i dwa żebra, Loewe kopnięty w twarz postradał dwa zęby.

Znaleźliśmy ich potem, bandytów, to znaczy Krupiński znalazł przy użyciu jednego ze swoich kochanków, nieletniego gawrosza świetnie znającego półświatek Starego Miasta. Dał nam adres, poszliśmy tam we trójkę, pistolety w garści, nasze jednak nienaładowane, Krupiński odebrał nam przed akcją magazynki, obawiając się, byśmy w ferworze nie postrzelili jego, samych siebie albo

16

kogoś przypadkowego. Jego colt pozostał oczywiście nabity tłustymi, amerykańskimi nabojami, nie musiał jednak wystrzelić.

Z satysfakcją patrzyłem, jak Krupiński łamie naszym oprawcom golenie i obojczyki. Loewe wrażliwiec odwracał wzrok. Dalej zemstą nie próbowaliśmy sięgać, żaden z nas nie był głupcem. Od tego czasu odrzucaliśmy też niektóre zlecenia, jeśli miały dotyczyć kogoś o zbyt mocnych koneksjach.

To działo się po zleceniu trzecim, moją narzeczoną poznałem zaś po pierwszym, u Loewego w mieszkaniu. Znała się z Krupińskim, to on ją przyprowadził. Zawsze twierdziła, że nic między nimi nie było, że nawet nie spali ze sobą, chociaż moim zdaniem wszyscy w końcu prześpią się ze wszystkimi, na tym polega życie towarzyskie. Nie wierzyłem więc w jej zapewnienia, znając ich oboje, i w zasadzie prawda niewiele mnie obchodziła.

Krupińskiego jednak nigdy o to nie zapytałem, zdając sobie sprawę, że powiedziałby mi prawdę, a tej wcale nie chciałem znać. Prawda jest zdecydowanie przeceniana.

Od razu wiedziałem, że coś z tego będzie, od razu, kiedy tylko weszła do mieszkania. Widać było, że Krupiński jej nie interesował, już albo może nawet nigdy, co samo z siebie czyniło ją samą niezwykle interesującą, bo Krupiński zasadniczo interesował wszystkie ciekawskie stołeczne panny i wielu ciekawskich stołecznych chłopców.

— Pozwólcie, że przedstawię wam pewną panienkę — idiotycznie zaczął Krupiński, po czym istotnie nam ją przedstawił.

Przyglądała się nam bezczelnie i wiadomo było od razu, że Loewe nie ma tu żadnych szans. Nie była to dla niego nowość, zwykle zadowalał się płatnymi afektami — był wtedy otyły, tusza wylewała mu się spomiędzy guzików zbyt ciasnej koszuli, pocił się okrutnie i rzadko korzystał z łaźni. Dużo później mocno zeszczuplał, przeszedłszy na dietę pewnego szarlatana, zalecającego jedzenie wyłącznie szpinaku z chudą wołowiną oraz popijanie tychże kawą i odrobiną czerwonego wina. Potem znów utył, atrakcyjny fizycznie nie był nigdy, ale kiedy poznałem moją późniejszą narzeczoną, brzydził nawet mnie. Nie brzydził tylko Krupińskiego, ale Krupiński nie brzydził się niczego.

Skoro więc Krupiński mojej późniejszej narzeczonej nie interesował i Loewe oczywiście też nie, pozostałem ja.

— Kocham konie — powiedziała.

Krupiński zaśmiał się nerwowo, zignorowała go, może nie znała go jeszcze na tyle dobrze, by wiedzieć, jaki ciąg myśli wywołał ten śmiech.

— W życiu nie siedziałem w siodle — odparłem.

— A co mnie obchodzi, czyś pan w siodle siedział? — prychnęła.

Skinąłem głową, że istotnie zapewne nic jej nie obchodzi, a potem poszliśmy do łóżka, zajmując w tym celu plugawą sypialnię Loewego. Był to pokój piękny, jednak niemożliwie zapuszczony: na łóżku piętrzyły się sterty ubrań, brudna bielizna i stare gazety. Kto nie znał Loewego dobrze, a znał go z widzenia albo osądzał na podstawie tego, jak wygląda jego mieszkanie, nigdy by nie uwierzył, że ten otyły brudas w poplamionej kamizelce może być naszym reprezentantem, że z łatwością zaskarbił sobie względy możnych tego świata, a już na pewno Warszawy.

Jak to robił, nie wiedział nikt. Był oczywiście przenikliwie inteligentny, być może nawet inteligentniejszy ode mnie, a już na pewno jeśli chodzi o zdolności kombinatoryjne, ale z drugiej strony w jego intelekcie było coś odstręczającego, jego sarkazm był tyleż celny, co zwykle prostacki i plugawy.

„Plugawy" to przymiotnik w związku z Loewem przychodzący mi do głowy najczęściej. A jednak to on ich jakoś uwodził i przyciągał do nas, przesiadując z nimi w drogich restauracjach, nad przedłużającymi się do rana kolacjami, za które Loewe nigdy nie płacił, chociaż mieliśmy na ten cel fundusz reprezentacyjny, ale to oni zawsze prosili, by pozwolił im uregulować rachunek, a on zawsze w końcu się na to wspaniałomyślnie zgadzał.

Po kolacjach z Loewem nasi przyszli klienci nawet napiwki kelnerom i szatniarzom dawali jak najwyższe, żeby mu zaimponować, i potem przychodzili do naszej skromnej kancelarii w oficynie kamienicy przy ulicy Rozbrat, na początku nawet najwięksi bonzowie trochę niepewni siebie, rozpoczynali konwersację od omówienia pogody, sytuacji na froncie, wczorajszego programu telewizyjnego albo strajku taksówkarzy. Wszystko to, zanim przeszli do rzeczy, zanim poczuli pierwszy dreszcz ekscytacji na widok tego, jak Krupiński rwie się do roboty, jak mu się do niej oczy zapalają niczym dziecku w cukierni. Mówił czasem, że to nawet lepsze niż wojna.

W sypialni Loewego miałem ją po raz pierwszy i nie działo się tam nic, czego byśmy i ja, i ona już wcześniej kiedyś w łóżku nie robili.

— Dlaczegoś ze mną poszła? — zapytałem po wszystkim.

— Boś był pod ręką — odparła, zapalając mocnego francuskiego papierosa, a ja wiedziałem, że kłamie, ale niczego więcej nie dowiedziałem się już nigdy. Pytałem wiele razy. Odpowiadała zawsze bez wahania i za każdym razem zupełnie inaczej:

— Miałeś ładny krawat.

Albo:

— Wydawało mi się, że musisz być bardzo duży, skoro tak duże masz stopy i dłonie.

Kiedy indziej znowu:

— Bom słyszała o tobie dużo dobrego.

I mówiła mi te wszystkie kłamstwa z szerokim uśmiechem, świadoma, że wiem, że kłamie. Bo kiedy się poznaliśmy, nie miałem krawata, lecz muszkę, bo pamiętałem, iż innym razem powiedziała mi, że wyglądałem jej na kogoś skromnie obdarzonego i że przyjemnie była zaskoczona, kiedy w końcu zdjąłem spodnie, bo jeszcze innym razem mówiła, że przed naszym spotkaniem Krupiński ani słowem się o mnie nie zająknął i byłem dla niej zupełnie anonimowy, a potem znowu, że słyszała o mnie tak wiele złego, że miała mnie za potwora i to ją właśnie we mnie jakoś pociągało.

Pierwsze zlecenie dla naszej kancelarii i ona zbiegły się w czasie i wydaje mi się dziś, kiedy przyszedłem na jej pogrzeb, że również ja sam wtedy dopiero zacząłem się naprawdę. Byłem już wcześniej, owszem, byłem nawet jakiś, ale równocześnie pewien, że jeszcze nie taki, jaki być chciałbym i jaki być powinienem, pewien, że jeszcze nie jestem właściwy. Wiedziałem, że jestem nie taki, jaki być mogę i chcę, a kiedy pojawiła się ona i pierwsze wielkie pieniądze, i wynikająca z nich ekscytacja tym, jak bardzo się nam udało, jak bardzo mi się udało, wtedy dopiero poczułem się sobą prawdziwie.

Nie była piękna, chociaż oglądali się za nią na ulicy zarówno mężczyźni, jak i kobiety — te zwykle, chociaż nie zawsze, z zazdrością. Miała oczy rozstawione zbyt szeroko i bardzo duże usta, wydatne i ruchliwe, i nos, którego nikt nie nazwałby noskiem. Wszystko na jej twarzy było duże, a jednocześnie nie były to rysy grube, określiłbym je raczej jako rasowe, gdybym miał skłonność do tak głupich określeń, albo jako szlachetne, gdybym pojęcie szlachetności miał za odpowiadające jakiemukolwiek desygnatowi. Dlaczego więc oglądali się za nią na ulicy? Bo była od nich lepsza, od wszystkich, których mijała, i ode mnie też. Była ode mnie mądrzejsza, oczytana bardziej, bo szybko porzuciłem zgubny nałóg czytania, na okrutnej giełdzie erotycznej jej wartość wyceniana była bez wątpienia o wiele wyżej niż moja.

A jednak to ona leży teraz w białej trumnie, a ja za trumną idę. Gorszy, ale żywy. Czy to oznacza, że zwyciężyłem?

Od początku wiedziałem, że to, co jest między nami, to przede wszystkim walka. Była i pozostanie już dla mnie kimś wyjątkowym. Chociażby dlatego, że ucieszyła mnie wiadomość o jej śmierci.

Kondukt skręcił w stronę cmentarza. Karawan podskakiwał na bazaltowej kostce. W białej trumnie jej liliowe ciało, które zjedzą niedługo robaki.

Samego siebie wzruszyłem tymi wanitatywnymi myślami o liliowobiałych udach, piersiach i twarzy, które niedługo utracą swój kolor i zamienią się w to, w co się wszyscy w końcu zamienimy. W gówno.

Jakby na zawołanie, jakbym go myślami o jej ciele wywołał, na cmentarzu razem z konduktem pojawił się Krupiński, najbardziej cielesny człowiek, jakiego w życiu poznałem. Ujrzał mnie, podszedł, stanął obok.

— Szkoda takiej dupy jednak, szkoda takiej rozwiązłej dupy — rzekł po chwili zadumy, nie przywitawszy się nawet.

Spojrzałem nań ze złością i zaraz zaczął się zarzekać, jak zawsze, że nic z nią nigdy, a ja jak zawsze za grosz mu nie wierzyłem.

Czy byłem o nią zazdrosny? Tak, ale inaczej, niż jest się zazdrosnym o kochaną osobę. Raczej tak, jak zazdrościć można komuś łask kapryśnego władcy, nawet kiedy tego władcy jest się niekwestionowanym faworytem. Mnie zaś zazdrościła cała Warszawa. A przynajmniej cały nasz światek, bo też czegóż mógłby mi zazdrościć żydowski apasz z Nalewek, poza tym, że całego mojego życia, życia własnoręcznie stworzonego, odszytego jak garnitur obstalowany u najlepszego krawca. A czego mogło mi zazdrościć dziecię? A czego trup?

A przecież i dziatki, i trupy, i apasze tak samo jak my, żałobnicy na pogrzebie mojej narzeczonej, składają się na to przeklęte, prowincjonalne mimo swej stołeczności miasto wyrosłe bezsensownie na piaskach tej melancholijnej, nędznej równiny.

— Widziałeś? — zapytał Krupiński, podnosząc z ziemi wczorajszą gazetę. Nie spojrzałem w „Kurjera" od paru dni, radia też nie załączyłem. Na pierwszej stronie donoszą z frontu wschodniego o morskiej ewakuacji naszego korpusu na Krymie, który bolszewicy odcięli od głównych sił aliantów na Kaukazie. Ciężkie walki odwrotowe na Perekopie. Wzruszyłem ramionami. Nie byłem obywatelem polskim, pobór mnie nie dotyczył, miałem to więc zwyczajnie w dupie, jak i całą ich pańską wojnę.

— Tyle możliwości tam się teraz otwiera — westchnął tęsknie Krupiński.

Takie to były czasy.

Na wschodzie zawsze była jakaś wojna, a piękna młodzież w stołecznych kawiarniach ekscytowała się nowym modelem Chevroleta.

Bezrobotni szli spać głodni i spali w chłodzie, a my rozbijaliśmy się automobilami od Metropolu po Rialto, od Europejskiego po Centralny, pijąc wódkę, szampana i zagryzając blinami z kawiorem.

Na froncie padali szeregowcy z rodzin robociarskich i chłopskich i oficerowie z rodzin zamożnych, ziemiańskich i inteligenckich, z tym że oficerowie dużo rzadziej niż szeregowi i jakby ładniej, nawet kiedy umierali, patrząc na własne poszarpane granatem flaki, to i tak ładniej, bo ładniejsze ich potem opłakiwały dziewczęta.

Dziewczęta ładne cieszyły się, że są ładne, trwożąc się jednocześnie tym, że uroda w końcu przeminie. Dziewczęta brzydkie rozpaczały nad swą brzydotą.

Kulawi utykali. Ślepi błądzili. Głusi nie słyszeli, jak z nich szydzono. Głupcy brali szyderstwa za dobrą monetę, ja zaś kupowałem pierścionek, uległszy uprzednio nieodpartej argumentacji mej kochanki — kup, to z ojcem nie będzie kłopotów. Kup!

Kupiłem.

Kłopotów rzeczywiście nie było. Chodziliśmy do łóżka codziennie, czasem po kilka razy. Kiedy nie byliśmy w łóżku, pracowałem. Kiedy nie byliśmy w łóżku i nie pracowałem, wydawałem zarobione miliony lekką ręką. Albo spałem.

Czasem chodziliśmy na demonstracje robotnicze albo nawet komunistyczne. „Nigdy więcej wojny" — żądały transparenty z prześcieradeł i czarnej farby, kiedy premier Miedziński podpisał upokarzający Rzeczpospolitą pokój w Mińsku, oddając Wilno Litwinom. Wojna, której nigdy więcej, wróciła po roku. Coś musiały ze sobą począć pułki motorowe i ułanów, gdzieś musiały się podziać bataliony cyklistów i saperów, brygady pancerne, strzelcy konni, szwoleżerowie i podhalańczycy. „Dnia wczorajszego siły zbrojne Rzeczpospolitej wkroczyły do Homla" — podawały gazety jednego dnia, by drugiego donieść, że te same siły w sposób zorganizowany wycofują się w kierunku Pińska, gdzie wsparcia mają im udzielić kanonierki i monitory rzecznej flotylli. Wiadomości te zwykle nie korespondowały przesadnie z faktami.

„Precz z faszystowskim imperializmem" — głosiły transparenty komunistów, wymalowane pięknie za moskiewskie pieniądze, a ona na cały głos śpiewała *Międzynarodówkę*, bo miała do tej podniosłej pieśni wielką słabość. Na manifestacjach ONR-u chętnie śpiewała *Giovinezzę*, którą na polski nieudolnie przełożył Mosdorf. „Eja, eja, alala" — wrzeszczała tak samo chętnie jak słowa o wyklętym ludzie ziemi. Sprawiedliwie lubiła każdy radykalizm, bolszewicki czy faszystowski tak samo.

Ja na ONR-owskie nie chodziłem, komunistycznych też unikałem, chociaż czasem pozwalałem się jej zaciągnąć na jedne albo drugie. Lubiłem tylko te autentycznie robotnicze, organizowane przez związki zawodowe i socjalistów, przyglądałem się na nich ludziom tak podobnym do moich braci i ojca, a jednak innym. Innym, bo uboższym, ale innym też dlatego, że ani ojciec, ani bracia nigdy nie poszliby na żadną manifestację, na czele której nie byłoby księdza. Cieszyłem się więc, że nie przypominam ich już w niczym, ani moich braci i ojca, ani warszawskich robotników. To dla tej radości dołączałem do tych manifestacji i szedłem, z rękami w kieszeniach, czasem brany za policyjnego szpicla albo prowokatora. Szedłem mimo ryzyka. Aby cieszyć się, że nie należę już do tego świata.

Czy byłem złym człowiekiem? Naturalnie. Wiedząc o tym, znając siebie samego aż za dobrze, z wady tej postanowiłem uczynić atut i drogo ten atut światu sprzedawać. Tak też się stało. Tak powstała nasza kancelaria. Nocoń, Loewe & Krupiński GmbH.

GmbH — bo zarejestrowaliśmy naszą spółkę w Katowicach, Loewe wyliczył, że tak się będzie bardziej opłacać, jeśli chodzi o podatki, poza tym niemiecki skrót dodawał nam splendoru i powagi. Loewe chciał, żebym z nim do Katowic pojechał spółkę zarejestrować w sądzie, ale odmówiłem. Przyrzekłem sobie przecież, że nie wrócę tam nigdy.

— Czym się w zasadzie ta wasza kancelaria zajmuje? — zapytała, kiedy po raz pierwszy leżeliśmy obok siebie, nadzy, w plugawej pościeli Loewego.

— Wrogom naszych klientów życie zamieniamy w piekło — odparłem zgodnie z prawdą.

— Za opłatą, ma się rozumieć? — uśmiechnęła się.

Potwierdziłem.

— A ja, głupia, od tylu lat robię to za darmo — śmiała się dalej.

— Dlatego możesz nazywać się damą — odparłem inteligentnie.

Pomysł na naszą działalność był mój, ale ostateczną w swej prostocie formę rzecz przybrała dopiero, gdy opowiedziałem o niej Loewemu, nad wódką w Kulturalnej, gdzie schroniliśmy się przed zamieszkami, bo akurat bundowcy tłukli się z oenerowcami z uniwerku, obserwowani czujnie przez bojówkarzy z Poalej Syjon i PPS-u, którzy nie zdecydowali jeszcze, jakie zająć stanowisko.

Tłumaczyłem więc Loewemu, że tak wiele interesów prowadzi się, aby ludziom uprzyjemniać życie, na przykład kwiaciarnię po to się prowadzi albo zakład jubilerski, albo kino. Do fryzjera kobieta idzie po to, aby pięknym wyglądem zrobić przyjemność swojemu mężczyźnie albo sobie samej, albo cieszyć się zazdrością przyjaciółek. Do burdelu idzie mężczyzna, żeby zrobiła mu przyjemność tegoż przybytku pracownica. A gdzie miejsce, w którym można by zapłacić za to, by komuś stała się krzywda, przykrość albo przynajmniej zwykła, codzienna nieprzyjemność? Wszystko w miarę możliwości i w zależności od zasobów w portfelu.

Loewe słuchał, a potrafił słuchać jak mało kto, więc słuchał, popijał wódkę, zagryzał słoniną i chlebem. Wiedziałem, że jego cyniczny umysł łatwo przyjmie mój tok rozumowania i argumenty, znaliśmy się już dobrze, wiedziałem również, że szczególnie przy posiłku Loewe będzie moim słowom bardziej przychylny.

Zawsze wyczuwałem takie niuanse. Ze swobodą poruszałem się po zawiłych jak ustawa o podatku dochodowym meandrach ludzkiej duszy, ludzkiego umysłu i serca, cokolwiek przez nie rozumieć. Ta antropologiczna biegłość stanowiła pierwszą i najważniejszą z moich licznych zalet.

Tak, zalet posiadałem wiele. Ale to wady — bo nie słabości, słabości, jak mi się wydawało, nie miałem żadnych — więc to wady uczyniły mnie tym, kim byłem.

Potrafiłem zatem rozmawiać z Loewem tak, by przekonać go do moich racji, a on, przekonany już od samego początku, dobrze wiedział, że ze mną akurat ów pomysł na interes życia ma szansę powodzenia.

— Wszystko jednak w granicach prawa — zastrzegłem wtedy w Kulturalnej.

— Mój drogi — odrzekł Loewe, wycierając serwetką wargi tłuste od słoniny — nie ma potrzeby wykraczać poza te granice, pojemne tak, że zachowując literę prawa, zrobić można nieskończoną liczbę świństw.

Zgodziłem się z nim. Potem powtórzyłem to zastrzeżenie jej, kiedy leżeliśmy w Loewego pościeli po raz pierwszy. Wzruszyła na to ramionami. Oboje, i ona, i Loewe, gardzili prawem. Loewe, syn i wnuk wybitnych, stołecznych prawników, prawem gardził z pochodzenia i wychowania, ona odwrotnie, gardziła prawem, bo najwyższy szacunek okazywał mu jej ojciec. Nie miała dlań szacunku, nie okazywała mu jednak wzgardy otwarcie. Nie wydawał jej się nawet tego godzien.

Ja jednak słowa o niewykraczaniu poza granice prawa traktowałem bardzo poważnie. Przyzwyczailiśmy się w końcu, że granica jest rzeczą płynną, jak chociażby nasza granica na wschodzie. Nie posiadając obywatelstwa, i tak miałem ją za swoją, od kiedy zamieszkałem w Warszawie. Taka więc była, płynna, tocząca się pancernymi walcami i zagonami kawaleryjskimi od Brześcia po Witebsk i Smoleńsk, od Kijowa po Kowno, wciąż tak samo, dekada za dekadą, bitwy, kampanie, ofensywy i odwroty, stałość w płynności.

Z płynnej granicy na wschodzie żyli wszyscy ci, którym wojna okazuje swoją łaskawość. Agenci, handlarze, obrotowi watażkowie i ludowi trybuni do wynajęcia, płatni oficerowie i różne lokalne, białoruskie czy ukraińskie Maty Hari, albo chociażby sam Krupiński w jego wojennych latach. Nasza kancelaria, analogicznie, miała żyć z tego, co urodzi ziemia niczyja między kodeksami, ustawami i przepisami wykonawczymi, tak to sobie wymarzyłem i tak się właśnie stało.

Pierwszym klientem był pan Dezydery Cissowski, właściciel dwóch kamienic na Polnej, kilkudziesięciu podwarszawskich placów i majątku pod Opocznem — wszystko odziedziczone po przedsiębiorczym ojcu, self-made manie, który nawet nazwisko z eleganckim podwójnym „es" sobie sam zrobił, pozbywając się plebejsko brzmiącego „Czecha". Loewe uwiódł go przemową o brzydocie ludzkiej, bo posiadacz ziemski Cissowski brzydki był nieprzeciętnie. Niski, tłusty, o ziemistej cerze, całkiem łysy, jeśli nie liczyć uszu — z wielkich, mięsistych małżowin sterczały długie, czarne kłaki.

— Nic gorszego niż brzydota nie może przydarzyć się człowiekowi — mówił Loewe. — Ani bieda, ani choroby, ani obłęd, ani śmierć nawet, nic od brzydoty nie jest gorsze.

Mógł tak mówić, bo sam był przecież brzydki jak cesarz wszelkiego plugastwa, dlatego mu to uchodziło i dlatego właśnie przemową taką dodawał sobie szyku, na jakimś poziomie własną szpetotę znosił, unieważniał, pokazując aktualnym współbiesiadnikom: patrzcie, nie wstydzę się, taką siłę wewnętrzną posiadam, że mi nie wstyd, nie ukrywam szpetoty własnej, szczycę się nią nawet.

— Patrz pan — perorował dalej, budząc rosnącą aprobatę Cissowskiego — za kobietami wstawiają się sufrażystki, za robotnikami socjaliści, za nędzarzami komuniści, za artystami liberałowie, za Ukraińcami ukraińscy nacjonaliści, za Żydami bundowcy, syjoniści i kto tam jeszcze. A kto, drogi panie, wystąpi w obronie szpetnych, jaka bojówka pięknym spuści manto, gdzie ten marsz dziesięciotysięczny w obronie praw szpetnych płci obojga, jaki związek zawodowy chrześcijański, żydowski czy ateistyczny, jaki Bund za nami się wstawi, w jakiej kasie zapomogowej wypłacą nam dodatek, dzięki któremu moglibyśmy brzęczącą monetą część naszej brzydoty unieważnić, panie Cissowski?

Zawiesił głos na chwilę, aby retoryczne pytanie wybrzmiało, jak potrzeba. Nie będąc jednak pewnym inteligencji swego interlokutora, postanowił sam na nie odpowiedzieć:

— Nigdzie takiej kasy, nikt się za nami nie wstawi, sami sobie jesteśmy pozostawieni ze swoją szpetotą, ze spojrzeniami pełnymi odrazy lub, gorzej jeszcze, litości. O miłości, jako o czymś, co mogłoby nas dotyczyć, mówić nam nie przystoi jak starcom albo pensjonarkom, pod najgroźniejszą z gróźb, pod groźbą śmieszności, jakby w lędźwiach naszych płonął gorszy ogień niż w lędźwiach kawalerów przystojnych i smukłych.

Cissowski słuchał, nie wszystko rozumiał, bo będąc może szpetnym, był za to zupełnie tępy, wahał się jeszcze, bardziej już tylko dla fasonu.

— Niech ona też cierpi, kochany panie Cissowski — pięknie i brawurowo finiszował Loewe, słyszałem już skrzypnięcie stalówki na podpisywanym kontrakcie. — Niech też cierpi. Nie musiała pana pokochać, panie Cissowski, to jasne, ale czy musiała pana upokorzyć? Czy musiała pański szlachetny przecież afekt ująć w ramy kuriozalne, coś jakbyś pan ze swoją tuszą życzył sobie zostać baletnicą albo carem bułgarskim, jakby myśl o pańskim sercu czystym i kochającym była jej nawet nie tyle wstrętna, co śmieszna właśnie, jakby miłość i nadzieję na ożenek okazywał jej nie mężczyzna, a jakiś pocieszny buldożek. A jest pan przecież godnym mężczyzną, wspaniałym mężczyzną o licznych zaletach, jednego tylko panu brakuje, tego akurat, na co nie masz pan żadnego wpływu. Urody.

— Dobra, masz mnie pan — ponuro dobił targu nasz pierwszy klient.

Mało było w tej Loewego przemowie sensu, bo akurat Cissowskiego zalety trudno byłoby wymienić, jeśli nie liczyć odziedziczonego majątku, a za swoją szpetotę w znacznej mierze odpowiadał sam. Kiedy następnego dnia podpisaliśmy z Cissowskim umowę, Loewe przyznał, że z wielkim trudem powstrzymał się od pociągnięcia swojej tyrady w obronie szpetnych dalej, do miejsca, które naszemu klientowi bez wątpienia nie mogłoby się spodobać.

— Już mnie język świerzbiał, żeby durniowi powiedzieć jeszcze, że krzywda dziejąca się nam, szpetnym mężczyznom, to jeszcze nic. Możemy stać się bogaci i miłość, podziw i szacunek sobie po prostu kupić. Nie mam tu na myśli nierządu, drogi kolego, kupić za pieniądze możemy sobie miłość prawdziwą, prawdziwe oddanie, jakie nawet najgorszemu brzydalowi wiele dziewcząt gotowych jest szczerze okazać, jeśli ten otoczy je finansową opieką, jeśli będzie się o nie troszczył. I znowu, żebyś nie miał mnie za kogo bardziej cynicznego, niż jestem, nie idzie mi o kolie i brylanty, ale o bezpieczeństwo, którego taka dama pożąda jak każdy, dla siebie i swego potomstwa. Więc mężczyzna brzydki, jak ja na przykład, nie doświadcza ani setnej części tych niewypowiedzianych upokorzeń, które spotykają brzydkie dziewczęta. Nie powetują ich żadne pieniądze, żadna fortuna...

Kiwałem głową, chociaż nie miałem pojęcia, co miałbym z tymi banalnymi mądrościami Loewego zrobić, nic mnie cudza krzywda nie obchodziła, zbyt byłem zajęty tym, by światu nie pozwolić skrzywdzić mnie samego, a świat czyhał na mnie, na moje szczęście i dobro, od momentu moich narodzin. Ja jednak światu skrzywdzić się nie dam, postanowiłem już jako pacholę grające na placu w klipę, kiedy pierwszy raz dostałem w nos od starszych chłopaków i kiedy po raz pierwszy czułem między zębami pył, jaki uniósł przejeżdżający ulicą automobil, za którego oknem widziałem chłopca takiego samego jak ja, tylko niepokalanie czystego, w drogim, marynarskim ubranku, i chłopiec ten patrzył na mnie, jakbym wcale nie istniał.

Tymczasem mieliśmy pierwszą sprawę. Zajęła nam siedem tygodni. Cissowski zapłacił prawie ćwierć miliona, musiał chyba sprzedać na potrzeby naszego honorarium kilka placów podwarszawskich. Po odjęciu kosztów, których było jednak sporo, wyszło nam po sześćdziesiąt tysięcy na głowę. Fortuna.

Rozważałem właśnie stan mojego konta, liczyłem oszczędności ulokowane w nieruchomościach, obligacjach skarbowych i złocie, kiedy Krupiński trącił mnie, zamyślonego, w ramię.

— Cała Warszawa ci jej zazdrościła — powiedział, głową wskazując białą trumnę.

Kondukt rozwinął się w długie kolumny żałobników w ścieżkach między grobami i ciemny, gęsty krąg wkoło otwartego grobu.

Krupiński, odziany nienagannie w czarny żakiet, krawat, patentowe pantofle i sztuczkowe spodnie, drapał się po świeżo wygolonej twarzy, rozważał historie z przeszłości.

— Cała Warszawa ci jej zazdrościła, a ja nie. Chociaż nigdy jej nie miałem — dodał.

Po raz pierwszy mu uwierzyłem i rozumiałem, dlaczego mi jej nie zazdrościł. Znał ją zbyt dobrze. I być może dlatego nigdy jej nie miał. Pochodzili z różnych sfer, jednak znał się dobrze z jej ojcem, a ją samą poznał, kiedy była jeszcze dzieckiem.

— Byłem przy tym, jak z dziecięcia zmieniała się w kobietkę, i to był straszny widok, nigdy nie zapomnę, jak pozbyła się swej dziecięcej słodyczy i została tym, kim została — powiedział, jakby odgadując moje myśli.

Wierzyłem mu nadal. Sam bardzo bałem się ludzkich zwierzątek w tym strasznym momencie życia, w którym na podbrzuszu zaczynają im rosnąć włosy. A w jej przypadku musiało to być jeszcze straszniejsze, bo ona w ogóle była człowiekiem bardziej niż ktokolwiek z nas.

— Jestem już zmęczony — mówił dalej Krupiński. — Bardzo, bardzo zmęczony.

— Ja również, wspólniku — zgodziłem się, zgodnie z prawdą, ale fałszywie to zabrzmiało.

— Nie będę więcej realizował — odparł, patrząc przed siebie, przyglądając się, jak pracownicy domu pogrzebowego wyciągają białą trumnę z czarnego karawanu.

Nic nie odpowiedziałem. Trumna spoczęła na ułożonych nad grobem belkach. Ksiądz mówił swoje zaklęcia i odprawiał swoje czary. Trumna biała, suknia biała, pierścionek brylantowy, wszystko w ziemię razem z przyszłością naszej skromnej, a tak lukratywnej i dynamicznie rozwijającej się kancelarii. Bez Krupińskiego pozostawało nam wypowiedzieć lokal i zastanowić się z Loewem nad tym, w co zainwestować zarobione miliony, jaki interes otworzyć, jako że usług, które świadczyli Nocoń, Loewe & Krupiński GmbH, sami Nocoń z Loewem świadczyć nie będą mogli, bo nie byliby w stanie ich zrealizować.

Nawet chyba nie chcielibyśmy próbować. To mogło działać tylko, kiedy było nas trzech. Krupiński miał do realizacji jakiś dziki, zwierzęcy talent, instynkt może. Żeby to zrozumieć, trzeba było widzieć, jak rzucał się w wir sprawy, jak zaczynał od wywiadu na temat figuranta, jak otaczał go swoją niewidzialną dla figuranta uwagą, staranniejszą niż uwaga kochanka względem kochanki, Krupiński robił to nieomalże z czułością, z oddaniem, po kilku tygodniach praktycznie żył już życiem figuranta, znał jego upodobania, smutki i radości, nawyki nocne i dzienne, śmiesznostki i cnoty, wady i zalety, wiedział wszystko.

— Przychodzi taki moment, na chwilę przed wielkim finałem, moment, w którym robi mi się ich żal, bo stają się dla mnie tak bliscy, jak przyjaciele — mówił na noc przed pogrzebem. — Ale nie waham się, nigdy się nie waham, bo to ukłucie smutku jest niczym wobec rozkoszy, którą czuję w momencie, w którym finał się naprawdę zaczyna.

Widywałem go w tych chwilach wielokrotnie. Odbywało się to różnie, list, telefon, osobista wizyta, ale podniecenie i rozkosz Krupińskiego zawsze były podobne. Nagle pozbawiony zajęcia patrzył, jak następuje seria starannie zaplanowanych wydarzeń, która życie figuranta powoli i nieubłaganie obraca w gruzy, jak śnieżna lawina znosi górskie chaty. Byliśmy rzetelni i staranni. Cios zadawaliśmy zawsze tam, gdzie powodował najwięcej cierpienia — i zawsze ku bezradności prawników, żadnych nielegalnych działań. Żadnych publicznych zniesławień, żadnej przemocy, tylko słowa, czasem też fotografie, ale przede wszystkim słowa, bo nic nie ma większej siły rażenia. Krupiński, kiedy pisał, obok stojącej na zupełnie pustym biurku maszyny do pisania kładł pistolet i za każdym razem prosił nas, byśmy się temu przyjrzeli, maszyna z wkręconą kartką papieru, colt z pełnym magazynkiem.

Nie potrzebowaliśmy nigdy uciekać się do kłamstw. Kłamstwa są w złym guście, kłamstwa w naszym fachu to partactwo, fuszerka — sami określiliśmy ten zawodowy kodeks, bo drugiej kancelarii takiej jak nasza nie było.

Moja i Loewego rola na tym etapie była już niewielka. Owszem, służyłem Krupińskiemu wsparciem, analizowałem dane, poszukiwałem trudnych do zdobycia informacji, ale były to wyłącznie działania pomocnicze, to on tkał misterne intrygi z wprawą i wdziękiem oficera zakordonowego wywiadu, stary, nocny łowca.

— Nie będę więcej realizował — powtórzył. — Zrobiłem się wygodny. Rozleniwiłem się. To się stało już zbyt proste. Jestem jak wyleniałe wilczysko o spróchniałych zębach w kurniku pełnym tłustych kurcząt. Nie będę więcej realizował.

— Wracam za kordon — dodał po krótkiej chwili.

Kiwnąłem tylko głową. Z Krupińskim nie było dyskusji. Wiedziałem, że spowodowała to w nim nasza ostatnia robota, ale nie wspominałem o tym, nie było po co. Białą trumnę uniesiono na taśmach, wysunięto spod niej belki i powoli opuszczono ku naszemu wspólnemu przeznaczeniu. Matka mojej narzeczonej zalewała się łzami. Ojciec ani drgnął, stał z rękami wzdłuż ciała, z zaciętą twarzą.

Może to dobrze, że Krupiński odchodzi, myślałem, a że ona umarła, to na pewno dobrze, dla mnie. Nie było dla mnie życia przy niej, przy niej byłem kimś za życia martwym.

Sam tego zbyt dobrze nie rozumiałem. Nie kochałem jej przecież, zbyt wyraźnie czułem jej nade mną przewagę, ale od czasu tych pierwszych paru godzin w plugawej pościeli Loewego wiedziałem, że się od niej nie oderwę, że coś mnie zawsze przy niej zatrzyma, coś, czego nie odczuwałem wcześniej nigdy, wobec żadnej kobiety.

Póki mieszkałem tam, gdzie się urodziłem, nie miałem żadnej. Zbyt wątłym byłem chłopcem pomiędzy rosłymi, robociarskimi osiłkami, zbyt nieśmiałym, pewna surowość górniczych obyczajów też utrudniała nawiązanie owocnej znajomości. Kiedy już jako konfirmowany absolwent gimnazjum klasycznego pracowałem na urzędniczej posadzie w kasie kopalnianej, wtedy jakaś by się znalazła, pewnie niejedna, ale zanim jakaś zdążyła, mnie już tam nie było. Uśmiechały się do mnie, do mojego dobrego, jak na nasze patronackie osiedle, garnituru, ale ja, zaabsorbowany starannym planowaniem mojej bezczelnej zbrodni, zbyt miałem zajętą głowę, by zawracać ją sobie dziewczętami. Do Warszawy przyjechałem więc jako zamożny, przyzwoicie odziany, spragniony wiedzy i kobiecego ciała prawiczek. Wjechałem do stolicy późnym wieczorem, zatrzymałem się w dobrym hotelu, z fascynacją odkrywając luksusy, o jakich do tej pory wyłącznie czytałem. Zjadłem wystawną kolację, popijając butelką wina za sumę równą miesięcznemu zarobkowi mego ojca, potem długo pławiłem się w wannie, w kąpieli z wonnymi olejkami, ciągle dopuszczając sobie gorącej wody. Marzyłem o gładkich ciałach kobiet, wyobrażałem je sobie, a moje ciało reagowało w zwykły u młodzieńców sposób. Myślałem również o tym wszystkim, czego się nauczę.

Następnego dnia rano poszedłem więc prosto na uniwersytet, gdzie zapisałem się jako wolny słuchacz, potem zaś z uniwersytetu do burdelu.

W burdelu, niestety, w ogóle mi się nie spodobało. Owszem, po kwadransie, jaki upłynął od momentu, gdy wstąpiłem w progi tego przybytku, nie byłem już prawiczkiem, ale cóż z tego, cóż to oznaczało? W kobiecie, która

dziewictwo traci, coś się przynajmniej zmienia fizycznie — nawet jeśli ta fizyczna zmiana, kiedy spojrzeć na
nią trzeźwo, wyzbywszy się klerykalnych i burżuazyjnych
przesądów, nie ma szczególnego znaczenia. Ale jakaś jest,
można przynajmniej wskazać różnicę w ciele, inny stan
przed, inny stan po, także wówczas, gdy w zgodzie z ro-
zumem odrzucamy kulturalne implikacje tej różnicy.

A we mnie cóż się zmieniło po tym, jak w wieku lat
dziewiętnastu pospiesznie i niezdarnie dokonałem aktu
cielesnego po raz pierwszy? Wewnętrznie akt ów nie
zmienił we mnie niczego, nic nie pękło, nic się nie stało,
nic się nie wydarzyło, poza tym, że dostałem trypra.

Penicyliny wtedy jeszcze nie było w sprzedaży, więc
po pierwszej miłosnej przygodzie okres przymusowej
abstynencji jeszcze wzmógł we mnie przekonanie, że
miłość cielesna to nic takiego, że niewiele różni się od
innych funkcji organizmu.

Chętnie pociągnąłbym dalej tę myśl, że miłość cielesna to nic takiego, chętnie zamieniłbym ją tutaj w cyniczny bon mot, że miłość cielesna to nic takiego, a innej nie
ma, są tylko złudzenia, jednak jakże daleki byłbym wtedy
od prawdy. Tryper bez antybiotyków rzecz nieprzyjemna,
ale to przecież jeszcze nie powód, by głosić tutaj niepraw-
dę. Dwa lata później penicylina była już zresztą w każdej
aptece i tryper stał się schorzeniem niewiele bardziej do-
kuczliwym niż angina.

Po penicylinie pojawiła się nasza kancelaria i płynące
z niej dochody, potem pojawiła się telewizja i każdy wyle-
czony właśnie z trypra mógł w telewizji obejrzeć defiladę

ułanów i szwoleżerów, pokazy lotnicze i kroniki z kolejnych wojen z bolszewikami, kolejne ofensywy i odwroty, jak zawsze od Brześcia po Witebsk, od Witebska po Brześć.

Wtedy z nią zamieszkałem. Najęliśmy piękne mieszkanie na Starym Mokotowie, duże, drogie i zimne. Kancelaria prosperowała, kupiliśmy więc telewizor za cenę małego samochodu i często nasze wieczory wypełniała ta świecąca srebrnym światłem szara, niewielka szybka umieszczona w centralnym miejscu wielkiej, fornirowanej czeczotą szafy, noszącej dumną markę Telefunken.

Często więc oglądaliśmy program. Nadawany był codziennie, od szesnastej do dwudziestej, a składały się nań dwa serwisy z wiadomościami, wojenna kronika filmowa, portrety kawalerów Orderu Virtuti Militari, ciekawostki przyrodnicze, wiadomości z zagranicy i na koniec zawsze krótki, dokumentalny materiał podsumowujący codzienne poczynania marszałka Rydza-Śmigłego, w niedzielę zaś dodatkowo jego przemowa, w której z właściwym mu brakiem wdzięku i tępotą podsumowywał politykę wewnętrzną i zagraniczną Rzeczpospolitej z ostatniego tygodnia.

Myślałem często o tym, jak moje warszawskie życie mogłoby wyglądać, gdybym jej nigdy nie poznał. Czy ożeniłbym się z jakąś miłą panienką z mieszczańskiego domu, której ojciec przymknąłby oko na moje niejasne pochodzenie, skoro tylko zobaczyłby, jak majętnym jestem człowiekiem? Spłodziłbym jej stadko miłych dziatek i może nawet w sypialni naszej nie wiałoby chłodem, a ona nic nie wiedziałaby o mnie — mówiąc „o mnie", mam na myśli moją pracę, bo cóż innego? — więc nie wiedziałaby o mojej pracy nic, tylko żerowałaby na jej owocach, dając mi w zamian to, co tylko ciepłe i nudne kobietki dać mogą, i byłaby to uczciwa wymiana, i pewnie byłbym nawet szczęśliwym człowiekiem, o tyle o ile ludzie w ogóle potrafią być szczęśliwi.

Z nią było zupełnie inaczej. Zaczęło się nagle, tego samego dnia, w którym wprowadziliśmy się do mieszkania na Mokotowie. Tego dnia przejęła kontrolę. I wtedy jeszcze bardzo mi się to podobało.

— Podoba mi się w tobie, że jesteś silny inną siłą — mówiła. — Nie siłą Krupińskiego albo jemu podobnych, tą zwierzęcą siłą rewolweru, pięści i wojny. Twoja siła jest inna, to siła papieży i mędrców, siła mężczyzn brzydzących się przemocą, mężczyzn o delikatnych dłoniach i subtelnych umysłach. I o ileż groźniejsza jest taka moc niż wojenne cnoty!

Tak przynajmniej pamiętam jej słowa, w rzeczywistości brzmiały na pewno nieco swobodniej, mniej retorycznie. Miała trochę racji, jednak nie do końca. Istotnie, brzydziłem się aktów przemocy, nie brzydziłem się jednak przemocy samej w sobie. Z satysfakcją patrzyłem, jak Krupiński łamał ręce bandziorom, którzy pobili mnie i Loewego. Próbowałem jej o tym powiedzieć, ale nie słuchała. Być może to był moment, w którym popełniła błąd. Zapewne jedyny, ale dla niej tragiczny w skutkach.

— Podoba mi się ta twoja siła, bo chcę ją okiełznać, tak jak potrafię okiełznać siłę najdzikszego, największego folbluta, to mnie pociąga w jeździectwie, mój triumf nad zwierzęcą siłą, a z tobą to będzie w dwójnasób. Bo okiełznawszy takiego gwałtownika jak Krupiński, w istocie nie dokonałabym niczego innego, niż gdy ujeżdżam nieułożonego jeszcze pod siodło wierzchowca. Okiełznać twoją delikatną siłę to wielkie wyzwanie, a ja wyzwania uwielbiam ponad wszystko.

Tak, to było wyzwanie i temu wyzwaniu podołała. Okiełznała mnie. Do czasu, a jednak.

Zrobiła to w ten sam sposób, w jaki okiełznałaby mężczyznę skorego do przemocy, co mi trochę uwłaczało. Zrobiła to za pomocą ciała, jego dobrze znanej, a jednak ciągle tajemnej mocy.

Nie da się ukryć, że i wcześniej fantazjowałem o tym, jak to jest być uległym damie, ale nigdy tych fantazji w żaden sposób nie zrealizowałem. Książki Sacher-Masocha czytałem z zainteresowaniem, ale też będąc pewnym, że moje pragnienia tak daleko nie sięgają, większość z jego pomysłów wydawała mi się wręcz odrażająca. Nie miałem też zbyt wielu kontaktów z dziewczętami. Po wyleczeniu się z trypra spotykałem się z pewną pensjonarką, potem była nauczycielka fortepianu, a potem pewna mężatka. I żadna z nich nie wydała mi się godna zaufania na tyle, bym odważył się wyjawić im moje intymne pragnienia.

Przy niej zaś w ogóle nie pojawiła się kwestia zaufania, czy też jego braku — to ona sięgnęła po moją godność i upodliła ją zupełnie.

Wieczorami, kiedy program się kończył, wyłączaliśmy telewizor, a służąca podawała lekką kolację, którą jadłem, drżąc już z niepokoju. Ciągle zafascynowani technicznym cudem telewizji prowadziliśmy konwersację na temat obejrzanego właśnie programu, ale ja myślałem już tylko o tym, co mnie czeka, i drżałem, drżałem ze strachu i z podniecenia.

Początkowo czerpałem z tego wielką siłę, jakiej nie spodziewałem się znaleźć w tym dziwnym miejscu, do którego mnie zaprowadziła, nie pytając o zdanie. Klękając przed nią, sięgałem do skarbca energii, który wydawał mi się niewyczerpany. Wydawałem się sobie niezniszczalny. Stałem się dumny i nawet Loewe mówił mi, że inaczej zacząłem nosić głowę, wysoko, zmieniło mi się spojrzenie.

Każdego dnia wyczekiwałem wieczora, a wszystkie wyglądały tak samo, jednak tylko do momentu, w którym padałem przed nią na kolana i oddawałem się jej w słodką niewolę. Od tego momentu wszystko się zmieniało, przy czym za każdym razem było inaczej, poza jednym, niezmiennym, poza władzą, którą nade mną sprawowała.

Za każdym razem przesuwała granicę trochę dalej. Pewnego razu poleciła zostać służącej, by stała się świadkiem moich upokorzeń, a ja bałem się zaprotestować i nie zaprotestowałem.

Po kilku miesiącach nie czerpałem już z tego, co działo się w naszej alkowie, żadnej siły. Ciało miałem ciągle obolałe, a ona każdego dnia wymyślała nowe, coraz potworniejsze zabawy, o których nawet nie śniłem w moich dawnych fantazjach. Nie potrafiłem tego skończyć. Bałem się jej i pragnąłem jej jednocześnie. Rzadkie chwile, w których pozwalała mi siebie dotknąć, były dla mnie najwyższą rozkoszą, wartą wszelkich cierpień.

— Wiesz, jak to się skończy? — zapytała któregoś razu, kiedy wyczerpany leżałem u jej stóp.

— Nie wiem, pani... — wyszeptałem.

— W końcu cię zabiję. Uduszę. Będziesz się powoli dusił, patrząc, jak bierze mnie inny mężczyzna, Krupiński na przykład. On wziąłby mnie bez ceregieli, jak prawdziwy samiec.

Wiedziałem, że nie żartuje. Żarty albo gierki jakieś nie były w jej stylu. Kiedy następnego dnia rano jak zwykle założyłem szary garnitur, kapelusz, wziąłem teczkę i pojechałem samochodem do kancelarii, coś było inaczej, chociaż na zewnątrz nie było tego widać. A jednak coś się we mnie przełamało. Wiedziałem już, jak muszę postąpić.

Obaj moi wspólnicy byli już przy swoich biurkach. Loewe czytał „Kurjera", Krupiński polerował sobie paznokcie, z nogami w oficerkach po amerykańsku wywalonymi na blat. Powiedziałem im. Nie byli zachwyceni, ale bez wahania obaj zgodzili się ze mną. Tak, tak właśnie należało postąpić. Moje dobro jest dobrem kancelarii, a więc naszym wspólnym. Tak.

Do tej jednej roboty zamieniliśmy się z Loewem zadaniami. Nie byłem w stanie zapewnić Krupińskiemu wsparcia przy tej realizacji, więc równie niechętnie co sumiennie zajął się tym Loewe.

Myślałem o tym, patrząc, jak wieńce przykrywają grób kryjący białą trumnę i jej ciało. Krupiński trącił mnie w ramię.

— Nie ma na co patrzeć — powiedział. — Chodźmy.

Poszedłem. Zaproponowałem wódkę, zgodził się, poszliśmy do Studio, artystycznego baru w samym środku rządowej dzielnicy, przy monumentalnej alei Piłsudskiego.

— Wolałem, kiedy tu były wyścigi, lotnisko. — Krupińskiego narzekania na nową dzielnicę należały już do rytuału naszych wizyt w barze Studio. Mówił o tym zawsze, nienawidził modernistycznego monumentalizmu, nie znosił nawet cienia, jaki stumetrowa wieża Świątyni Opatrzności Bożej rzucała na miasto.

A teraz powiedział o tym, bo chciał mi pokazać, że nic się nie zmieniło, że siedzimy i pijemy wódeczkę, jak zawsze, ale ja wiedziałem, że zmieniło się wszystko.

Piliśmy ostro. Jedliśmy gęsi pipek. Piliśmy dalej. Wódkę ziemniaczaną, potem pszeniczną, ciepłą, z kieliszków jak do włoskiej grappy, bo dobra była i pachniała.

Dużo milczeliśmy, więcej niż zwykle.

— Nie było wyjścia — próbowałem przekonać Krupińskiego i samego siebie, aczkolwiek niemrawo. — To był jej wybór. Na każdym poziomie. I wtedy, kiedy dla własnej igraszki wypowiedziała mi wojnę, i potem. Nie musiała tego robić. Mogła wyjechać.

Krupiński milczał ponuro. Dawno ulotnił się mój dobry humor, w którym przyszedłem na pogrzeb mojej dziewczyny. Krupiński też w niczym nie przypominał samego siebie z wczoraj, radośnie opijającego sukces kolejnej realizacji, tak jakby ta niczym się nie różniła od poprzednich.

Wypiliśmy litr.

— Chodźmy do Loewego — zaproponował Krupiński, ciągle ponury.

Nie chciało mi się. Chciałem pójść spać, do mieszkania, w którym już jej nie ma, do mieszkania, które kiedyś było nasze, a teraz jest wyłącznie moje. Czułem jednak bardzo wyraźnie, że dziś nie mogę mu odmówić.

To nie była trudna realizacja, a Krupiński przeprowadził ją jak zawsze: perfekcyjnie i brawurowo jednocześnie. Z kobietami zawsze było łatwiej, kobiety łatwiej zabić towarzysko. Te w dojrzałym wieku można ośmieszyć zaaranżowanym romansem, którego szczegóły wychodzą na światło dzienne — mieliśmy do tego świetnych żigolaków. Podstawialiśmy ich, opłaciwszy suto, one oczywiście na początku nie dowierzały, bo to, co się im przydarzało, wydawało się zbyt piękne, by mogło być prawdziwe. Ale potem strach przed tym, że może odrzucają ostatnią w życiu szansę na miłość, zwyciężał i na łeb na szyję rzucały się w to, co tym właśnie miało być, zwieńczeniem całego uczuciowego życia, ostatnią miłością, tak mocną i piękną jak pierwsza, a co okazywało się ich zagładą, kiedy po warszawskiej, spragnionej krwi socjecie krążyć zaczynały odpisy listów miłosnych, które szacowne matrony pisywały naszym zimnym jak lód, na ulicy wychowanym żigolakom, którzy przecież specjalnie prowokowali je do wszelkiej obsceny. Po wszystkim nie były zhańbione, raczej ośmieszone, śmieszność jednak, jak pisał pewien mądry książę, hańbi bardziej niż sama hańba.

Młodsze trudniej było zranić śmiesznością, hańba jednak działała zawsze. Biorąc się za sprawę mojej dziewczyny, Krupiński dołożył wszelkiej staranności. Przygotowania zabrały mu miesiąc, miesiąc, w którym ja dla niepoznaki niczego nie zmieniłem w moim życiu, dalej cierpiąc pod jej obcasem. Po miesiącu uruchomił utkaną wcześniej intrygę i nagle po prostu było po niej.

Główny był wątek obyczajowy, w którym pojawiał się motyw płatnego uprawiania różnych dewiacji, zwieńczeniem zaś stał się wątek polityczny, kiedy to moja narzeczona podstawionym, fałszywym agentom na piśmie i z entuzjazmem deklarowała natychmiastową gotowość zdradzenia Rzeczpospolitej, darzonej przez nią głęboką nienawiścią z tych samych powodów, dla których my wszyscy naszej kochanej ojczyzny nie lubiliśmy, nie posuwając się jednak do zdrady.

Zabiła się niekobieco, strzałem w głowę. Zabrała mojego brauninga, którego kupił mi wcześniej Krupiński, pojechała do stajni, w której trzymała swoje cztery wierzchowce, jeździła kilka godzin, a potem w tej samej stajni, w jeździeckim stroju, usiadła pod ścianą i strzeliła sobie w skroń, i tam ją zaraz znaleźli stajenni, zaalarmowani hukiem i rżeniem przestraszonych koni.

— Krupiński nie będzie więcej realizował — powiedziałem Loewemu już w progu, kiedy wpuszczał nas do mieszkania.

Tylko skinął głową, siedliśmy przy stole, nasz otyły wspólnik postawił wódkę, piliśmy, zagryzając chlebem i kiełbasą. Krupiński bawił się kuchennym nożem, którym odkrajaliśmy kolejne kawałki krakowskiej. Milczał, pił.

— Kochałem ją — wymamrotał w końcu, pijany jak ułan po święcie pułku. Czułem już, jak to się może skończyć.

— Wszyscy ją kochaliśmy — powiedział trzeźwy Loewe pojednawczo. — Tak musiało się stać.

— Tak musiało się stać — potwierdził Krupiński, po czym wstał i wbił mi kuchenny nóż w pierś, następnie wyszarpnął i wbił ponownie, po czym powtórzył tę czynność czternaście razy, dziurawiąc mi klatkę piersiową i brzuch, przebijając płuca, wątrobę, dziurawiąc tępym ostrzem jelita, żołądek i śledzionę. Po piątym pchnięciu byłem już martwy, ale i wcześniej nawet nie próbowałem się bronić. Póki żyłem, czując, że to życie właśnie ze mnie uchodzi, zadawałem sobie jeszcze pytanie „Kto wygrał?", ale nie znalazłem na nie odpowiedzi.

2016

BALLADA O JAKUBIE BIELI

Jakub Biela urodził się trzydzieści trzy lata temu i za trzydzieści trzy lata umrze. Teraz przy stole w domu rodziców czeka na swoją poobiednią kawę. Na półmiskach leżą rolady z ciemnobrązowej wołowiny. W wazach kluski, *biołe* i *czŏrne*, obok *modrŏ kapusta*, dalej curry z dyni i kurczaka, saltimbocca z cielęciny, dietetyczny łosoś dla tych żon i córek, które jeszcze dbają o linię, dalej ryż z rodzynkami i sałata z miodowym winegretem. Wszystko to jednak znika ze stołu, niepostrzeżenie robiąc miejsce *kołŏczowi, szpajzie* i lodom.

Przed obiadem Jakub Biela wypił z ojcem piwo. Obaj Bielowie, starszy i młodszy, rozparli się na fotelach w identycznych pozach, pili ciemne marcowe i rozmawiali. Starszy Biela widział w młodszym Bieli młodego siebie, młodszy Biela nie widział w starszym Bieli starego siebie. Kiedy zawołano na obiad, przeszli do jadalni.

Podczas obiadu Jakub Biela wypił cztery kieliszki ciężkiej gran reservy, co czyni całą butelkę, zjadł dwie rolady, pięć klusek i godny kopczyk *modryj kapusty*. Na obiadach u rodziców Jakub Biela jada rolady, kluski *a modrŏ kapusta*.

Po obiedzie Jakub Biela odmawia *szpajzy*, czyli deseru, ponieważ nie chce utyć więcej, niż potrzeba do tego, aby być mężczyzną statecznym. Odmawia również lodów z bitą śmietaną i pokrzepia się ojcowską nalewką z pigwy, następnie pije kieliszek porzeczkowej smorodiny, oczekując na swoje espresso, bez którego nie wyobraża sobie zakończenia uroczystego posiłku. Do espresso wypije jeszcze kilka kieliszków wytrawnej nalewki z cytryńca. Koniaku odmówi, ponieważ nie lubi koniaku. Zdanie zmieni za trzydzieści lat, na trzy lata przed śmiercią, i zdąży się jeszcze w tym koniaku na dobre rozsmakować, co też wydarzy się we właściwym czasie, kiedy stać go będzie na naprawdę dobre koniaki.

Na co dzień Jakub Biela robi kawę sam. Uważa, że dobra kawa wymaga czułości i staranności, na którą stać tylko jego samego. Tylko w niedzielę, przy obiedzie, Jakub Biela pozwala się obsługiwać, ponieważ tak każe tradycja. Jakub Biela niezwykle szanuje tradycję, kiedy styka się z nią w murach domu jego rodziców. Poza tymi murami Jakub Biela ma do tradycji stosunek pobłażliwie życzliwy, więc raczej lekceważący.

* * *

Dwadzieścia lat wcześniej Jakub Biela u dziadków Operschalskich po obiedzie wstał i chciał odnieść talerz. Patriarcha rodu, stary Willym Operschalski, samym spojrzeniem posadził go z powrotem na krześle. *Co to mŏ znaczyć, babŏw sam niy ma, co by synek z talyrzami lŏtŏł?*

Jakub Biela czuł się wtedy trochę dumny, ale jednocześnie bardzo zawstydzony.

Kiedy wrócili do domu, mama upomniała Jakuba, aby nie wyobrażał sobie, że w domu też siostry będą po nim sprzątać talerze.

Jakub Biela był wtedy lekko urażony, ale jednocześnie poczuł ulgę.

* * *

Do Jakuba Bieli wszyscy mówią Kuba, my jednak będziemy nazywać go tak, jak on sam o sobie myśli, on sam zaś myśli o sobie imieniem i nazwiskiem: Jakub Biela. Patrzy w lustro i myśli: oto Jakub Biela.

Kiedy tak patrzy w lustro, to czasem wydaje mu się, że jest nieco młodszy, niż jest. Czasem zaś wydaje mu się, że jest nieco starszy, niż jest.

My jednak znamy bieg jego życia od momentu, w którym począł się za sprawą Antoniego Bieli i Jadwigi Bielowej z domu Operschalski, po chwilę, w której umarł w wieku lat sześćdziesięciu sześciu za sprawą poślizgnięcia się na hotelowej posadzce i uderzenia podstawą czaszki w marmurowy stopień, który los i murarz postawili dokładnie tam, gdzie postawili, aby Jakub Biela mógł zakończyć swoje dobre i śmieszne życie.

* * *

Na ojca Jakuba Bieli mówiono *Tōnik*, na matkę Jakuba Bieli mówiono czasem *Hyjdwig*, a najczęściej *Bielowŏ ŏd*

Tōnika Bieli, co ôna je cerōm ôd tego Operschalskigo, kery miyszkôł wele banhofu.

Gdzie indziej mówiono o nich po prostu Jadzia i Antek Bielowie. Dawniej rzadziej, dziś częściej. Tōnik i Jadzia, jak zwracali się do siebie, w obu światach poruszali się równie sprawnie, niczym wędrowne węgorze, które żyć potrafią zarówno w słonej, jak i słodkiej wodzie, jednak Jadzia i Antek nie wędrowali, to zmieniały się wody wokół nich.

Za parę lat Jadwiga i Tōnik spoczną w jednym grobie, na przyszowickim cmentarzu, na który Jakub Biela chodził wiele razy z żółtego kościoła o wyraźnie krzywej wieży, przecinając w powolnym kondukcie z górniczą orkiestrą drogę krajową nr 44. Wieża jest krzywa, bo ziemia osuwa się, gdy dużo niżej zawalają się górnicze chodniki.

Najpierw Jakub Biela odwiedzał będzie grób Antoniego Bieli, który za życia był Tōnikiem. Po roku w tym samym grobie spocznie Jadwiga Bielowa, która za życia była czasem Hyjdwig, czasem Jadzią, czasem panią Jadwigą, czasem szefową, a najczęściej matką swoich dzieci, żoną swojego męża i córką swojego ojca.

Teraz jednak Jadzia i Tōnik siedzą przy stole, jedzą obiad, popijają wino — na cały stół na jedno rozlanie poszły trzy butelki — i patrzą na swoje rodzeństwo i na dzieci, w tym na Jakuba Bielę. W przeciwieństwie do nas, którzy przyglądamy się Jakubowi Bieli szczególnie, Jadzia i Tōnik na wszystkie swoje dzieci patrzą tak samo.

* * *

Jakub Biela czasem uważa się za młodszego, niż jest. Kiedy spogląda w lustro, widzi zmarszczki, ich mapę odziedziczył po Antonim Bieli, ten z kolei po swojej matce, Hildzie z domu Wilczek. Dziś, kiedy Hilda już nie żyje, Antoni chętnie przygląda się twarzy syna, próbuje odnaleźć w niej twarz swojej matki. Na tej mapie, którą Antoni i Jakub Bielowie odziedziczyli po Hildzie z domu Wilczek, znajdują się cztery głębokie zmarszczki na czole od skroni do skroni. Następnie dwie bruzdy, oddzielające policzki od ust. Dalej zmarszczki w kącikach oczu.

Jakub Biela uważa, że zmarszczki wydobywają na wierzch jego charakter, że są widocznym na powierzchni twarzy wierzchołkiem góry lodowej charakteru. Ma rację.

Jakub Biela ma charakter i jest to charakter trudny. Jakub Biela zdaje sobie sprawę z jego trudności, lecz uważa, że lepiej mieć charakter trudny niż żaden.

* * *

Jakub Biela czasem uważa się za starszego, niż jest, na przykład kiedy myśli o doświadczeniu życiowym, które już zgromadził, a na które składają się żona zaślubiona oraz córki z żoną poczęte, w chwiejnej obecności Jakubowej z żoninego łona narodzone i wspólnym, jednak głównie żoninym wysiłkiem chowane.

Dalej: wrogowie i przyjaciele zdobyci i utraceni.

Dalej: kobiety napotkane, te ciągle pamiętane i te jakoś zapomniane, a także myśli o tych kobietach, które kiedyś Jakuba Bieli nie chciały.

Dalej: pieniądze zdobyte i wydane — zdobyte, bo Jakub Biela nie zarabia pieniędzy, Jakub Biela pieniądze zdobywa. Czyni to w sposób całkowicie legalny, chodzi tutaj o jego stosunek do wchodzenia w posiadanie: Jakub Biela nie uważa pieniędzy za ekwiwalent wysiłku, umiejętności czy pracy, lecz traktuje je jako nagrodę, którą los przynosi mu za to, że jest Jakubem Bielą, i za to, że wiernie podąża ścieżką Jakuba Bieli. Jakub Biela jest pracowity, kocha swoją pracę i nie mógłby żyć bez pracy, praca go określa, jednak w głębi duszy nie dostrzega między pracą a pieniędzmi bezpośredniego, przyczynowego związku.

* * *

Jakub Biela mieszka tam, gdzie się wychował: w Przyszowicach, na Górnym Śląsku. Urodził się w szpitalu nieopodal, w Gliwicach. W Przyszowicach mieszka z żoną i dwiema córkami, w domu, który odziedziczył po bezdzietnej, samotnej ciotce. Dom jest duży i stuletni, i ceglany, a ponieważ ciotka żyła w ubóstwie, to w latach dziewięćdziesiątych nie zniszczono jego eleganckiej fasady, nie wymieniono okien na plastikowe, nie przykryto czerwonego klinkieru ohydnym styropianem. Dlatego dom Jakuba Bieli prezentuje się bardzo godnie, chociaż w środku zimą bywa chłodno.

Jakub Biela sądzi, że on sam również prezentuje się godnie, a w jego wnętrzu na chłód nie ma miejsca, bo serce i głowę Jakub Biela miał, ma i będzie mieć zawsze gorące, aż umrze, dopiero wtedy ostygną. Tak mu się przynajmniej wydaje, kiedy ma trzydzieści trzy lata, ale przecież później zaprzyjaźni się z chłodem i pustką.

* * *

Jakub Biela cieszy się, że żona urodziła mu córki. Jakub Biela uważa, że kobiety lepiej się dziś udają. Forma kobiecości jest ustalona i pewna, wiadomo, jak być kobietą, a prawie nikt nie wie, jak być mężczyzną, tak wydaje się Jakubowi Bieli.

Oczywiście Jakub Biela nie odnosi tego do siebie — jest przekonany, że on akurat wie doskonale, jak być mężczyzną. Jest również przekonany, że niezwykle dobrze mu się to bycie mężczyzną udaje, i tutaj już nie ma racji, ponieważ bycie mężczyzną udaje się Jakubowi Bieli różnie, raz lepiej, raz gorzej.

* * *

Jakub Biela uważa się za przystojnego i sądzi, że tak myślą o nim kobiety. Być może działa tutaj pewnego rodzaju sprzężenie zwrotne. Jest słusznego wzrostu, co podoba się wszystkim kobietom, ma jasne włosy i szare oczy, co podoba się niektórym, jest raczej ciężko zbudowany, co podoba się już zgoła nielicznym.

Jakub Biela nie bardzo przypomina swoich śląskich przodków, którzy byli raczej niscy i drobni. Jakub Biela ogląda tych przodków na fotografiach stuletnich i starszych niż stuletnie. Uważa ich raczej za poprzedników. Zastępuje ich na scenie świata, zajmuje ich miejsce.

Uparcie próbuje odnaleźć w ich twarzach własne rysy i w końcu je znajduje. Żaden z poprzedników Jakuba Bieli nie ma na przykład retrognatycznego, cofniętego podbródka i Jakub Biela również nie ma cofniętego podbródka, ma mocną, kanciastą żuchwę. Zapewne dlatego cofnięty podbródek Jakub Biela uważa za oznakę podłego charakteru i nigdy nie ufa mężczyznom o takim podbródku.

W rzadkich chwilach refleksji Jakub Biela zdaje sobie sprawę, że to niesprawiedliwe uprzedzenie, ale Jakub Biela nie ma nic przeciwko własnym niesprawiedliwym uprzedzeniom. Jakub Biela hołubi własne niesprawiedliwe uprzedzenia. Uważa, że pozwalają mu oswajać i porządkować świat.

* * *

Wcześniej w życiu Jakub Biela liczy sobie dziesięć lat i wraca ze szkoły. Ma ortalionowy plecak zamykany na suwak. Jest z niego bardzo dumny, bo wiele innych dzieci nosi jeszcze staromodne tornistry na dwie klamry.

Po drodze do domu, niedaleko dwustuletniej kapliczki, flankowanej przez dwa dęby wielkie jak biblijne smoki, Jakub Biela trafia na zdechłą mysz. Przewraca ją czubkiem buta. Brzuch myszy pokrywają musze larwy. Żółtobiałe, kłębią się wściekle, jak macki potwora wypełniającego wilgotne, zgniłe truchło myszy. Jakub Biela tkwi nad zdechłą myszą sparaliżowany strachem. Nie boi się tak po prostu: boi się tak, jakby właśnie zobaczył diabła. Albo stanął przed Bogiem, przed najstraszniejszą ze wszystkich Bożych twarzy.

Trzydziestotrzyletni Jakub Biela chodzi w niedzielę do kościoła, ponieważ tak go wychowano. Jakub Biela uważa, że to jedyny powód, dla którego warto chodzić do kościoła.

* * *

Powiedzieliśmy już, że Jakub Biela sądzi, iż prezentuje się godnie. W rzeczywistości „godnie" nie jest dobrym określeniem. Jakub Biela nie prezentuje się źle, jednak ruchy ma zbyt nerwowe, za bardzo pragnie się podobać, chociaż nie musi, bo nic od tego nie zależy.

Wiele samotnych kobiet i mężatek pragnie przytulić się do szerokiej piersi Jakuba Bieli. Wydaje im się, że mężczyzna tak duży nie mógłby ich skrzywdzić. Mylą się. Jakub Biela skrzywdził kilka kobiet. Nie były to ogromne podłości i krzywda ich nie była większa niż ta, jakiej i tak się spodziewały — ale była i Jakub Biela wie, że kiedyś przyjdzie mu za te trochę skrzywdzone kobiety odpowiedzieć. Przed losem, przed Bogiem, przed bogami, przed czarną pustką, jaką być może jest świat, ale przed czymś odpowiedzieć będzie trzeba. Nic, żaden czyn, dobry czy zły, nie pozostanie bez stosownej odpłaty.

Kiedy Jakub Biela myśli o tej odpłacie, to pociesza się, że nie skrzywdził nigdy swojej żony. Niesłusznie, bo jest w tym tyle szlachetności, co wyrachowania. Żonę bowiem ma dobrą i przydatną, a przy tym nie wyobraża sobie życia w samotności, która mogłaby być konsekwencją żoninej krzywdy.

Jakub Biela nie nadaje się do samotności. Jakub Biela potrzebuje wygód, potrzebuje, aby ktoś się o niego troszczył. Jakub Biela nienawidzi zmian.

* * *

Zmian nienawidził również Ewald Biela, za życia zwany *Ywaldym*, pradziadek Jakuba. Mimo to, kiedy jego ojczyznę podzielili między sobą Polacy i Niemcy, Ewald Biela postanowił, że przeniesie się z rodzinnych Gliwic na polską stronę, ponieważ niemieckich właścicieli fabryk i kopalń nienawidził jeszcze bardziej niż zmian.

Niestety, za nowej Polski Ewald Biela posiadał tyle samo kopalń i fabryk, co za kajzera Wilusia, to znaczy posiadał dokładnie zero kopalń i fabryk. Ewald szybko się zorientował, że nawet bycie powstańcem pozytywnie zweryfikowanym i wpisanym na oficjalną listę nie uczyni go właścicielem najmniejszej nawet fabryki.

Następnie nie tylko nie został właścicielem kopalni, ale nawet przestał być w kopalni potrzebny i w 1931 roku został tak zwanym elwrym, czyli bezrobotnym. Wtedy uznał, że do *rzici ze takōm Polskōm, ôn to fanzoli i przekludzŏ sie nazŏd dō Niymiec, bo sam je polnische Wirtschaft*. W roku 1932 przeprowadził się z powrotem do Gleiwitz, O.S. i powołując się na znakomite, niemieckie tradycje rodzinne, przyjął niemieckie obywatelstwo, domu w Przyszowicach jednak nie sprzedał. Po roku znalazł pracę jako kasjer na kolei.

Miał dwóch synów, starszy Herman został po polskiej stronie. Zmobilizować go do polskiego wojska nie zdążyli, niemieckiego poboru unikał, pracując na kopalniach, w końcu jednak wzięto go do Wehrmachtu i szybko dał się zabić na Ukrainie, bo taki był sens jego krótkiego życia: dać się zabić na Ukrainie. Młoda wdowa po Hermanie odziedziczyła potem przyszowicki dom Ewalda Bieli i nie wyszła drugi raz za mąż, bo tak się jakoś ułożyło. Umarła bezpotomnie w zupełnie innych czasach, a po niej dom odziedziczył Jakub Biela, syn bratanka jej męża, bo tak sobie wymyśliła, że to akurat będzie on.

Po Jakubie Bieli dom odziedziczą jego córki, ale nie będą chciały w nim mieszkać. Mimo to jedna z nich w tym domu pozostanie, bo wydawać jej się będzie, że tak trzeba, i będzie w nim bardzo nieszczęśliwa.

Ewald Biela miał trochę kłopotów, kiedy życzliwy sąsiad nazwiskiem Piontek w 1937 roku szepnął, komu trzeba, *iż Biela to wielgi Polŏk a powstaniec*. Ku ogromnemu zasmuceniu Piontka kłopoty Bieli nie były jednak zbyt dotkliwe, bo akurat miał kolegę z klasy w NSDAP, a na dodatek w stosunkach polsko-niemieckich panowało właśnie ocieplenie. Więc wszystko szybko załatwił, a przy pierwszej okazji wybił Piontkowi dwa zęby, wpychając mu do ust lufę *nulachty* nieco zbyt brutalnie. Biela groził Piontkowi, że zaraz strzeli, ale wiadomo było, że gdyby miał strzelić, toby już strzelił, więc Piontek nawet nie bardzo bał się śmierci, tylko raczej chciał się pozbyć lufy pistoletu z ust. Biela nie strzelił, bo *nulachta* nie była nabita, i w końcu sobie poszedł, pofukując, a Piontek, krwawiąc obficie, przyrzekł sobie wtedy, że przy pierwszej okazji wykończy Ewalda Bielę, ale nie zdążył, bo zanim przyszła wojna, to na kolejową kasę napadła dwuosobowa komunistyczna bojówka i zażądała pieniędzy, grożąc Bieli śmiercią. Biela kasy nie otworzył, bo nie był zbyt mądry, komuniści więc go zastrzelili i tak się to niemądrze skończyło: Biela stracił życie, bojowcy nie zdobyli pieniędzy, za to zbrukali sobie sumienie. Obaj zresztą wyspowiadali się z tego przed Wielkanocą i Bóg im być może wybaczył, ale los pamięta, a dużo bardziej od Boga istnieje.

Franz Biela, młodszy syn Ewalda, mieszkał razem z ojcem po niemieckiej stronie, w Gleiwitz, O.S. i miał obywatelstwo Rzeszy. Nie ukrywał się przed poborem, bo nawet mu to nie przyszło do głowy, walczył od września 1939 roku do kwietnia 1945 roku, kiedy to dostał się do amerykańskiej niewoli, z której wrócił do domu w roku 1946. Zanim dostał się do amerykańskiej niewoli, dostał Żelazny Krzyż za zabijanie amerykańskich żołnierzy, a następnie jeszcze parę innych odznaczeń, którymi potem nigdy się nie chwalił, bo nie było komu. Amerykańskich żołnierzy zabijał głównie po to, aby oni nie zabili jego samego, ale również za to, że zabili mu kolegów z plutonu. Zabili *Heinza, kery bōł ze Bambergu, Josefa, co grōł w szkata, Karlika, kery bōł ze Zŏbrzŏ i poradziył piyknie śpiywać.* Za to właśnie Franz Biela zabił amerykańskiego żołnierza, któremu mógł darować życie i nie nacisnąć spustu, ale nie darował i nacisnął, i zabił, bo go za tego Heinza, Josefa i Karlika nienawidził. Żołnierz nazywał się Martin Sullivan i był katolikiem. Franz Biela dowiedział się tego z nieśmiertelnika, który zdjął z szyi martwego Martina Sullivana. Martin Sullivan nie wiedział, że to Franz Biela go zabił. Zdążył tylko poczuć nadzieję, że ten Niemiec w białym prześcieradle na mundurze chyba wystrzelał już wszystkie pięć nabojów z magazynka, i zasmucić się zdążył, kiedy okazało się, że był w błędzie.

Potem Franz Biela dostał się do niewoli. W niewoli traktowano go dobrze. Paru kolegów z obozu jenieckiego zgłosiło się jako przemocą wcieleni do Wehrmachtu Polacy, aby wstąpić potem do Polskich Sił Zbrojnych na Zachodzie, jednak Franz Biela uznał, że jeśli się zgłosi, to jest spora szansa, iż wróci na front, a na to wcale nie miał ochoty, więc się nie zgłosił, chociaż obóz nie był przyjemnym miejscem. Potem wojna się skończyła, Franza wypuścili z obozu i namawiali, aby został na Zachodzie, praca dla górników będzie zawsze, Franz jednak wrócił do domu, bo chciał być u siebie i chciał się wreszcie ożenić z Hildą Wilczek.

Hilda Wilczek nie wiedziała, czy woli wyjść za Franza, czy może raczej za pewnego Ignacego, *kery na zŏłyty przyjyżdżŏł aż ze Bytōmiŏ*. Franzowi Hilda bardzo się podobała, specjalnie dla niej nie dał się zabić. Nie chciał jej stracić dla jakiegoś Ignaca, więc nie czekając na jej ostateczną decyzję co do zamążpójścia, począł w jej łonie Antoniego Bielę. Wtedy Hilda już nie miała wyjścia i wyszła za Franza, bo tak wypadało. Kiedy trzydzieści pięć lat później Franz został dziadkiem Jakuba Bieli, to niewiele mu z tego przyszło, bo od dwudziestu lat spoczywał już trzysta metrów pod ziemią, w jednym z chodników Kopalni Węgla Kamiennego Makoszowy.

Na początku września 1958 roku, kilka dni po katastrofie, matka Antoniego Bieli wymogła na dwunastoletnim synu przysięgę: *aże w tym roku już, mamulko, bydã sie uczył i niy pōdã robić na grubã ani nawet niy zjadã na dōł*. Na wpół osierocony Antoni Biela uczył się pilnie, jako pierwszy Biela w historii nauczył się mówić ładnie po polsku, pojechał na studia do Krakowa i został poetą i badaczem poezji, ale potem wrócił na Śląsk, zamieszkał w Gierałtowicach i był już głównie nauczycielem języka polskiego, poetą bywając tylko czasem i z towarzyszeniem wódki i gitary. Ani wódki, ani gitary nie nadużywał, będąc człowiekiem statecznym, jak stateczni byli, są i będą wszyscy Bielowie, od kiedy świat pamięta i do kiedy święta ziemia chce Bielów nosić. Później zmęczył się byciem nauczycielem, ku rozpaczy teścia Operschalskiego zwolnił się z publicznej szkoły i założył pierwszą prywatną szkołę w okolicy, i został jej dyrektorem, a po paru latach stał się również człowiekiem zamożnym.

Antoni Biela dotrzymał również drugiej przysięgi: nigdy nie zjechał do kopalni, nawet do Wieliczki, ale śmierć i tak przyszła po niego. Antoni Biela w wieku lat siedemdziesięciu dwóch zszedł z tego świata pogrążony we śnie, wylatując przez przednią szybę wielkiego land cruisera, którego kupił sobie niedawno w nagrodę za porządne życie, a który bardzo szybko zredukował swoją prędkość ze stu sześciu kilometrów na godzinę do zera kilometrów na godzinę, zatrzymując się na pięknym dębie. Dąb liczył sobie dwieście osiemdziesiąt lat i miał już na swoim dębowym sumieniu cztery trupy, w tym jednego wisielca dawno temu, Antoni Biela był zaś piąty.

Na dół, na *grubã* jednak nigdy nie zjechał. Czy Hilda Bielowõ, z domu Wilczek, odetchnęła z ulgą w zaświatach, kiedy okazało się, że jej siedemdziesięciodwuletni syn ostatecznie dotrzymał przysięgi, umierając w locie i we śnie?

Na ten temat nic nam nie wiadomo, ale nie można tego ostatecznie wykluczyć. Odetchnęła więc czy nie odetchnęła, ale Tōnik Biela przysięgi dotrzymał.

Czy dlatego, że może bał się na dole spotkać ojca? Pamiętał go dobrze, więc nie miał powodów, by obawiać się takiego spotkania. Raczej bał się, że wnętrzności Ziemi upomną się o niego. W jego młodzieńczych wierszach było wiele metafor, w których Ziemia jest żyjącym stworem, w jego trzewiach trawione jest ciało Franza Bieli, tego, co przeżył wojnę, ale zginął na kopalni i wielki pożar węgla spalił go tak starannie, że ratownicy nie znaleźli ciała, bo nie było czego znaleźć. I tak Franz Biela w kopalni już sobie kamienieje, pomiędzy karbońskimi widłakami i skrzypami, ale nie odciśnie się w żadnym kamieniu tak wdzięcznie jak one.

* * *

Franz Biela w swoim czasie był przystojnym feldweblem i miał wiele kochanek: w Polsce, w Niemczech, w Rosji, w Belgii i we Francji. Był dla nich niedobry, bo myślał o Hildzie Wilczek, *kerŏ ostała we Przyszowicach*, kiedy on poszedł na wojnę, i nie był pewien, czy na pewno na niego czeka.

Hilda na Franza czekała, ale nie fanatycznie.

Kiedy się w końcu z Hildą ożenił, to nie miał już żadnych kochanek, bo mu się podczas wojny trochę przejadły, był za to dobry dla Hildy, ale dwanaście lat po ślubie spalił się na kopalni i nic z niego nie zostało.

* * *

Wnuk Franza Bieli Jakub Biela jest dobry dla kobiet, które potem krzywdzi. Jakub Biela jest delikatny. Jakub Biela lubi kobiety. Zanim skrzywdzi, czyni kobietom wiele dobrego. Więcej dobrego najpierw niż złego potem. Jakub Biela stara się wyrządzać jak najmniej zła, ale wie, że trochę zła uczynić musi, bo każdy człowiek ma swoją pulę zła do uczynienia. Nawet święci.

Jakub Biela spotyka kobiety tak, jak podnosiłby kwiat z ulicy, chroniąc go przed rozdeptaniem przez innych, mniej uważnych przechodniów. Ponieważ jednak jest człowiekiem statecznym, to po jakimś czasie z żalem odkłada te kwiaty tam, skąd je podniósł, i nie bardzo już zważa, co się z nimi dalej dzieje. Zwykle dalej dzieje się z nimi to co zwykle.

* * *

Renata Biela z domu nazywa się Baron i jest żoną Jakuba Bieli, i jest mądrą kobietą, i nie chce wiedzieć o niczym, co mogłoby zaszkodzić jej małżeństwu z Jakubem Bielą.

Renata Biela z domu Baron uważa, że warto być żoną Jakuba Bieli. To prawda, warto być żoną Jakuba Bieli, jednak Renata Biela z domu Baron trochę przecenia wkład, jaki w jej życie wnosi małżeństwo z Jakubem Bielą. Jest to wkład pozytywny i o dużym znaczeniu, jednak nie aż tak pozytywny i ważny, jak się Renacie Bieli z domu Baron wydaje.

Renata Biela kocha Jakuba Bielę, ale trochę go nie lubi. Nie wybaczyłaby mu nigdy, gdyby ją upokorzył, więc

Jakub Biela nigdy jej nie upokarza, bo stateczni Bielowie od kiedy świat pamięta są dobrzy dla swoich żon, które potem rodzą kolejnych Bielów, którzy znowu są dobrzy dla swoich żon, tak im się przynajmniej wydaje.

Renata Biela nie wyobraża sobie, że mogłaby być z człowiekiem, który byłby inny niż Jakub Biela. Owszem, mogłaby być z kimś innym, to potrafi sobie wyobrazić doskonale, na przykład mogłaby być z mężem pewnej koleżanki z pracy. Praca Renaty Bieli z domu Baron to średniej wielkości firma, w której Renata jest dyrektorem finansowym. Mąż koleżanki jest przystojny i zaangażowany, i czuły i podoba się Renacie, a Renata podoba się jemu, ale by Renata mogła z nim być, to mąż koleżanki musiałby najpierw stać się kimś dokładnie takim jak Jakub Biela.

Teraz jest i tak dosyć do Jakuba Bieli podobny, ale musiałby jeszcze jak Jakub Biela łączyć w sobie siłę trudnego charakteru z pewnego rodzaju bezradnością. Musiałby otaczać ją najogólniej rozumianą opieką, emocjonalną, materialną i fizyczną, zapewniając jej spokój, którego Renata Biela potrzebuje — w zamian za to oczekując jednak starannej troski w sprawach codziennych i wielkiej wyrozumiałości.

Co zresztą doskonale odpowiada opiekuńczym instynktom Renaty, których nie domyśla się nikt, kto zna ją tylko ze strony profesjonalnej. Mąż koleżanki się nie domyśla i nie jest jak Jakub Biela, więc Renata tylko spogląda na jego zgrabniejszą niż Jakubowa figurę. Jakub zaś patrzy nań z góry, ponieważ uważa go za durnia, na dodatek łysiejącego.

Mąż koleżanki nie jest durniem, a zakola nie odbierają mu uroku. Gdyby Jakub Biela chciał znaleźć prawdziwe powody do spoglądania nań z góry, to musiałby odwołać się do tego, że to on, Jakub Biela, ma Renatę z domu Baron za żonę, a ów mąż koleżanki Renaty z domu Baron nie ma. Na taką jednak refleksję Jakuba Bieli nie stać, bo za bardzo zajęty jest sobą.

* * *

Wbrew swojemu ludowemu, drobnomieszczańskiemu pochodzeniu Jakub Biela niczym małe książątko potrzebuje, aby się nim opiekowano. Bielowie zawsze potrzebowali dużo troski: najpierw od swoich matek, a potem od swoich żon.

Realizuje się to zawsze w sposób właściwy duchowi epoki, ale jakoś się realizuje. Jakub Biela potrzebuje na przykład, aby rytm dnia był stały. Jakub Biela nienawidzi zmian. Jakub Biela chce ciepłego obiadu o określonej godzinie. Jakub Biela wieczorem nie rozmawia o kłopotach, albowiem potrzebuje odprężenia przed snem. Jakub Biela wieczorem nie lubi ludzi zmartwionych, bo mogą popsuć mu sen, kiedy przyjmie na siebie ich zmartwienia, a przyjmuje je łatwo, ponieważ jest człowiekiem bardzo empatycznym. Wymagania te nie są formułowane w sposób kategoryczny czy twardy, często nawet nie są wypowiadane wprost, ale są.

Jakub Biela jak każdy Biela przed nim łatwo irytuje się kobiecymi łzami, ale znosi je i tak lepiej niż większość jego śląskich przodków. Renata Biela w efekcie płacze częściej niż żony śląskich przodków i poprzedników Jakuba Bieli i czasem nawet ma powód, a czasem płacze, bo tak.

Jakub Biela toleruje niedbalstwo w sprawach dotyczących życia zawodowego, ponieważ wie, że obiecujemy według nadziei, a dotrzymujemy według obaw. Dotyczy to szczególnie jego własnego niedbalstwa, ale wobec cudzego też bywa wyrozumiały. Jakub Biela pozwala sobie na pewną beztroskę tam, gdzie nie jest mu niedogodna.

Jakub Biela nie toleruje jednak niedbalstwa u fryzjerów, dlatego od dwudziestego roku życia chodzi do jedynego fryzjera, którego na niedbalstwie nigdy nie przyłapał, i będzie do tego samego fryzjera chadzał aż do własnej śmierci. Fryzjer nie jest na tyle bezczelny, aby umrzeć przed Jakubem Bielą i pozostawić go na pastwę niegodnych zaufania balwierzy.

Jakub Biela nie znosi niedbalstwa w planach pozornie spontanicznych i samotnych wyjazdów do wielkich miast, które to wyjazdy podejmuje regularnie, aby zarabiać tam pieniądze, utrzymywać zawodowe i towarzyskie kontakty i oddychać innym powietrzem, i żyć innym życiem, pić wódkę i przemierzać nocne ulice w rozwianym płaszczu, z roześmianym obliczem. Pozorna spontaniczność tych wyjazdów realizuje się gdzieś pomiędzy precyzyjnie, co do kwadransa ustalonymi spotkaniami. Poranki i południa wypełniają spotkania o charakterze zawodowym, po nich następują podlane już alkoholem spotkania o charakterze zawodowo-towarzyskim, które następnie płynnie dryfują w stronę picia wódki, przemierzania miasta taksówkami i ostatecznie kończą się ciężkimi lądowaniami w hotelowym pokoju. Lądowania te Jakub Biela rano zwykle słabo pamięta, kiedy zaraz po śniadaniu i kawie leczy się piwem przy kawiarnianym stoliku. Często razem z jakimś podobnym mu melancholijnym i psotnym panem w średnim wieku. Jednym z tych, których Jakub Biela nazywa z dumą przyjaciółmi.

* * *

Na obiedzie w domu rodziców Jakuba Bieli kawą zajmuje się dziewczyna z pokolenia następującego po pokoleniu Jakuba Bieli, wnuczka brata Jakubowej mamy. Dziewczyna ma piętnaście lat. Chętnie przyjęła na siebie obowiązek obsługi ekspresu, chociaż nie musiała. Chciała jednak wyjść z jadalni, nie mogła już słuchać rodzinnego *klachaniŏ*, jak na Śląsku nazywa się zwykłe plotkowanie.

Kasia Operschalska, bo tak nazywa się córka jednego z kuzynów Jakuba Bieli, wie już, że ludzie przy tym stole, jej świat przyrodzony, nie są całym światem. Wie już, że czasem w życiu będzie samotna, tak jak samotna jest w relacji z pewnym Maćkiem, który trzy dni temu dotykał jej piersi, a teraz nie odpisuje na jej SMS-y. I odtąd przez wiele lat ludzie przy tym stole będą ją irytować. Kasia Operschalska zacznie ich od siebie odpychać, buntować się i robić awantury. Będzie marzyć o wielkim mieście, gdzie mogłaby być anonimowa nawet wobec sąsiadów z klatki i gdzie nikt nie dzwoniłby do matki, że widział

Kasię z jakimś chłopakiem, jak szli do parku. Zrealizuje te marzenia, wyjeżdżając na studia do Warszawy.

Potem Kasia zrozumie, jak w końcu zrozumiał każdy przy tym stole. Zrozumie, że ten okropny rodzinny balast, te wszystkie ciotki i ujki, służy do tego, do czego zwykle służy balast — żeby nie przewrócić się na większej fali. Kasia wróci na Śląsk po studiach, wyjdzie za mąż i po dziesięciu latach zostanie wdową i samotną matką, kiedy jej mąż wjedzie motocyklem pod koła ciężarówki wiozącej drób do ubojni.

Rodzice, dziadkowie, ciotki i ujki staną za Kasią murem. Niczego jej nie zabraknie, poza miłością.

Za kolejne dwa lata Kasia zostanie samotną matką po raz drugi i będzie to dziecko poczęte z jej samotności i potrzeby fizycznej czułości, której od dawna nie zaznała. Będzie to dziecię poczęte również z chuci i niechęci do prezerwatyw pewnego Hiszpana, którego Kasia pozna w klubie, i potem nawet mu nie powie o ciąży, bo nie będzie tego godzien, a Kasia nie będzie potrzebowała jego pieniędzy. Dłonie jego, usta i przyrodzenie Kasia wspominać będzie jeszcze przez wiele lat, aż w końcu i o tym zapomni, jak wszyscy w końcu zapominamy wszystkie dłonie, usta i przyrodzenia mężczyzn i kobiet.

Ciotki i ujki będą szeptać, plotkować, chwytać się za głowę w sposób, który warszawskim koleżankom Kasi kojarzyłby się raczej z dziewiętnastowieczną powieścią, ciotki będą załamywać ręce, że *u nŏs tego niy było*, co zupełnie nie jest prawdą, bo było, tylko ciotki już zapomniały.

Kasia urodzi dziecię nieznanego ojca i ciotki i ujki, przewracając oczami, znowu staną za nią murem, a warszawskie koleżanki Kasi nie będą mogły w to uwierzyć, bo znając rodzinę Kasi, spodziewały się, że rodzina Kasię wygna, znowu spodziewały się czegoś w stylu dziewiętnastowiecznej powieści. Kasia nie będzie im niczego tłumaczyć, bo to nie jest sprawa jej warszawskich koleżanek, które i tak nie zrozumieją, bo nie mogą.

* * *

Jakub Biela ma trzydzieści trzy lata i siedzi przy stole, przy którym siedzi też jego liczna rodzina. Pije swoje podwójne espresso, które przygotowała mu Kasia Operschalska. Pije nalewkę Antoniego Bieli.

Antoni Biela siedzi przy stole obok syna swojego Jakuba.

Ojciec Tōnika, Franz Biela nigdzie nie siedzi ani nie leży, bo go nie ma, spalił się i rozsypał, i zniknął, i go nie ma.

Ojciec Franza, Ewald Biela do pewnego stopnia jeszcze leży, z kulą w piersi i w grobie. Trumna dawno już się zapadła i dlatego trudno zdecydować, czy stan, w którym znajdują się kości Ewalda Bieli, jest jeszcze leżeniem, czy już raczej nie.

U głowy stołu siedzi bardzo stary, macierzysty dziadek Jakuba Bieli, Willym Operschalski, który wcale się jeszcze do leżenia nie zbiera. Ma już dziewięćdziesiąt pięć lat. Kiedy doniesiono mu o śmierci jego siedemdziesięcioletniego siostrzeńca, wtedy Willym orzekł, *że co tu gŏdać, Lojzik stary bōl, to i umar.*

Obok Jakuba Bieli siedzi brat Jakuba Bieli z piękną żoną, na którą Jakub Biela chętnie spojrzałby łakomie, gdyby nie była żoną jego brata, a ponieważ jednak jest, to nie spogląda.

Dalej siedzi siostra Jakuba Bieli z mężem, już drugim, na co łaskawie spuszcza się zasłonę milczenia w domu Bielów, chociaż druga żona Willyma Operschalskiego nigdy nie pogodziła się z tym, że jej przybrana wnuczka ma drugiego męża, nie zostawszy nigdy wdową. Teraz jednak druga żona Willyma Operschalskiego leży w łóżku i nic nie wie o bożym świecie, więc niegdysiejszy rozwód wnuczki już jej raczej nie martwi.

Dalej przy stole siedzi druga siostra Jakuba Bieli z pierwszym i ostatnim mężem, który nie lubi Jakuba Bieli, a Jakub Biela dał mu ku temu aż zbyt wiele powodów.

Dalej przy stole siedzą ujkowie i ciotki Jakuba Bieli. Dalej siedzą kuzyni i kuzynki Jakuba Bieli z żonami i mężami. Jeszcze dalej, przy osobnym stole siedzą dzieci w różnym wieku. Jakub Biela nigdy ich nie policzył, bo dzieci go niezbyt interesują. Jakub Biela nie pamięta dat ich urodzin, bo wie, że Renata Biela, żona Jakuba pamięta o wszystkich urodzinach, rocznicach i stosownych prezentach.

Jakub Biela patrzy na jasne głowy swoich córek.

Jakub Biela trochę żałuje, że ciągle nie ma syna i tym chętniej myśli o wieczorze, kiedy nieco wstawiony nalewkami Antoniego Bieli przytuli żonę, czułością i szczerymi komplementami przełamie powierzchowny opór, pocałuje jej piersi, szyję i usta, Renata po chwili przestanie mówić, że daj spokój jesteś pijany.

Za kilka miesięcy syn zostanie jednak spłodzony. A potem za parę lat jeszcze jeden. A potem za trzydzieści trzy lata Willy Biela, architekt, syn Jakuba Bieli, stał będzie nad trumną Jakuba Bieli obok swoich starszych sióstr Marii i Zofii i młodszego brata Franciszka, zwanego Franzem.

Jakubowi Bieli uda się spłodzić synów, bo wszystko się Jakubowi Bieli udaje, uda mu się również umrzeć w wieku lat sześćdziesięciu sześciu, gdy uderzy skacowaną głową o marmurowy stopień w drogim hotelu, w którym w gronie przyjaciół świętować będzie czterdziestolecie pracy twórczej.

Umrze Jakub Biela i zasmuci tym czwórkę swojego potomstwa. Umrze i zasmuci tym żonę swoją Renatę, u niej jednak przez smutek przebijać będzie odrobina ulgi, bowiem po pięćdziesiątce Jakub Biela stał się jeszcze bardziej nieznośny, niż był za młodu, i ostatnie lata nie były dla Renaty łatwe. Kochała go do końca, ostatecznie był jej Jakubem Bielą, ale lubiła go jeszcze mniej niż kiedyś. Czasem nawet myślała o wyprowadzce. Pamięć po Jakubie będzie jej pielęgnować łatwiej, niż znosić jego natręctwa.

Nad trumną Jakuba Bieli nie staną żadne kobiety, na które Renata Biela z domu Baron mogłaby spojrzeć podejrzliwie. Te, które przyjdą na pogrzeb, będą już tak stare, że przedawniły się wszystkie winy.

To wszystko jednak wydarzy się dopiero za trzydzieści i trzy lata i wydarzy się w dobrym momencie.

Teraz Jakub Biela ma trzydzieści trzy lata, nalewa sobie piąty kieliszek nalewki z cytryńca, prosi Kasię o jeszcze jedno podwójne espresso i jest bardzo z siebie zadowolony.

2012

EWA I DUCHY

Piętnastego lipca bieżącego roku postanowiłam rozpierdolić sobie życie. Duchy zapiszczały z radości.

— Postanowiłam rozpierdolić sobie życie — powiedziałam Monice.

Piłyśmy wino w jej kuchni. Zaplotła pod sobą długie nogi w dresowych spodniach. Ja garbiłam się nad stołem. Duchy tańczyły na kuchennym blacie.

Rozpierdolić-życie-rozpierdolić-życie-rozpierdolić--życie, śpiewały.

— Po co? — zapytała trzeźwo.

Nie odpowiedziałam, bo nie wiedziałam po co.

— Ale tak na serio? — pytała dalej.

— Na serio.

— Dla niego...?

— Nie wiem. Trochę. Nie.

— Masz dobre życie.

Nie wie, czy mam dobre. Monika ma życie już rozpierdolone i na pewno nie chciałaby go sobie rozpierdolić bardziej. Zresztą bardziej już się nie dało.

Zawsze da się bardziej, mówią duchy. Zawsze.

— Wiem, że dobre. Może właśnie dlatego — powiedziałam.

— Co ci zostanie...?

— Nie wiem.

— Ja wiem. Chlanie, pieprzenie i ja. Może jakaś miłość. Jeszcze kilka lat ci zostało.

Spojrzała na mnie, jakby szacując mnie od nowa.

— Może dziesięć, jak będziesz o siebie dbała.

Trochę tyję. Dziesięć lat temu było osiem kilogramów temu.

— Dziesięć, może, jeśli nie przytyję — zgodziłam się.

Milczałyśmy chwilę.

— Chlanie, pieprzenie i ty. Tyle mi zostanie — podsumowałam.

— Nie brzmi to najgorzej — uśmiechnęła się Monika.

Ja też się uśmiechnęłam.

Duchy pląsały po kuchni, wzbijając obłoczki z mąki rozsypanej na blacie. Gdy przyszłam, Monika wyrabiała ciasto — porzuciła je, żeby ze mną rozmawiać.

Rozpierdolić-życie-rozpierdolić-życie-rozpierdolić-
-życie, śpiewały duchy.

Czułam się lekka. I wolna. Ciasto pozostało niewyrobione na blacie. Kiedy wychodziłam, nieugniecioną masę Monika zepchnęła do śmieci, odechciało jej się piec. Ja nigdy bym tak nie postąpiła. Inaczej mnie wychowano.

Zanim wyszłam, Monika zapytała mnie jeszcze o Małą. Co z nią, jeśli, wiadomo. Nie czułam się już lekka ani wolna.

Duchy śmiały się bardzo głośno, gdy szłam schodami do wyjścia, zbiegały po poręczach.

To było dwa tygodnie temu.

Teraz już nie wiem.

Nazywam się Ewa i nie jestem młoda. Czasem czuję się młoda.

Nie jestem stara i nazywam się Ewa. Czasem czuję się stara. Albo może nie stara. Zbyt dorosła. Dojrzała. Nie wiem.

Nie wiem, jaka jestem. Mam trzydzieści siedem lat. Jestem ładna. Tak mi się wydaje. Tak mówią. Niektórzy.

Tak mówi mój mąż. Mam męża. Jest to mój pierwszy mąż. Nie chcę drugiego. Mój mąż mówi, że jestem bardzo ładna. Ale nie tylko on tak mówi, gdyby tylko on tak mówił, toby się wcale nie liczyło.

Nazywam się Ewa i stoję przed windą, na czwartym piętrze jest moje mieszkanie. Moje i mojego męża, i Małej trochę też, ale Małej jest inaczej, niż jest nasze.

Poza tym jest dziesiąty lipca bieżącego roku. Rok jest zawsze bieżący, to przerażające, ale tak jest. Rok zawsze bieży.

Sąsiadka z parteru myje podłogę na klatce i patrzy na mnie ze zwykłą miną sąsiadki, jakby za twarzą nie było człowieka. Może nie ma.

Chciałabym podejść do niej i uderzyć, uderzyć z całej siły. Nienawidzę mojej sąsiadki i nienawidzę jej najlepszą, najpiękniejszą i najczystszą nienawiścią, ponieważ nienawidzę jej bez powodu. Nie znam nawet jej imienia.

Przypierdol jej, syczą duchy, walnij ją.

Nazywam się Ewa i stoję przed windą, na czwartym piętrze jest moje mieszkanie i jest drugi sierpnia. Drzwi windy otwierają się ze zgrzytem. Zgrzyta dolna krawędź prawego skrzydła. Metalicznie. Lubię ten zgrzyt.

Patrzę w telefon. Nic nie napisał.

Już nie napisze, idiotko, śmieją się duchy. Już nie napisze.

Nazywam się Ewa i stoję przed windą. Drzwi windy otwierają się ze zgrzytem. Telefon drży w torebce, dzwoni trochę o klucze. Kiedy telefon drży, ja też drżę. Ale jesteś żałosna, mówią duchy. Przecież to może być ktoś inny. Albo wiadomość, że przecena i chodź do nas na zakupy.

Przyjedziesz? Przyjedź.

Duchom trochę rzedną miny.

Napisał. Winda odjeżdża beze mnie. Wychodzę na zewnątrz, odprowadzana wzrokiem sąsiadki, której nienawidzę najpiękniejszą nienawiścią.

Nie odpisuję jeszcze, bo to może jest gra, pewnie, że to jest gra, gra sobie z tobą, mówią duchy na moich ramionach, on zawsze gra, mówią duchy, bawi się, przecież się tylko tobą bawi, a może to nie jest gra, nie jestem pewna, ale jeszcze nie odpisuję, odpiszę, wiem, że odpiszę, ale jeszcze nie, jeszcze chwila, jeszcze trochę.

Idę. To przecież nie jest daleko. To blisko. Pójdę piechotą.

Odpisuję. *Nienawidzę cię. Idę do ciebie.*

Idę do niego. Mieszka w kawalerce, a ja do niego idę, ale myślę o Joachimie, czekającym na mnie w mieszkaniu, do którego nie idę.

Niania zaraz wyjdzie, ale teraz Joachim siedzi jeszcze w swojej pracowni, a ja idę w przeciwnym kierunku. Joachim pracuje. Joachim jest dobry w tym, co robi. Joachim dobrze zarabia.

Joachim dużo również wydaje. Joachim jest rozrzutny. Kupuje sobie dużo drogich ubrań. I dużo butów. I dużo drogiego wina. Nie ma rachunku w restauracji, na jaki by się nie rzucił, uprzedziwszy wszystkich. Lubi to. Taki już jest.

Winda nie działa.

Po co mi to pisze? Na windzie kartka, na kartce napisane, że nie działa.

Wspinam się po schodach. Otwiera mi drzwi. Dżinsy, koszulka. Na koszulce Śmietnikowy Potwór z *Ulicy Sezamkowej*.

— Nie byłeś w pracy?

Wzrusza ramionami. Kiedy go całuję, chwyta mnie za tyłek, podnosi, oplatam go nogami i ramionami, niesie mnie do łóżka i rzuca mnie na łóżko, i oswobadza z ubrań i bielizny, a dalej — z wszelkiego wstydu, jak zawsze, jak za każdym razem, musi najpierw oswobodzić mnie ze wstydu, potem ustami, dłońmi i tym, co boję się nazwać głośno, a on się ze mnie wtedy śmieje, że nie potrafię głośno powiedzieć „fiut", „kutas", „chuj" ani nawet „penis" nie potrafię głośno powiedzieć, więc ustami, dłońmi i tym właśnie oswobadza mnie z ciała, ze mnie samej mnie oswobadza i nie ma mnie, kiedy krzyczę pod nim.

Są tylko duchy, siedzą wtedy małe i ciekawskie, przycupnięte na skraju biurka, siedzą i patrzą.

Potem leżymy i milczymy. Trochę na niego popatruję, jest taki ładny, szczupły i ma długie kończyny i długie palce i duży, japoński tatuaż na lewym ramieniu, z dwiema złotymi rybkami, i ma bransoletkę srebrną, której nigdy nie zdejmuje.

Joachim, gdyby tylko chciał, mógłby połamać mu te długie kończyny. Joachim jest trochę za gruby, duży, waży sto kilogramów i ma trudną urodę dojrzałego byka, i wiem, że nie boi się przemocy, więc gdyby chciał, to pewnie mógłby tej mojej zabawce połamać wszystkie kości, a przynajmniej rozbić tę śliczną buzię, te zmysłowe wargi i chłopięcy nosek, podbić ciemne oczy, i pewnie by to zrobił, bo to w końcu Joachim. Mnie nigdy nie uderzył, ani Małej też nie, ale boję się go, kiedy jest wściekły.

Joachim chyba trochę podoba się kobietom i mnie też się jakoś podoba, ale teraz mam tę moją zabaweczkę obok, to szczupłe, piękne, chłopięce ciało, przy którym czuję się jednocześnie piękna i brzydka, piękna, bo mnie to ciało chce, bo mnie całuje i pieści, i brzydka, bo on taki piękny, taki doskonały bez skazy, a ja mam skazy. Po Małej i inne też.

A on mnie chce i pieści, i teraz, kiedy leżę w niego wtulona, jego dłonie na moich piersiach, to czuję, jak mnie chce, kiedy czuję, jak jego wiadomo co się podnosi i sztywnieje.

— Lubisz mojego fiuta? — pyta, bo wie, że mnie tym zawstydzi.

Walę go łokciem w żebra, tak w żartach. Wie, że tego nie powiem na głos, a jeszcze lepiej wie, że lubię, że lubię go czuć w środku, i zaraz tak właśnie jest, czuję go znowu, moje dłonie na jego twardych plecach i jego skóra.

Duchy patrzą na mnie najczulszym ze spojrzeń, tylko one tak potrafią.

Potem biorę prysznic, a potem się ubieram, bez słowa, a on leży na łóżku nagi i bardzo piękny. A ja wracam do Joachima.

Duchy milczą. Zmęczyły się.

— Miałaś być o szóstej! — prawie krzyczy Joachim, kiedy tylko otwieram drzwi. — Miałaś być o szóstej i zabrać Małą do parku, nie?

Patrzę na zegarek, jest siódma dziesięć.

— Kochanie, godzina z córką to już dla ciebie problem? — odpowiadam głosem spokojnym, pojednawczym, czyli takim, jaki najlepiej sprowokuje Joachima do kłótni.

— Miałem pracować, kurwa, rozumiesz? Pracować! Jak ja mam pracować, skoro nie byłaś na czas? Nigdy tego, kurwa, nie skończę, nigdy!

Teraz Joachim będzie histeryzował. W tym jest najlepszy. Najpierw wyrzuci z siebie długą tyradę o tym, jak trudny jest jego pierdolony zawód, potem założy marynarkę i chociaż w gniewie, to przecież zdąży się przejrzeć w lustrze, a potem wyjdzie, drzwiami jednak nie trzaśnie.

Wróci dobrze po północy albo i nad ranem, oczywiście wcięty, czy pił w męskim, czy w damskim towarzystwie, nigdy nie wiadomo, wróci wcięty i uroczy, bo Joachim w ogóle jest uroczy, troskliwy i czuły, na trzeźwo czasem też, chyba że się gniewa, więc przyjdzie i przytuli, powie coś miłego i będzie taki ciepły, a duchy będą się ze mnie śmiały, bo ja mu oczywiście zawsze wszystko...

Rano wstanie, powłóczy się w pidżamie po domu, zapali papierosa na balkonie, wypije kawę, niania z Małą będą uważać, żeby Joachimowi nie przeszkadzać, bo przecież Joachim pracuje. A Joachim obejrzy odcinek serialu, napisze maila, rozhisteryzuje się znowu, że nie może pracować w takich warunkach, i pójdzie do kawiarni, gdzie coś zrobi, ale może spotka kumpla i pójdą na piwo, i potem zadzwoni, że będzie później, i wróci znowu wcięty, nigdy pijany, bo Joachim nigdy się nie upija tak, żeby za bardzo, ale za to codziennie trochę, a jak ktoś mu sugeruje, że to może być jakiś problem, to biada mu, bo wtedy Joachim się gniewa, a jego gniewu boją się wszyscy.

Poza tym wszystko mu się udaje. Jest na ratę za mieszkanie, na samochody i na wszystko dla Małej, i w ogóle na wszystko jest. To ważne, że jest. Kiedyś byłam z niego dumna, potem zmęczyłam się tą dumą i już nie jestem dumna. Ale nie wstydzę się Joachima, Joachima nie sposób się wstydzić, bo nie ma czego.

Duchy się ze mnie śmieją.

Patrzę w telefon. Nic od niego.

Kiedyś pisał częściej. Bez przerwy pisał. Co kwadrans. Pisał mi erotyczne rzeczy, bardzo erotyczne. Wstydziłam się. A teraz rzadziej pisze. I nie tak jak wtedy. Wtedy, od samego początku. Kiedy przyszedł do nas do firmy. Gówniary się do niego śliniły, a on wcale z nimi nie flirtował. Nie ten typ. Pisał do mnie o sprawach z pracy. Coś tam wtrącał osobistego. Mogłam zbyć. Ale nie zbyłam. Potem stała się reszta.

Duchy się ze mnie śmieją. Nic nie rozumiesz, głupia, nic nie rozumiesz. Masz trzydzieści siedem lat, a on dwadzieścia pięć.

Co ty sobie w ogóle, kurwa, myślisz, idiotko?, śmieją się duchy. On może mieć każdą, kurwa, każdą.

Wiem, że to nieprawda. Taki gnojek. Że ładny? Ma dwadzieścia pięć lat, ładną buzię i tyłek ładny i jest grafikiem, i pracuje nad projektem. Ilu takich jest w Warszawie? Tysiące takich jest w Warszawie.

Ale on jest inny, śmieją się duchy. Inny. Dojrzały. Ma dwadzieścia pięć lat i jest dojrzały. Ma pieniądze. Jest piękny.

Czasem duchy mają rację, czasem nie. Ja przecież też mogłabym mieć bardzo wielu. Trochę tyję, ale to nic. Mogłabym mieć bardzo wielu. Ale nie wszystkich. Ale on też nie wszystkie.

Kurwa, jaka ty jesteś głupia, śmieją się duchy.

Napisz do niego, napisz. Napisz, bądź ciepła i przymilna, i zakochana, a on też taki będzie. Zobaczysz.

Napisz mi coś ciepłego, miłego, proszę. Tęsknię, już tęsknię do Ciebie.

No wyślij, wyślij. Wyślij, syczą duchy.

Wysyłam.

Nie odpisze, wiesz?, śmieją się duchy.

Nie odpisuje, ciskam telefon w kąt, aż Mała się boi.

— Dlaczego rzucasz telefonem, mamo?

— Bo mnie zdenerwował. Ale nie powinnam tak robić. Przepraszam. To było nieładne.

Wracamy do gry. Gramy z Małą w gry planszowe. Mała gra, ja patrzę w telefon. Odpisz odpisz odpisz.

Duchy pokładają się na podłodze ze śmiechu. Głupia, głupia, głupia, jaka głupia, debilka, idiotka, stara idiotka, stara i brzydka, cycki obwisłe, przecież on z tobą tylko ze względu na pracę.

No ale skoro tak, to dlaczego teraz jest chłodny, skoro w pracy się nic nie zmieniło.

Głupia, głupia, idiotka, znalazł sobie lepszą, ty idiotko, głupia, śmieją się duchy.

— Nie lubię dziewczyn — powiedział, a ja pomyślałam, że jest pedałem. Tak pomyślałam, takim słowem, chociaż w życiu bym takiego słowa nie powiedziała na głos. Gej, tak mogłabym powiedzieć. Wiadomo. Artysta, pewnie gej, dlatego taki miły, taki zadbany i ubrany dobrze. Na samym początku to było. Jeszcze nie pisaliśmy do siebie, ani dwuznacznie, ani jednoznacznie.

— Nie lubię dziewczyn — powtórzył. — Dziewczyny są nudne, głupie i płaskie. Wolę kobiety. Kobiety są pasjonujące i niebezpieczne.

To ja. O mnie mówi. To ja jestem pasjonująca i niebezpieczna — pomyślałam wtedy, a duchy siedziały cicho, kryły się po kątach i siedziały cicho.

A teraz się śmieją. Upokarzasz się, stara idiotko, upokarzasz. Nie odpisuje.

Odpisuje.

Coś miłego i coś ciepłego. I, kurwa, durny uśmieszek ze zmrużonym oczkiem. Ty gnoju. Ty mały, wredny gnoju. Na moją prośbę o ciepło odpowiadasz drwiną? Ty mały, wredny gnoju. Pożałujesz.

Uhm, akurat, mówią duchy. Akurat pożałuje. Nic mu, kurwa, nie zrobisz, mówią duchy. Tylko ty pożałujesz. Tylko ty.

Wraca Joachim, w humorze jakimś nie tego, Joachim czasem miewa humor jakiś nie tego, skopuje buty z bosych stóp i z miną chmurną lub raczej wkurwioną idzie do swojego gabinetu, i prawie trzaska drzwiami. Trochę wypił, butelkę wina, nie więcej. Znam go, zawsze wiem, ile wypił, wystarczy, że usłyszę go przez telefon.

— No kurwa, moje papiery, kto, kurwa, ruszał moje papiery, notatki tu miałem! — krzyczy zza drzwi. Krzyczy tak raczej płaczliwie, nie gniewnie.

Gniew wzbiera za to we mnie.

— Naprawdę chcesz, żeby ona tak mówiła w przedszkolu jak ty?

Joachim nie odpowiada.

— Nikt nie ruszał twoich papierów! — krzyczę dalej. — Hania nigdy tu nie wchodzi ani Małej nie pozwala.

Joachim nagle łagodnieje. Znam ten moment. Dotknę w dobre miejsce i cała wściekłość zeń ulatuje, aż widzę ją, jak ulatuje. Znam go dobrze. Znam go za dobrze.

— No przepraszam, kochanie, nie dogadaliśmy się, wkurwili mnie, kazałem spierdalać, sto dwadzieścia koła w plecy…

Pewnie to prawda, a może jest coś jeszcze, ale Joachim nie powie.

Odpuszczam. Potem kąpanie Małej, bajki z YouTube, kolacja i cały czas telefon, nie odpisałam mu, bo jak mam mu odpisać na coś takiego, ale patrzę, czy on nie napisze, a czy on patrzy, czy czeka?

Kiedyś patrzył, czekał, a teraz już nie czeka, bo jesteś stara i brzydka, a on ma kogoś lepszego, młodszego i ładniejszego, krzyczą duchy, biegając między zabawkami Małej, moje małe, wredne duchy.

Joachim zamknął się w swoim gabinecie, gada przez telefon podniesionym głosem, chyba ze wspólnikiem. Pewnie mówią źle o jakimś kliencie. Znam te ich rozmowy. Powiedzmy sobie nawzajem, jacy jesteśmy zajebiści, a całemu światu chuj na grób.

Idę się wysikać. Na toalecie patrzę w telefon, przewijam ostatnich kilkanaście wiadomości od niego. Duchy biegają po umywalce, rozchlapują wodę. Już tylko chłód w tych jego wiadomościach. Nie chcę już czekać na następne.

Właśnie że chcesz, właśnie bardzo chcesz czekać i czekasz, śmieją się duchy.

Pójdę na miasto. Wstanę z tego kibla, wciągnę majtki, przebiorę się w dżinsy, założę do tych dżinsów czerwone szpilki, powiem Joachimowi, że wychodzę, ale nie powiem mu gdzie, i pójdę chociażby na plac Zbawiciela, zamówię wódkę i niech się coś wydarzy. Albo niech się nic nie wydarzy. Ale pójdę.

Jasne, i napiszesz do niego, i będziesz czekać, aż on odpisze, idiotko, śmieją się duchy. Idiotka.

Wrzucam telefon do kibla. Tak po prostu. Spuszczam wodę.

Duchom jest głupio.

2014

MOJE ŻYCIE Z KIM

Zacznę od końca.

Mam pięćdziesiąt siedem lat i pięćdziesiąt dziewięć kilogramów nadwagi. Palę dwie paczki czerwonych marlboro dziennie. Jem niedobre, tłuste rzeczy, których nawet nie lubię, ale jem. Piję dużo marnego piwa, czasem wódkę. Czasem wciągnę coś mocniejszego. Pracuję, po pracy żarcie, potem patrzę w ekran, sześć piw, żarcie, mecz, film jakiś, cokolwiek, spać.

Pewnego dnia firmowy kolega przywozi koks, wciągamy, bo co można zrobić w sobotę w Z.? Potem kolega włącza film pornograficzny, w którym dwie panie robią to, co zwykle dwie panie robią na filmach pornograficznych. Pijemy piwo i patrzymy obojętnie. Ale bym taką, rutynowo zauważa kolega, ja odpowiadam, że w tym wieku to se możesz pooglądać i tyle. Śmieję się z tego rewelacyjnego żartu, po czym umieram. Raz dwa, krew rozlewa się po mózgu. Kolega myśli, że mam zjazd po koksie, albo nic nie myśli, bo znudzony gapi się na wilgotne panie wsadzające sobie tam i ówdzie różne rzeczy, a mnie ciekcie ślina z ust. Pstryk, pękła tętnica, już mnie nie ma.

Byłem, a już mnie nie ma. Co potem się ze mną stanie, to wiadomo. Rano kolega budzi się obok trupa i panika. Ktoś po mnie zapłacze? Matka już umarła. Ojciec zawsze miał mnie w dupie. Długo się nie dowie, że nie żyję. I potem problem, że trumna, a on taki gruby. Grabarze się zmęczą, stękną, jak trumnę trzeba będzie podnieść.

W pracy to pani Danusia mnie lubi. Co mi po lubieniu pani Danusi, co jest starsza ode mnie i ma wąsy? Jednak coś — ciasto przynosi na moje urodziny. Potem pewnie poczłapie za trumną z kościoła na cmentarz, kondukt będzie krótki. Szef przyjdzie, pani Danusia, paru kolegów, koniec. Dziewczyny, te ładne, nie przyjdą. Dziewczyny, te ładne, są gdzieś obok, daleko. Raczej mnie unikają, bo czasem trochę śmierdzę. I chuj. Wiem, że czasem śmierdzę. Czasem jestem po prostu zbyt zmęczony. Ale nikt się ze mnie nie śmieje, nikt palcem nie wytyka. Nie jestem pośmiewiskiem, bo się boją. Boją się i szanują mnie. Śmierdzę czasem, bo mi nie zależy. Jak mi się nie chce kąpać, to się nie kąpię, a jak się nie podoba, to won. Jestem wielkim, grubym dyrektorem finansowym, który nikomu nie daje się robić w chuja. Nikomu! Jestem panem Jarkiem, księgowym, któremu szef ufa bardziej niż żonie, co nie dziwi, bo żonę ma straszną dziwkę, co sam przyznaje po wódce. Dupę szefowi uratowałem nie raz. Była kontrola ze skarbowego, a pan Jarek jak zrobił aferę, pisma powysyłał, to bach i wszystko załatwione. Babki ze skarbówki się mnie boją i moich pism się boją. Decyzje o wygranych sprawach wieszam sobie w biurze na korkowej tablicy jak trofea: wyrok sądu okręgowego w J. Decyzja Dyrektora Izby Skarbowej w J. Interpretacja indywidualna z dnia. Wyrok sądu administracyjnego w J. Wyrok wojewódzkiego sądu administracyjnego w K. Uchyla zaskarżone postanowienie oraz poprzedzające je postanowienia.

Pracę w Z. biorę cztery lata po studiach. Jest praca, to biorę, to raz, a dwa, to nic mnie nie trzyma w Warszawie.

Nigdy nie lubiłem Warszawy. Wyjeżdżam chętnie. Duża firma, mała miejscowość, spokój i wszystko można mieć gdzieś. Najpierw wynajmuję pokój, bo wiele mi nie trzeba. Potem, po kilku latach, dostaję od szefa służbowe mieszkanie w trzypiętrowym bloku. Nie wyjeżdżam z Z., tyle co do J. do urzędów. Dalej nie, bo po co. Więc nie wyjeżdżam. Zarabiam dobrze, wydaję mało. Tyle co na żarcie, picie, czasem na jakieś kurwy, jak mnie najdzie, żeby zadzwonić. Przyjeżdżają taksówkami do mnie do mieszkania i zawsze muszę jeszcze dać sto pięćdziesiąt złotówie, a potem dwie stówki dziewczynie.

Lubią mnie. Raz mi jedna powiedziała, że mam dobre serce, więc dałem jej jeszcze stówkę więcej. Od tego czasu zawsze to powtarza i inne miłe rzeczy i zawsze daję jej tę stówkę więcej.

Czasem mi nie staje, ale im to nie przeszkadza, więc się nie wstydzę. Jak stoi, to robię, co trzeba. Jak nie stoi, to popatrzę sobie, podotykam, włożę palec i zaraz mniej samotnie. Ale nie za często, bo samotność nie doskwiera mi za bardzo. Samotność to normalka.

Czasem gram w internecie w pokera i zdarza mi się przegrać i dwa tysiaki. Czasem coś wygram, ale rzadziej. Na koncie i tak zostanie po mnie siedemdziesiąt tysięcy. Nie, nie odkładam, same się odkładają. Pewnie ojciec dostanie po mnie, bo nie spisywałem żadnego testamentu ani nic. Trochę to potrwa, ale w końcu dostanie, chyba że sam najpierw umrze, zanim dostanie. Siedemdziesiąt tysięcy i pięcioletni opel. Szkoda, że ojciec dostanie, zawsze miał mnie w dupie. Wolałbym, żeby Kim dostała, ale zaniedbałem i Kim nic nie dostanie. Nie załatwiłem tego jakoś. Szkoda.

Wcześniej studia. Trzydzieści parę lat wcześniej, pod koniec ubiegłego wieku. Uczę się dobrze, mam stypendium i pracuję w biurze przy audytach, za frajer prawie, ale studentowi starcza. Nie mam jeszcze pięćdziesięciu kilogramów nadwagi, tylko dwadzieścia i częściej się uśmiecham, i jestem bardziej rozmowny niż potem w Z. Na studiach nie dzieje się nic ciekawego. Studia jak studia. Mam dziewczynę, myślę sobie nawet, że się z nią ożenię, ale ona znajduje sobie lepszego. Prawnika. Nie winię jej, rzeczywiście jest lepszy. Mają potem dwójkę dzieci. Zresztą i tak nie wyjechałaby za mną do Z.

Nie licząc tych kilku kurew z J., to miałem w życiu cztery kobiety. Pierwsza po maturze, na wakacjach, a potem jakoś kontakt się urywa, nie zależy mi. Potem ta Kasia, z którą chodzę dwa lata, ale która mnie zostawia dla tego prawnika. Zrobił aplikację, jest adwokatem. Dobra partia. Ma rację, że mnie zostawia. Potem Kim, o niej zaraz. Potem jeszcze taka jedna, co idzie ze mną do mieszkania po imprezie, nie wiem, co potem dokładnie, bo strasznie jestem zalany, a rano jej już nie ma. Ale chyba coś owszem tak. Potem już tylko kurwy z J.

Teraz o Kim. Moja historia jest głównie o Kim.

Kim poznaję na jedynych prawdziwych wakacjach w moim życiu. Dwa lata po studiach. Mam trochę odłożonej kasy i mam dwóch kumpli. Ze studiów, Wita i Łukasza. Wit pracuje ze mną w biurze rachunkowym, chce robić biegłego rewidenta, Łukasz ma swoje biuro, idzie mu jakoś. To naprawdę moi kumple. Potem wyjeżdżam do Z., kontakty się jakoś rozluźniają, Wit i Łukasz odwiedzają mnie dwa razy, potem już nie odwiedzają, ale ja nie mam do nich o to żalu, rozumiem przecież. Tak to jest z kumplami, jak się wyjedzie. Czasem trochę do nich tęsknię, jak piję z tymi idiotami z pracy, bo z Witem i z Łukaszem to jednak można było pogadać i pomilczeć. Ale nie mam żalu, tak to już jest.

Na jedyne prawdziwe wakacje w moim życiu jadę na Koh Tao, to znaczy na taką wyspę przy wschodnim wybrzeżu Tajlandii. Potem już nigdzie. Kupujemy sobie szorty i koszule w kwiaty, i klapki i jedziemy. Łazimy po plaży, pijemy piwo, palimy dżointy, kąpiemy się w morzu i tyle. Wcześniej na plaży trochę się wstydziłem wielkiego brzucha i tłustych cycków, ale w Tajlandii już mi nie zależy, więc wywalam brzuszysko na słońce. Śmiejemy się i żartujemy, i pijemy. Na Koh Tao nie ma prawie żadnych Tajek, co nas trochę martwi, bo białe dziewczyny nie są nami zainteresowane, ale obiecujemy sobie, że nadrobimy potem w Bangkoku. Z dziwkami tajskimi nadrobimy.

Wtedy spotykam Kim. Na plaży spotykam Kim. Spotykamy. Wygląda bardzo azjatycko, ale jakoś inaczej niż Tajki. Oczy ma wielkie, nie takie azjatyckie szparki. Siada na ręczniku przed nami. Rozbiera się, do bikini się rozbiera. Jest bardzo szczupła, ma piękne, drobne piersi, szczupłe biodra, płaski brzuch i długie, czarne włosy. Ale dupa, mówi Łukasz, bardziej od Wita skory do takich zachwytów. Ale nie wygląda na Azjatkę. No co ty, protestuje Wit, jasne, że to Azjatka. No patrz, jasne, że tak. Co za różnica. Ważne, że mamy fajny widok, ucinam dyskusję i otwieram szóste piwo.

Wtedy Kim się odwraca i mówi, że no w sumie fajnie, chłopaki, że ale dupa i w ogóle luz, dzięki, dzięki. I że jest z Wrocławia. Tylko ojca ma Wietnamczyka. Śmieje się.

Chłopaki i ja się bardzo wstydzimy. Przepraszamy bardzo. Kim mówi, za co przepraszać, spoko. Śmieje się. Ja jeszcze się wstydzę trochę w kwestii mojego wielkiego brzucha, kiedyś białego, a teraz różowego od słońca. Bo nie opalam się na brązowo, tylko robię się różowy, potem czerwony, a potem skóra ze mnie schodzi.

Jestem Kim, mówi Kim, i jestem tu sama, i nie znam nikogo. Wstaje, podnosi swój ręcznik i siada koło nas. Skąd jesteście? Z Warszawy. Mam kumpla we Wrocławiu. A jak się nazywa. Tak i tak. Poszukiwanie wspólnych znajomych zakończone klęską. Twój ojciec jest Wietnamczykiem, tak? No. Stąd imię. Ale mama z Wrocławia. Rozstali się. Byłam teraz w Wietnamie, poznałam rodzinę ojca, po pięciu dniach miałam dość i postanowiłam, że należą mi się jeszcze wakacje. A wy? My tak sobie pojechaliśmy.

Najpierw tu, potem Bangkok. A no tak, podupczyć w Bangkoku, tak?

Śmiejemy się nerwowo. Nie ma się co śmiać, chłopaki, wiadomo przecież. Dajcie piwa.

Tak poznaję Kim.

— Wiecie, jaka to była jazda mieć w latach osiemdziesiątych we Wrocławiu ojca Wietnamczyka? — mówi Kim. Nie wiemy. — To ja wam opowiem.

Opowiada.

Babko, babka przyjdzie, babka przyjdzie Murzyna zobaczyć! A jak Kim się rodzi, to trzeba zrobić interwencyjnie cięcie i pielęgniara mówi, że trzeba było się z dzikusem nie pierdolić, toby problemu nie było. Ale dziecko się urodziło śliczne i zdrowe.

Siedzimy tydzień na Koh Tao, Kim cały czas z nami. Pijemy piwo na plaży, palimy dżointy, jemy krewetki. Idziemy na wycieczkę do dżungli, ale nudno, więc wracamy na plażę. Potem speedboatem z powrotem na stały ląd, czy jak to się tam mówi, i do Bangkoku, hostele, plecaki i Kim dalej z nami. Chyba trochę się całuje z Łukaszem, ale nie wiem, na pewno nic więcej, bo wszędzie chodzimy razem. Potem Łukasz wymyka się spróbować Tajek, zostajemy w trójkę z Witkiem i z Kim, jak wraca, to Kim wypytuje go, jak było, opowiadaj, jak najlepsza kumpela, Łukasz jest trochę upokorzony tymi pytaniami i w końcu mówi, że było super, ale nie bardzo mu wierzymy i my już z Witem nie idziemy.

Kim ma samolot trzy dni przed naszym, żegna się, całuje każdego z nas w policzek i już jej nie ma. Zostajemy sami, nagle osamotnieni, zagubieni nawet, to już po wakacjach, koniec wakacji, nawet nie gadamy za bardzo, bo jak jej nie ma, to o czym tu gadać dalej.

Potem wracam do Polski. Kim zostawiła namiary, piszę więc maila. Odpisuje po trzech dniach, a ja przez trzy dni czekam, aż odpisze, i to jedyny raz w moim życiu, że czekam, aż ktoś odpisze. Odpisuję i ona też, teraz już szybko. Potem dzwonię i gadamy dwie godziny, aż mi komórka pada. Z nikim mi się tak dobrze nie gada jak z Kim, nawet z Witem i z Łukaszem nie. To głównie takie bzdurzenie od rzeczy, ale dobrze.

Potem piszę, że chcę się z nią zobaczyć. To przyjedź, pisze Kim. Mam starego forda mondeo, tankuję pod korek i jadę do Wrocławia. Kim mieszka sama, pracuje w szkole, bo jest nauczycielką, matematyki uczy, więc ma jeszcze wakacje. Pierwszej nocy siedzimy nad Odrą, pod pomnikiem brzydkiego papieża, włóczymy się po mieście, pijemy piwo do rana, wracamy zalani zupełnie i zasypiamy natychmiast, w jednym łóżku, przytuleni i nic więcej.

Wszystko za to dzieje się drugiej nocy i z nikim wcześniej ani później nie jest tak dobrze, jak dobrze jest z nią. Mówię, że ją kocham, po trzecim razie. A ona mówi, kochasz, kochasz, i to jak, ale pokochaj mnie jeszcze raz. Daję radę, a potem jeszcze trzy razy też daję radę i nigdy w życiu ani przedtem, ani potem z żadną nie dałem rady tyle razy jednej nocy. Więcej jej nie mówię, że ją kocham, ale myślę to wiele razy. Ona też nie mówi.

A potem rano mówię, pojedźmy gdzieś, mam auto i mam kasę. Auto stare, ale kasy dość. Kim mówi, że dobra, pojedźmy. Jedziemy do Berlina, do całkiem drogiego hotelu. Chodzimy po mieście, jemy kiełbaski, ale nie bardzo nam się podoba, więc jedziemy do Paryża, mieszkamy w hotelu drogim, ale za to kiepskim i to jest super. Przez ścianę słychać, jak w pokoju obok ludzie się pieprzą, więc my też pieprzymy się bardzo głośno. Kim krzyczy i łóżko skrzypi, Kim wzdycha, Kim kwili. Przy Kim nie wstydzę się ciała. Kim mówi, że lubi takich mężczyzn. Myślę, że kłamie, ale co to za różnica? Ważne, że mówi, że się kochamy, i że się nie wstydzę. Ważne, że jej ciało jest najpiękniejsze z wszystkich, jakich dotykałem. Być może w ogóle jej ciało jest najpiękniejszym ciałem na świecie. Śniade, szczupłe i moje.

W Paryżu ford się psuje, więc zostajemy na dłużej. Uszczelka pod głowicą, robi nam to jakiś mechanik, z którym dogadujemy się po rosyjsku, ale chyba jest Kazachem. Więc chodzimy po turystycznych atrakcjach albo po prostu siedzimy w kawiarniach, pijemy wino, Kim kupuje jakieś pierdółki, kochamy się w hotelu, zwiedzamy katedrę i Luwr, gdzie się głównie nudzimy, więc zaczynamy sobie robić jaja z ruskich turystów, aż ochrona nas przegania, potem kochamy się w hotelu, jemy różne kolacje i upijamy się w różnych knajpach, i kochamy się w hotelu, potem pieniądze się kończą, ford już naprawiony, więc trzeba wracać, więc wracamy.

Kochamy się jeszcze w jej mieszkaniu we Wrocławiu, ale jakoś trochę inaczej już, potem muszę wrócić do Warszawy i wracam do Warszawy, a potem Kim już jest z kimś, a ja wyjeżdżam do Z., pracuję przez trzydzieści lat, tyję i czasem śmierdzę, i umieram, i teraz to dopiero będę śmierdział. Czasem piszę do niej maila, takiego, że co słychać. A ona, że wszystko dobrze, a co u ciebie. U mnie dobrze. Roztyłem się trochę. Nie mam nikogo. Dobrze, że u ciebie dobrze.

I tak to przeszło wszystko.

Jestem grubym panem Jarkiem, który tyle razy wygrał, który pokazał tym ze skarbówki, że nie da sobie w kaszę dmuchać, jestem panem Jarkiem, który na ścianie w gabinecie zawiesił sobie oprawione wyroki i decyzje. Nikt mnie nie lubił, ale wszyscy mnie szanowali i bardzo dobrze, tak ma być.

Niczego nie żałuję. Miałem dobre życie. Kim ma dwójkę dzieci, syna i córkę, i zdaje się, że ma męża, ale o męża nigdy nie pytałem, to nie pisała, więc nic o nim nie wiem.

Tych trzydzieści lat mija bardzo szybko. A jednocześnie strasznie się dłuży. Cieszę się, że to już koniec. Niczego nie żałuję. Miałem dobre życie. Moja historia jest krótka. Koniec.

2012

W PIWNICY

Chłopcy mieszkają w dużym, parterowym domu. Mają wszystko, co powinni mieć chłopcy: mamę, tatę, zabawki, samochodziki, siedem lat i trzy lata, dużo czasu na zabawę i głupie obowiązki, jak sprzątanie zabawek i samochodzików przed spaniem, a na imię Franek i Jaś, odpowiednio do lat.

Tata chłopców lubi żartować.

— Gdzie jest mój czerwony samochód, ta straż pożarna? — pyta Franek.

— W piwnicy — odpowiada tata, nawet nie podnosząc wzroku znad komputera, telefonu albo, najrzadziej, książki.

— Tata! Przecież my nie mamy piwnicy — śmieje się Franek.

To prawda, w domu chłopców nie ma piwnicy. Dom ma dopiero rok i chłopcy widzieli, jak był budowany: wielka betoniarka przyjechała i wylała wielką płytę z betonu. Płasko. Żadnej piwnicy.

— Och, to prawda, nie mamy piwnicy. Nie posiadamy jej. Ona po prostu tam jest — mówi tata głosem, którego używa, kiedy chce być tajemniczy i trochę straszny. Albo kiedy mówi coś ważnego.

Franek nie pyta dalej, wie już, że tato nie ma pojęcia, gdzie jest czerwony samochodzik. Tata nigdy nie ma o niczym pojęcia. Trzeba było zapytać mamę, mama wie wszystko, co ważne. Samochodzik i tak się znajdzie, prędzej czy później, samochodziki zawsze się znajdują, o ile nie pożre ich lew, który podąża za Jasiem. Tak przynajmniej twierdzi Jaś, że podąża za nim lew. Franek nigdy go nie widział, ale jest już na tyle duży, aby wiedzieć, że istnieje wiele rzeczy, których nie widać, a już na pewno nie widać ich na pierwszy rzut oka. I wie, że za Jasiem podąża Lew-Którego-Nie-Widać. — A lew ryczący krąży i patrzy, kogo by pożreć — mówi czasem tato, kiedy Jaś pokazuje, gdzie lew jest.

— Lew zły? Nie! — odpowiada ze złością Jaś, ale tata wie swoje, tata zawsze wie swoje. Tata wie swoje, mama wie to, co ważne, a Jaś wie, kim naprawdę jest lew.

Franek, zasypiając, zastanawia się, czy piwnica jest, czy jej nie ma. Żarty taty są zwykle o tym, czego nie ma, ale czasem tato w dziwny sposób mówi o tym, co w dziwny sposób jest.

Franek budzi się w nocy. Nasłuchuje. Franek wie, jak nasłuchiwać.

Cisza. Wszyscy śpią. Wszyscy.

Franek uważa, że będzie dobrze poszukać czerwonego samochodziku, kiedy wszyscy śpią. Kiedy ludzie nie śpią, to swoim niespaniem zasłaniają rzeczy.

Franek wychodzi z łóżka, schodzi po drabince i staje na puchatej, miękkiej wykładzinie. Wychodzi na korytarz. W prawo. Drzwi do łazienki. Otwiera.

Tam, gdzie była łazienka, są schody. W dół. Betonowe. Franek waha się, lecz po chwili tego wahania schodzi. Schodzi, ponieważ nigdy tam nie był. Jest boso. Stopami czuje na schodach chropowatą fakturę, jakby szedł po zimnych deskach.

Schody się kończą. Długi korytarz. Drzwi stalowe po obu stronach, pierwsze, drugie, trzecie i czwarte, piąte i szóste, i koniec korytarza.

Franek kładzie rękę na klamce ostatnich drzwi po lewej. Jest gorąca. Chciałby zobaczyć, co jest za drzwiami, ale się boi. Nie otwiera. Wraca na górę. Do swojego pokoju. Idzie spać i śni mu się betonowa piwnica pod domem.

— Mamy piwnicę. Tata miał rację — mówi przy śniadaniu.

— Jak to? — pyta mama.

— Byłem tam w nocy. Bardzo się bałem — odpowiada Franek.

— Widzisz? — mama zwraca się do taty. — Widzisz? Mówiłam. Tak się kończą twoje głupie żarty. Chłopak ma koszmary.

Tata mówi coś, wyraźnie zmartwiony, ale Franek nie słucha. Był rano sprawdzić — w miejscu łazienki jest łazienka, nie schody. Franek jest zdziwiony. To był sen. Śniło mi się, myśli.

Jednak kolejnej nocy budzi się znowu. Zagląda do pokoju Jasia, do sypialni rodziców — wszyscy śpią.

Otwiera drzwi do łazienki. Schody.

Schodzi więc w dół, skoro są schody, ale na ostatnim schodku potyka się, upada i dziurawi spodnie od pidżamy, i zdziera kolano. Mama będzie kręcić nosem, myśli. A potem zaraz: Nie, przecież to tylko sen. Rano nic nie będzie widać. Wstaje.

Za drzwiami słyszy jakiś ruch, jakieś szuranie. Bardzo się boi, bardziej niż wczoraj. Przypomina sobie: to tylko sen. Podchodzi do pierwszych drzwi, naciska na klamkę, pcha, ciągnie, jednak drzwi nie ustępują. Zamknięte na klucz. Kolejne tak samo. I kolejne. I kolejne. Jednak ostatnie drzwi po lewej ponownie okazują się otwarte.

Za drzwiami jest pokój, cały z betonu. W pokoju pali się naga żarówka i stoi wąskie, skromne łóżko. Biała pościel. W łóżku ktoś śpi. Franek podchodzi, żeby zobaczyć kto to.

W łóżku śpi Franek. Drugi Franek, taki sam jak Franek.

Pierwszy Franek bardzo się boi. Chcę się już obudzić, myśli. Szczypie się w udo. Nie budzi się.

Dotyka więc ramienia Drugiego Franka.

Drugi Franek budzi się od razu, nagle, otwiera oczy i krzyczy, krzyczy tak przerażony, jakby zobaczył potwora. Pierwszy Franek też jest przerażony, więc ucieka, ucieka na górę do swojego pokoju, zakopuje się w pościeli i chciałby, żeby ten sen już się skończył. Nasłuchuje, czy ktoś za nim nie idzie.

Budzi się rano, otwiera oczy, wychyla się ze swojego wysokiego łóżka — wszystko wygląda normalnie. Jest wcześnie, wszyscy jeszcze śpią. Franek oddycha z ulgą.

Jeszcze łazienka. Idzie do łazienki. Za drzwiami łazienki łazienka. Nie schody. Ulga.

Jednak w lustrze Franek widzi coś, co sprawia, że cały lodowacieje ze strachu: zdarte kolano, rozdarte spodnie od pidżamy.

Biegnie do sypialni rodziców.

— Mamo, tato! — krzyczy, przerażony. — Ta piwnica naprawdę istnieje. Byłem tam w nocy! Myślałem, że to sen!

— To na pewno był sen — uspokaja Franka mama.

— Nie, nie, nie! — płacze Franek. — Zdarłem sobie kolano w tym śnie, obudziłem się i dalej było zdarte. Byłem tam. Byłem! I otworzyłem drzwi, i tam był taki chłopczyk jak ja...

Rodzice już nie śpią. Patrzą na siebie. Są bardzo zasmuceni.

— Pójdę zobaczyć, co u Jaśka — mówi tata dziwnym głosem. Bardzo smutnym.

Mama kryje twarz w dłoniach. Nic nie rozumie. Tata wraca zaraz.

— Jasiek śpi. Lew też. Mówiłem ci, że wybraliśmy nie tego, co trzeba.

— Nie mów tak — płacze mama.

Franek nic nie rozumie.

— Mówiłem. Wybraliśmy tego, który znajdzie drzwi. W końcu znajdzie. Mówiłem ci. Ale ty chciałaś tego, bo był najbystrzejszy. No to masz swojego mądralę.

Franek nic nie rozumie, ale bardzo, bardzo się boi.

— Musimy go wymienić — mówi tata i bierze Franka za rękę, bierze za rękę zupełnie inaczej, niż brał Franka za rękę do tej pory.

— Nie... — płacze mama. — Proszę, nie...

— Ja też tego nie chcę. Ale nie ma wyjścia. Teraz ja wybiorę.

— A lew...? — pyta mama.

— Nic mu do tego — odpowiada tata.

Franek boi się tak bardzo, że czuje, jak spodnie od pidżamy robią się mokre i ciepłe. Franek płacze. Tata ciągnie go za rękę i idą, idą do drzwi łazienki. Tata otwiera je i za drzwiami są schody. Schodzą na dół.

— Czekaj tutaj.

Tata zastanawia się chwilę.

— Które drzwi były otwarte? — pyta surowym głosem.

Franek za bardzo się boi, żeby się odezwać.

— Które!? — krzyczy tata wściekłym głosem.

Franek drży, ale pokazuje palcem — ostatnie po lewej.

Tata kręci głową, wyciąga z kieszeni pidżamy klucz, podchodzi do drzwi, zagląda do środka, jakby chciał się upewnić, czy wszystko w porządku, po czym drzwi starannie zamyka, przekręca klucz w zamku i sprawdza jeszcze, czy są zamknięte.

— Będę musiał założyć zasuwki — mruczy pod nosem.

Zastanawia się chwilę, ponownie. Franek stoi jak sparaliżowany i płacze, płacze bezgłośnie. Tata otwiera drzwi, drugie po lewej. Wchodzi do środka.

Po chwili jest już na zewnątrz. Za rękę trzyma chłopczyka. Chłopczyk wygląda jak Franek, dokładnie jak Pierwszy Franek, ma błędny wzrok, jakby nie do końca się obudził. To Trzeci Franek.

— Właź tam — mówi tato złym głosem do Pierwszego Franka.

Franek się boi, więc tata bierze go za ramiona, wpycha do betonowej celi i zamyka za nim drzwi.

Franek wyje z przerażenia.

Tata przekręca klucz w zamku.

2015

GERD

Bogowie tańczą. Pod nimi chmury i miasto jak piekło. Osiemdziesiąt lat życia jak piekło. Gerd patrzy, oko lunety podzielone krzyżem. Z rozbitej czaszki płynęłaby krew, mieszałaby się z szarym śniegiem. Gerd ukradł sztucer. Kiedy? Nie pamięta. Ukradł bratankowi. Tak mu się wydaje.

Bratanek poluje. Na zwierzęta. Gerd nigdy nie strzelał do zwierząt.

Powietrze chrypi, gdy przeciska się przez Gerdową krtań. Słowa skrzypią, jakby ocierały się o siebie chitynowe pancerze wielkich chrząszczy. Bratanek pyta, czy Gerd nie wybrałby się z nim na polowanie, ale Gerd odmawia, nie chce już nigdy dotykać broni.

Mein Krieg ist vorbei.

Ujek, niy godejcie dō mie po niymiecku, mówi bratanek. Gerda wojna już dawno się skończyła.

Gerd został kiedyś raniony, ale nie było to nic poważnego: daleka kula z pepeszy w mięso w lewym ramieniu, na wylot. Dużo krwi, sporo bólu *und das Verwundetenab-zeichen*. Miał parę tygodni spokoju w szpitalu. Daleko, daleko na tyłach, tak daleko, że nie było nawet słychać armat. W czterdziestym trzecim, chyba.

Czy to było wtedy, czy za drugim razem, kiedy odmroził sobie palce u rąk i stracił dziewictwo z miłą rosyjską dziewczyną z Północy, która pomagała w szpitalu, tego Gerd nie pamięta. *Olga, bitte, Kleider... ausziehen. Mów po polsku, ja po polsku panimaju.*

Tak chciał zobaczyć jej piersi i jej uda, i miękkie, białe pośladki. Była bardzo dupiasta, większa od Gerda. On sam był chudy jak druciana kolba peemu. Prześcieradło pachnące tanim mydłem, czyste jak dusza *Najświyntszyj Paniynki*. Białe piersi o brązowych brodawkach wyłuskane z białego kitla przed łakomymi oczami Gerda, niżej kitel podkasany, tłuste uda miękko obejmują kościste biodra, miękka, elastyczna skóra na jego skórze papierowej, jego *pulŏk* gdzieś w tej dziewczynie. Jej usta otwarte i oczy wpatrzone w niego, nie w ścianę, w oczekiwaniu nadchodzącego, ale dalekiego jeszcze spazmu, w niego wpatrzone, w jego twarz.

Kochał tę arktyczną Rosjankę, a potem nie kochał już nigdy żadnej kobiety. Do żadnej nie czuł niczego, było tylko pożądanie, nic więcej.

Dziś nawet tego już nie ma. Dziś patrzy na te dziewczyny z cyckami na wierzchu, z dupami na wierzchu, opalone, wygolone pod pachami, patrzy na nie i nie czuje nic. Nawet wspomnienia po pożądaniu. Pustka.

Trup w oku lunety Gerda, trup, który myśli, że jest człowiekiem i stoi przed witryną banku, i którego Gerd mógłby trafić w tył głowy pociskiem marki Norma Oryx, kaliber .30-06, ten trup też nie poczułby niczego. Pocisk po dwanaście złotych sztuka, podobno, tak mówi bratanek. Na pudełku kolorowym napis: Norma Oryx, .30-06. I głowa łosia. Myśliwski pocisk rozwinąłby się w kwiat, w tombakowo-ołowianą pięść i wyrwałby tamtemu twarz, spływałaby krwawą miazgą po pękniętej szybie, po naklejce z reklamą lokaty pięć koma pięć procent w skali roku, do wygrania specjalny portfel i wycieczka, obok bioder uśmiechniętej, trzymetrowej dziewczyny z tej reklamy.

Jednak palec Gerda nie zgina się na spuście. W komorze nie ma naboju, naboje są w kieszeni. Gerd tylko patrzy przez lunetę.

Nad miastem śmieją się harpie. Czarni aniołowie trzymają się za ręce i łączą w taneczny boski korowód. Bogowie jak wieżowce, stopami lekko muskają iglicę Altusa, ponad chmurami, a widoczni. Gerd odsuwa od oka krzyż lunety, podnosi twarz ku tańczącym. Pozdrawiają go.

Niech krew oczyści wieżowce, niech spłucze do morza banki, lichwiarzy i profesorów, niech spłucze maklerów i giełdę, niech spłucze posłów, senatorów i policjantów, kurwy, alfonsów i kieszonkowców, niech utopi dorobkiewiczów i utracjuszy, niech zaleje łapówkarzy i tych, co walczą z korupcją, aktorów i widzów, kierowców i pieszych, ojców i synów, księży dobrych i złych, i dobrych i złych antyklerykałów, wiernych i niewierzących, przeczystych i rozpustników. Krew niech wzbierze, niech się wzniesie, do pierwszego piętra i wyżej. I wtedy zstąpią bogowie, będą w tej krwi brodzić po kolana, po łokcie. Będą pić tę krew, którą Gerd im utoczy.

A potem krew opadnie, wsiąknie w ziemię, użyźni ją. Potem wyrosną puszcze, przez które przedzierać się będą bestie, jakich nie nosiła jeszcze ziemia. Ci, którzy pozostaną, obleką się w skóry i łapcie z łyka i ze starych opon. A noc będzie dla nich jak śmierć, ich dzieci będą ginąć w szczękach zwierząt, a potem oni sami, pijani szczęściem, wyrwą oszczep spomiędzy żeber powalonego wołu, aby zatopić go w to ciało raz jeszcze. Pomiędzy szałasami zapłonie ogień i dymić będzie rozlana na śniegu jucha, w parujące mięso wbiją się starte pieńki zębów, odkopane z ruin ostrza odcinać będą tłuste kąski dla dzieci otulonych w skóry. Starcy przy ognisku będą mówić o czasach, kiedy bogowie spali i nie przemierzali ziemi wielkimi krokami. Zamiast nich po drogach jeździły stalowe potwory. Ich zgniłe truchła znaleźć można pod mchem.

A potem starcy odejdą w noc, aby umrzeć, aby zimę przetrwali młodzi i silni, którzy znowu spłodzą dzieci, aby zastąpić te z nich, które pomarły, bo nie mogły przetrwać zimy. A myśliwi znów przyniosą tłustego jelenia, dzika, wołu czy konia, a po obżarstwie gwałcone kobiety jęczeć będą, przygniecione ciałami sytych łowców, i potem kobiece brzuchy się zaokrąglą, i jesienią kobiety powiją małe, sine dzieciątka: małych, wolnych ludzi, porodzonych do życia w strachu przed nocą, przed bestią, do życia w głodzie i zimnie, do życia schowanego pod koronami drzew, do życia w cieniu przemierzających świat bogów, pod których stopami sosny i dęby pękają w drzazgi, do życia w pełni człowieczeństwa, pełnego cierpienia i pozbawionego rozpaczy. I będą wierzyć, bo będą widzieć Tego, Który Kryje Się w Mroku, w Niedźwiedzia, którego prawdziwego imienia nie wolno wymówić, aby go tym nie przyzwać, w Tego, Który Ma Kły i Pazury, w Bestię. Jego będą się bać, jemu składać będą swoje nowe żertwy.

Gerd to wie. Gerd przemierza puszczę nocami, kiedy leży na swoim twardym łożu, całą noc nie zamykając oczu. Podgląda płonące wysokim ogniem żernice, bóstwa o oczach z samochodowych reflektorów. Gerd o tym wie bardzo dobrze, lepiej, niż pamięta całe swoje długie życie, lecz teraz musi wstać, bo leży już tutaj dwie godziny.

Wstać.

Uniósł się. Najpierw na kolana i łokcie, potem powoli wyprostował plecy. Oparł się o murek i powoli uniósł z klęczek. Wsunął rękojeść laski za pasek sztucera i podciągnął do góry, chwycił lewą ręką i schował do pokrowca. Dłonie Gerda nie drżały tylko wtedy, gdy przytulał policzek do kolby.

Bogini wyrwała pióro ze swojego skrzydła, nachyliła się, wypuściła je z palców, pióro powoli ślizgało się w powietrzu. Gerd wyciągnął dłoń. Pióro spoczęło na pomarszczonej skórze. Gerd zacisnął pięść. Cień sadzy wtarty w sekretny alfabet linii papilarnych, jak tusz wypełniający matrycę linorytu. Może to w nim zapisana jest tajna historia ludzkości, może z dłoni dowiedzieć się da, skąd przyszli do Europy *Indogermanen*, o których Gerd czyta w starych niemieckich książkach. Walają się gdzieś po jego mieszkaniu książki z oderwanymi grzbietami, książki bez okładek, książki spleśniałe.

Przed nim schody, kaskada starych, drewnianych schodów, starszych nawet od niego i bardziej niż on zmęczonych, lawina pochyłych schodów z szóstego piętra na sam dół.

Gdzie są wszyscy ludzie?

Tramwaj. Autobus. Osiemset metrów na piechotę. Boże, co tam wieziecie w tym pokrowcu, dziadku? Wędki wiozę i nie jestem twoim dziadkiem, ty kurwo, mówi wysiloną polszczyzną. Oburzeni. Jeden wyrostek się śmieje, rezolutny dziadzio. Do diabła z wami! Schody, pierwsze piętro, drugie, drzwi z numerem 12. Klucz, drży dłoń.

W kuchni odstawia sztucer, zapala gaz, na gaz stawia czajnik z wodą. Otwiera pojemnik z rozpuszczalną, sypie łyżkę, dwie do brudnego kubka, zalewa wrzątkiem. Idzie do pokoju, siada na łóżku, kubek stawia na nachkastlik. Rozgląda się za pilotem.

Pilot leży na telewizorze. Musi wstać. Przygotowuje się, spina, drżą mięśnie, wstaje. Obok telewizora lustro, w lustrze starzec. Zapomina o pilocie.

Gerd, kaj sie podziało te twoje życie? Kaj żech bōł côłki tyn czas? Gerd, jerucha, jerōna, piedrōna, pierōna! Pierōnie. Ty, który widzisz poranek. Bogowie zorzy polarnej. Gdzie jesteście, czarne bogi? *Podziwejcie se, co śe ze Gerdym stało?*

Co się stało z tobą, Gerd, kiedy wróciłeś z Rosji?

To był piękny czas, kiedy w pięćdziesiątym czwartym stanął przed bramą obozu. Głęboko, daleko w Azji, gdzie nie sięga moc bóstw puszczy, do której przyszli piętnaście wieków temu wojownicy zbrojni w dzidy i obuci w łapcie z łyka. Stanął w łachmanach, z zawiniątkiem i drogocenną bumagą, on, dwudziestodwuletni zek, ludzki robak w kopalniach Magadanu, szachtior, węglowa dżdżownica, wieku i twarzy pozbawiony ludzki kret, szczur ludzki cały utkany z przerażenia, rąbiący zlodowaciałe modrzewie pod wielkim niebem, kulący się pod wzrokiem współwięźniów, pozbawiony wszystkiego poza numerem i otworami ciała do jedzenia i wydalania, i parą rąk, i parą oczu, które nic nie widzą po zmierzchu.

I potem: podróż. Koleją, na ciężarówce, rzeką. Z towarzyszem, zekiem, który wspominał, że kiedyś był leutnantem, oficerem, mężczyzną, i kiedyś był z Hanoweru, i kiedyś był żonaty, i był brydżystą. Ciało młodej żony w Hanowerze. Potem towarzysz zdradza, kradnie jedzenie i piękny, stalowy nóż, wcześniej ukradziony przez Gerda śpiącemu w pociągu Sybirakowi. Zostaje Gerdowi tylko nóż z aluminium, który sam zrobił ze znalezionego kawałka kabla, na zimno wykuł go kamieniem i kamieniem wyszlifował. Jest ostry, ale miękki. Ale człowieka da się zabić. I dalej: piechotą, znowu koleją, uciekają słupy, modrzewiowe lasy, już trzeci tydzień, a nie przekroczył jeszcze Uralu.

Potem granice, bumaga: *pażausta, tawariszcz pagranicznik*. Słyszy: *Ja nie twój tawariszcz, suka*. I w końcu wysiada w Katowicach, na starym dworcu, bo nowego jeszcze nie ma, a teraz już nawet nowego nie ma, przeżył Gerd cały ten dworzec z betonu, przeżył kielichy.

Pamięta, jak go budowali, był już wtedy stary, bo stary był już wtedy, jak wrócił z lagru. A kiedy wrócił do Katowic, to chce jechać *do dōm*, ale przecież domu już tam nie ma. Ale jedzie i tak: nie ma już ojca, nie ma matki, nie przeżyli stycznia. Jest tylko brat, ale brat niczego nie pamięta, bracik przez całą wojnę *robiył na grubie*. Brat ma żonę, brat ma dziecko. Gerd wraca do Katowic, dostaje mieszkanie, dostaje pracę, skromną pracę ludzkiej mrówki, ludzkiego wołu, ludzkiego perszerona, ludzkiej maszyny kroczącej, zasilanej kaloriami z posiłków obfitych w tłuszcze i węglowodany, wydalającej wodę z mocznikiem i kał, posiadającej moc o wiele mniejszą niż koń, ale za to autonomicznej: nie trzeba sterować podczas pracy, wystarczy wydać polecenie. Kombinat. Potem znajduje się żona. Gerd milczy, je zupę. Sprawy pod pierzynami, baba leży, jest cicho, ma zamknięte oczy, Gerd myśli o Rosjance, którą kocha i która już nie istnieje, i nawet nie pamięta, jak miała na imię, a może nigdy nie wiedział?

Gerd jest sam, w dzień pracuje, je, wydala, czyta sport w gazecie, Ruch zaś *przegroł*, a nocami, nie śpiąc, śni o śniegach, o parzącej, zmrożonej stali, o łamiących się wpół sylwetkach w jego szklanym oku, w samym środku trójramiennego krzyża. W ten trójramienny krzyż celownika ZF4 wierzy, w tym krzyżu zbawienie, krzyżuje na nim tych, do których strzela. To nie marzenia, nie są to też koszmary, to podróż. Wraca: pod wiecznym słońcem Arktyki palcem wskazującym czyni dzieci sierotami, wdowami czyni nieznane kobiety od Kamczatki po Archangielsk i wdowcami nieznanych mężczyzn, bo strzela też do kobiet, do tych małych dziewczątek z wielkimi mosinami, które zabijają tak samo dobrze, jak mężczyźni.

Gerdowi rodzi się syn. Na chrzcie dają mu imię Piotr. Mówią do niego Pyjter. W kościele Gerd stoi spokojnie. Pod sklepieniem na żyrandolu siedzi *diŏboł*, czarny jak górnik po szychcie, *diŏboł* macha ku Gerdowi, śmieją się obaj, ksiądz też uśmiecha się do Gerda. Na komunię Pyjter dostaje niebieski rower. Gerd jedzie na pace blitza i, jak wszyscy, myśli tylko o latającej, pancernej harpii, o trzech harpiach, które czekają gdzieś na podchmurnym kręgu, ogonami i lufami tylnych kaemów dotykają splotów zorzy, krążą wściekłe harpie, aby spaść na nich po kolei, jedna po drugiej, i trzecia, i znowu. Krąg ognia zamienia ich ciężarówkę w splot stali, desek i trupów, i płomieni.

Gerd śni o ruskiej pielęgniarce. Żona umiera w łóżku, w nocy, zupełnie sama. Dom wysprzątany jak zawsze, nigdzie nie może być *marasu*, wszystko zamiecione i wypucowane, *gardiny wybiglowane*, wszystko nieskalane, a potem żona Gerda umiera w łóżku, nocą, całkiem sama.

Gerd śni ten sam sen od sześćdziesięciu lat. Nocami, kiedy jak wściekły pies waruje przy radiu, elektroniczny wyświetlacz jarzy się trupem. Dostał radio od syna i poprosił syna, aby nastawił mu Radio Maryja, i Gerd słucha Radia Maryja, i dzwoni do Radia Maryja, sam czasem dzwoni i rozmawia z ojcem prowadzącym.

Jest Alojzym ze wsi pod Łomżą. Niech będzie pochwalony Jezus Chrystus i Maryja zawsze Dziewica. Teraz i zawsze, na wieki wieków amen. Witam ojca prowadzącego.

Dlaczego, dlaczego, dlaczego? *Czamu? Kaj żeś jest, Alojzy?*

Tu Alojzy spod Łomży, mówią usta Gerda. Witam pana, panie Alojzy. Alojzy jest niewidomy, to znaczy prawie niewidomy, ma białą laskę, ale odróżnia światło od ciemności. Opowiada na antenie o tym, na co wystarcza osiemset złotych emerytury. O tym, jak nieuprzejmie potraktował go sprzedawca w sklepie ogólnospożywczym, i o tym, że kiedy idzie drogą, to żaden samochód się nie zatrzyma, więc musi iść te pięć kilometrów do sklepu. Alojzy dziękuje ojcu prowadzącemu za to, że tak dzielnie broni polskości. Przed laickimi mediami. Żydostwo cholerne, międzynarodowe, mści się na Polsce.

Czasem jest panią Marylą z Warszawy, emerytowaną nauczycielką rosyjskiego. Głosy starców i staruszek nie różnią się już wiele od siebie, wystarczy, że Gerd albo Alojzy zaczną mówić falsetem, a już stają się panią Marylą. Pani Maryla jest młoda, ma tylko siedemdziesiąt trzy lata, urodziła się w białoruskiej wsi na Podlasiu w mieszanej rodzinie, władza ludowa dała jej wykształcenie i mieszkanie w Warszawie i pani Maryla nie lubi ojca Rydzyka. Musi się więc spieszyć, żeby powiedzieć jak najwięcej, zanim wyłączy ją ojciec prowadzący. Syczy: maybachem jeździ. Na krowie ma jeździć?, żartuje ojciec prowadzący. Maybachem. Cholerne klechy. Czarni. Ludzie z głodu umierają, a one tylko te bogactwa, chciwość. Pani Maryla swoje wie. Pani Maryla wiele widziała. Panią Marylę władza ludowa wyciągnęła z czworaków, dała wykształcenie, mieszkanie.

A potem pani Maryla rozłącza się i kto inny przychodzi do Gerda: na przykład pan Antoni. Z Ameryki dzwoni wasz pan Antoni. Przed Maryi wrogiem czoła nie skłoni. Za to ojcu Rydzykowi nie pożałuje pomocnej dłoni. Świętą wiarę w obczyźnie obroni. Bolszewika z ojczyzny wygoni. Z orła pomocą i litewskiej Pogoni. Takie rymy, moje, własne, ojcze prowadzący. Dziękujemy panu. Ja wiem, że to takie grafomańskie trochę jest. Ale takie moje. Może kogoś rozweseli. To prawda, może rozweseli, prosimy bardzo, niech pan do nas dzwoni i te swoje rymy czyta, panie Antoni. Z Panem Bogiem.

A na koniec czarni bogowie kogoś innego wpuszczają w Gerda. Na koniec zawsze to jest ktoś specjalny. Drżące, zgrubiałe, stwardniałe palce z trudnością wymieniają karty w taniej komórce, pomaga sobie pęsetą, to bardzo trudne. Sam nie wie, skąd się tego nauczył. Syn przecież mu nie pokazywał, jak wymieniać karty w komórce. Ale wie, że to konieczne, tam przecież mogliby mieć rozpoznawanie numerów, tam, w tym radiu, i wiedzieliby, że ci wszyscy, których wpuszczają w głowę Gerda czarni bogowie, dzwonią przez niego. I jeszcze dowiedzieć by się mogli, że Antoni dawno temu zmarł na zawał w swoim smutnym mieszkanku o ścianach z dykty w bostońskim Dorchester. Maryla nie żyje od dwóch lat, umarła sama, bezdzietna, umarła, myśląc o dziecku, którego pragnęła, a które nie przyszło na świat, bo nie chciał go wcale jego ojciec, umarła wypatroszona, myśląc o dziecku, które wyciągnął z niej, takie maleńkie jeszcze, wyciągnął z niej wesoły lekarz pachnący tanią wodą kolońską i drogimi papierosami marki Gitanes.

Na koniec czarni bogowie przysyłają Otokara. Gerd znał Otokara. Otokar nazywał się Schimansky. Otokara znał Gerd bardzo dobrze, bo Otokara Gerd zabił. Zabił go w 1944, w styczniu, kiedy Otokar nie chciał wycofać kompanii. Byli wtedy gdzieś w Karelii i Gerd zastrzelił Otokara, Gerd przystawił mu lufę do głowy, Otokar zaśmiał się kogucim śmiechem i powiedział, że Gerd właśnie załatwił sobie sąd polowy. Powiedział tak, bo był głupi i nie znał się na ludziach, i nie wiedział, co znaczą oczy otwarte tak szeroko, co znaczą drgające wargi. Więc powiedział tak, a Gerd nie powiedział nic, tylko strzelił. I Otokar tak głupio umarł, a myślał, że umrze inaczej. Chciał umrzeć jak żołnierz, a umarł jak idiota. Otokar również przychodzi i dzwoni do ojca prowadzącego. Ma o tę śmierć idioty pretensje do Gerda, nie tak swoją śmierć chciał zobaczyć. Niewiele mówi, pyta tylko, słucha. Przedstawia się jako emigrant z Niemiec. Niezbyt dużo wie o współczesnym świecie, tylko tyle, ile powiedzieli mu czarni bogowie, a oni nie mówią wiele.

Gerd nie ma pojęcia, dlaczego przychodzi właśnie Otokar, jako jedyny spośród tych, których Gerd zabił. Gerd zabił osiemdziesięciu dziewięciu ludzi, licząc tylko tych, których jest pewien. Większość z karabinu, paru z pistoletu, ze zdobycznej pepeszy, jednego saperką. Nie zna nazwisk większości z nich, jednak pamięta wszystkie twarze albo sylwetki w oku lunety: twarze żołnierzy pod hełmami jak połówki globusa. Odległe twarze kobiet w furażerkach, jasne plamy z ciemniejszymi plamami dalekich oczu i ust, i nosów, z policzkami przyklejonymi do kolb i z oczami, które go szukają, a nie widzą i już nie zobaczą. Głowy czołgistów w hełmofonach, nieśmiało wyglądające przez właz czołgu. Twarze sam nie wie kogo: kołchoźników i kołchoźniczek, rolników, czy kim tam byli, w kapeluszach, cyklistówkach, uszankach, chustkach zakutanych pod brodą. Zresztą nie zawsze twarze. Czasem tylko sylwetki, przemykające szybko między domami przez wąskie gardła ulic.

Może Otokar przychodzi dlatego, że Gerd zabił go z bliska. Innych raził spojrzeniem z daleka, ukryty, a Otokara zastrzelił z pistoletu, przycisnął mu ten pistolet do twarzy i zastrzelił, ochlapała go krew Otokara, a potem młody oficerek, który udał, że niczego nie widział, przejął dowodzenie i wycofał całą kompanię, dzięki temu żyją. Chociaż zabity saperką Rusek nie przychodzi. Olga nie przychodzi. Może trzeba było posłuchać Otokara i dać się tam zabić. Na pewno tak trzeba było. Gerd żałuje, że zastrzelił Otokara, chociaż Otokar dawno mu to wybaczył.

A potem telefon Gerda odzywa się, ekran mruga pomarańczowym światłem. Gerd od razu wie, kto dzwoni, syn dzwoni, nikt inny przecież do niego nie dzwoni, chyba że na *gyburstak*, wtedy jeszcze bratanek i inni.

Więc dzwoni syn, Pyjter dzwoni, krew z jego krwi.

Czasem dzwoni, czasem przychodzi. Wtedy Gerd patrzy na swoje dziecko, kiedy przychodzi, patrzy na swoją krew, począł go czterdzieści lat temu, a teraz Pyjter przychodzi do niego i ma czterdzieści lat. Nie, ma już pięćdziesiąt lat. Przychodzi, pyta: *co u wŏs, fater?*

Wiela ty mŏsz lŏt, Pyjter?

Pięćdziesiąt.

A Gerd odpowiada złym słowem, zawsze złym słowem, nigdy nie miał dla niego dobrych słów, bo zawsze bardzo, bardzo go kochał, jak mógłby mieć dla niego dobre słowa, skoro zrobił mu już największą, najstraszniejszą krzywdę, sprowadził go na ten świat, przyniósł go do tego życia jeszcze gorszego niż jego życie, Gerdowe.

Gerd ma swoje prawdziwe życie, wraca doń, kiedy tylko zamknie oczy, Gerd widzi bogów czarnych, Gerd z nimi rozmawia, Gerd jest smokiem. A jego syn, Pyjter: pięćdziesiąt lat w Katowicach, pięćdziesiąt lat, żona też lat pięćdziesiąt, dzieci się nie dochowali, za co Gerd jest bardzo wdzięczny, nie zniósłby *bajtli* biegających po domu i paplających, *starŏszku* to, *starŏszku* tamto, być może pozabijałby nawet te *bajtle*, pozabijałby je, jak stary lew zabija lwiątka.

A Pyjter rósł sobie i żył, Gerd chciał, żeby poszedł do górniczej zawodówki, a Pyjter chciał się uczyć, baba Gerda jeszcze żyła i poparła syna, i brat też poparł: mądry jest, niech się uczy, więc Pyjter poszedł do technikum, do Śląskich Technicznych Zakładów Naukowych, a potem poszedł nawet na studia, wszyscy byli dumni, chociaż doradzali politechnikę, a Pyjter się uparł i poszedł na filologię polską, a Gerd wzruszał ramionami, baba już nie żyła i Gerd już z nikim nie rozmawiał wtedy prawie, z Pyjtrym też nie.

A teraz dzwoni. Gerd odbiera. Rozmawiają. Pyjter kończy rozmowę, strząsa z siebie śląski akcent i cały śląski język, wraca cały do polszczyzny, nawet ze sprzedawczynią w sklepie mówi po polsku, tylko do ojca po staremu, bo nie ma odwagi odezwać się do niego językiem, którego nauczył się w szkole.

A Gerd jest już w jego głowie. Gerd nie chce być w jego głowie, Gerd nienawidzi głowy swojego pięćdziesięcioletniego syna. W środku Pyjter jest Piotrkiem. Gerd patrzy jego oczami. Piotrek patrzy na swoją pięćdziesięcioletnią żonę: koleżanka ze studiów, nauczycielka polskiego, teraz gardzi Piotrkiem, bo go zna, a Piotrek jej nienawidzi, bo ją zna, Piotrek się jej boi, bo ją zna, Piotrek nie potrafi się z nią rozstać, a powinien. Skoro nie może jej zabić, tak jak Gerd zabił arktyczną Rosjankę, która zajmowała się nim w szpitalu, bo go o to poprosiła, bo była ewakuacja, więc ją zabił, a skoro Pyjter nie może tej baby zabić, to powinien od niej uciec, a on nawet tego nie potrafi.

Zamiast tego Piotrek zamyka się w toalecie, Piotrek pisze na telefonie wiadomości do atrakcyjnych doktorantek, Piotrek ma habilitację i nie ma nic poza tym, Piotrek mówi *piyknie* po polsku, Piotrek wygłasza odczyty uczone o *gôdaniu* i mówieniu, i o śląskiej tożsamości, pierdolenie takie, daszki i falki nad samogłoskami. Potem idą do mieszkania doktorantek, potem Piotrek chce pieprzyć te dziewczyny i Gerd w jego głowie czuje, jak wstyd zabiera Piotrkowi resztę męskości: czego Piotrek się wstydzi?

Piotrek wstydzi się swojego starego, rozlanego ciała. A jakie ciało miałby mieć profesor? Piotrek pamięta ciało swojego ojca: żylasty, mały, chudy, jak powróz. Czy Gerd ważył chociaż siedemdziesiąt kilo? Gerd patrzy na siebie oczami Piotrka: miał ciało suche, o mięśniach jak stalowe liny górniczych *szoli*, ciało obciągnięte skórą ciasną i cienką jak pergamin, ciało zahartowane i skatowane cyklami głodu i wysiłku, ciało wyżęte z wszelkiej obfitości, ciało, które po sześćdziesiątce potrafił podciągnąć piętnaście razy na *klŏpsztandze*, bo ramiona miał tak mocarne, a ciała tak niewiele do podciągania.

A Piotrek obnaża swoje rozlane od alkoholu i złego jedzenia cielsko przed dziewczynami i wstydzi się swojego cielska, Piotrek próbuje pieprzyć te dziewczyny, one chcą, ale Piotrkowi *pulŏk* wcale nie chce stać. Piotrek płacze w *haźlu* i słucha, jak dziewczyna się ubiera, Piotrek wychodzi upokorzony, Piotrek wychodzi złamany.

Gerd nim gardzi, Gerd nie chce go znać, Gerd nienawidzi być w głowie swojego syna, w tej głowie kłębi się tyle niepotrzebnej nikomu mądrości, kłębią się niczyje myśli, a między nimi ekran telefonu. Piotrek pisze błagalną wiadomość: *Wybacz mi, muszę się z Tobą zobaczyć. Umrę, jeśli Cię nie zobaczę.* Dziewczyna najpierw odpisuje w tonie pogardliwym. Piotrek prosi ją dalej o spotkanie i teraz dostaje już tylko krótkie *daj mi spokój*, i Piotrek czuje, jak skręca go w środku, jak jelita skręcają się w ciasno zaciśnięty węzeł. I Piotrek wie, że nie powinien, ale pisze dalej, a dziewczyna potem już nie odpisuje wcale, Piotrek wysyła wiadomości, Piotrek wystaje pod jej domem, Piotrek płacze, Piotrek pije i rzyga, Piotrek nie chce żyć. Piotrek próbuje popełnić samobójstwo, ale brak mu odwagi, więc tylko leży w wannie pełnej chłodnej już wody, wstydzi się, że takiego by go znaleźli, otyłego, starego, żyletka już przy nadgarstku, Gerd krzyczy w głowie swojego syna: tnij, tnij, tnij, pizdo! A Piotrek płacze i nie tnie, Piotrek się boi umierania, do śmierci tęskni, ale umierania się boi. Gerd chciałby mu splunąć w twarz, Piotrek sam pluje sobie w twarz odbitą w lustrze śliną swojego ojca, Piotrek wie o tej pogardzie, Piotrek wie o tej nienawiści, Piotrek wie wszystko, tylko nie wie, że Gerd siedzi w jego głowie.

Piotrek zabiera do łazienki laptopa, wyłącza dźwięk i puszcza filmy pornograficzne. Gerd patrzy na cycate kurwy oczami swojego syna, Piotrek onanizuje się ponuro, onanizuje się wściekle, onanizuje się desperacko i nawet to mu się nie udaje, *pulŏk*, marny *pulŏk* Gerdowego syna wiotczeje mu w dłoni.

Zabij się, zabij się, zabij się! — krzyczy Gerd.

A Piotrek idzie do łóżka, kładzie się obok żony, mówi jej „dobranoc", nie żyją już ze sobą od siedmiu lat, Piotrek wcale jej nie chce, nie chce jej chudego, wyschniętego, starego ciała. Pamięta, jak ostatni raz uprawiali seks, i dlatego nie chce, chciałby ciał soczystych, koledzy Piotrka biorą sobie te ciała soczyste, soczyste ciała dziewczyn biegają za kolegami Piotrka, Piotrek na to patrzy, Piotrek patrzy, jak dziewczyna, którą Piotrek kocha, zaleca się do młodszego, głupiego, nieatrakcyjnego kolegi, i Piotrek jej nienawidzi, Piotrek chciałby ją zabić.

Zabij ją, zabij! — krzyczy Gerd.

Zaczaj się na nią w bramie, wciągnij ją do bagażnika, uduś, poderżnij jej gardło żyletką, utop ją w Rawie, wyciągnij spod płaszcza pyrlik i rozwal jej głowę pyrlikiem, wal, aż zamieni się w miazgę, wbij jej nóż w brzuch albo zgwałć, tylko nie płacz, nie rycz jak baba, nie becz, ty ciulu, ty dupku, *jŏ cie dupcă, jŏ cie niy chcă znać.*

Piotrek próbuje pić, Piotrek próbuje uleczyć się wódką, Piotrek chciałby zostać alkoholikiem, ale nie umie, pije wódkę i zaraz rzyga. Nawet to mu nie wychodzi, nawet tego nie potrafi.

Piotrek wykłada. Mówi do pustej, śpiącej sali, wie, że mówi źle, cicho, niezbyt mądrze, nie ma siły mówić inaczej, patrzy na nieostre twarze studentów, zdejmuje okulary, chusteczką higieniczną ociera twarz z tłustego potu.

Gerd wyrywa się z głowy syna.

Gdyby czarni bogowie zażądali ofiary, jak zażądali jej od Abrahama, to Gerd również by się nie wahał, złożyłby ją i nie zadrżałaby mu ręka, nie wstrzymałby jej żaden anioł.

Gerd podnosi się z krzesła, nigdy nie miał ciała tak bardzo jak teraz, teraz dopiero wie, że ma ciało.

Gerd przenosi się na fotel. Idzie: trasa zawsze ta sama, kroki zawsze te same, dywan wygnieciony w miejscach, gdzie stawia stopy w kapciach. Siedzi: poprawia spodnie i koszulę, sięga po koc, okrywa nim kolana i zastyga w bezruchu, jak co wieczór.

Gerd nigdy nie śpi. Gerd się już dawno wyspał. Gerd nocą siedzi z oczami otwartymi szeroko, bez ruchu, nocą Gerd staje się bogiem albo smokiem, Gerd nie ma na to słów, Gerd dotyka całego świata, każdego ziarna piasku na każdej plaży i każdej kropli wody w każdym z oceanów, i każdej kropli krwi w każdym z ludzi, dotyka, jakby miał miriady palców, jakby cały był palcami, jakby jego palce przerastały cały świat jak grzybnia, jakby były świata szkieletem, jakby podtrzymywały świat w istnieniu.

Gerd przesącza się przez ludzkie głowy, ciężko dyszy w głowie sąsiada z góry, który lubi bić żonę. Dobrze jej tak, myśli Gerd, pan Marian ma ciężką rękę, pan Marian ma poukładane w głowie, pan Marian wie, jak bić, pan Marian jest taksówkarzem.

Ja, proszę pana, panie Gerardzie, wiem, co jest ważne w życiu. Pan Marian i jego o piętnaście lat młodsza żona — żona nie ma jeszcze czterdziestki, żona nie ma również imienia, pan Marian, kiedy jest z niej niezadowolony, chwyta żonę za kark, przygniata jej twarz do łóżka, do pościeli, żeby nie było słychać wycia, podnosi jej spódnicę, obnaża pośladki i siecze kablem, panu Marianowi sprawia to przyjemność, a ona nauczyła się już nie wierzgać, wie, że jeśli będzie się bronić, to pan Marian się rozgniewa i będzie bić ją po twarzy, i nie będzie mogła ze wstydu nawet wyjść do sklepu.

Krew na śniegu. Ślad dymu na śniegu, matowy oddech w okap białego hełmu. Krew na śniegu, cały leży w śniegu, białe rękawice, krzyż trójramienny celownika, żołądek skręcony w supeł, oddech spokojny, luneta paruje, Gerd strzela. Gerdowi staje *pulŏk*. Oddech głęboki, oddech ulgi, jak spazm. Krew na śniegu.

Nordland.

Żonie brakuje tchu, już nie wyje, bo nie ma powietrza, pan Marian w końcu puszcza, będziesz pamiętać, kurwo. Przeproś, kurwo. Przepraszam. Już będzie pamiętać, że wracając ze sklepu, trzeba oddać resztę bez pytania.

Nordland.

Zza drewnianej ściany wystaje but ruska. Blisko. Gerd krótko rozważa, czy stać go na jeszcze jeden strzał, w końcu dziurawi ten but, i zsuwa się do swoich ciemnych ścieżek, przemyka się śnieżnymi korytarzami, drugie miejsce, inne spojrzenie, krzyż trójramienny, w krzyżu zbawienie, Gerdowi *pulŏk* stoi, łuska syczy w śniegu.

Pan Marian zna się na życiu. Na babach się zna.

Uszanowanko, panie Piontek. *Ja, dobry, dobry*, panie Kowalczyk. Gdzie się pan wybiera, panie Piontek, może podwieźć gdzieś? Nie trzeba, nie trzeba, na starość właśnie chodzić trzeba. No tak. Gdyby trzeba było pomóc, panie Piontek, w czymś...

Pan Marian schodzi do swojego żółtego mercedesa.

Gerd łapie powietrze. Siedzi w fotelu i jest już w głowie żony pana Mariana.

Pewnie, Marian czasem wpierdoli, ale wpierdoli, bo kocha, tak mówią, przecież jest dla niej dobry, kupuje jej wszystko, nigdy nie brakuje im pieniędzy, nie pije, bije tylko wtedy, kiedy ona coś źle zrobi, zawsze po tyłku, więc przed ludźmi wstydu z podbitym okiem nie ma, bo Marian po gębie nie bije, nauczyła się już nie bronić. Czasem się jebią po tym biciu i wtedy ona czuje się pełna i kochana, ale nie patrzy potem w lustro, nie chce siebie widzieć, nie chce zobaczyć tego, co kryje się pod poczuciem spełnienia i bycia kochaną.

Ale Gerd potrafi zajrzeć w sam środek żony pana Mariana i widzi małą dziewczynkę, która kiedyś pragnęła miłości, ale wie już, że nie ma na świecie miłości, z okien kamienicy słychać tylko melodię bicia i czarny ton śmierci. Dziewczynka w środku żony pana Mariana umarła, zgniła, zniknęła i żonie pana Mariana wystarczy teraz wpierdol i dwa razy w tygodniu jebanie.

Krzyż trójramienny. Nordland.

Gerd idzie dalej, miriady palców, miriady uszu przenikają przez ściany, dotykają ludzi i rzeczy. Czajnik elektryczny, w nim woda, którą nie zaparzono herbaty, woda stęchła i zrudziała, a nad *ōmōm*, która miała tę herbatę wypić, zapadło się już wieko trumny, piasek w pustych ustach, czerwone chrząszcze w pustych oczach.

Jej *mantle i szaty, i zŏpaski* w szafie podwójnie martwe, wyblakłe, murszeją, murszeją koszule nocne i halki.

Gerd nie spotyka uśmiechniętych twarzy, głów jasnych, Gerd nie dotyka miłości, Gerd nie spogląda na twarze matek, kiedy te widzą pierwszy uśmiech swoich noworodków, Gerd dotyka ich głów dopiero wtedy, kiedy znajdują one swoje dziecko w łóżeczku zimne, nieruchome, zduszone.

Gerd wie, że to czarna bogini dusi te dzieci, zazdrosna o płodne, żyzne łona ludzkich samic, czarna bogini, której macica wyschła, skurczyła się, zwinęła jak martwy robak.

Gerd nie zna kochanków, którzy cieszą się swoimi ciałami i miłością, nie zna kochanków młodych i pięknych, którzy dają sobie tyle szczęścia i radości teraz, ile pięknych smutków i łez dadzą sobie później. Gerd nie widuje pierwszych, prawie skradzionych pocałunków, Gerd nie zna błyszczących oczu i przygryzanych warg.

A przecież kiedyś przechadzał się po tym świecie. Przed wojną nie spał w ogóle z dziewczyną, ale pamięta, daleko, jak z innego świata. Pamięta dziewczynę, z którą chodził na pola i trzymali się za ręce, i ona myślała, że wyjdzie za tego chudego chłopaka, i on też tak myślał, chociaż nie rozmawiali przecież o tym i tylko raz się całowali, a ona potem uciekła, a Gerd bał się, że już nie będzie chciała się z nim spotkać, a jednak chciała, a potem wszystko się skończyło, wszystko zabrali czarni bogowie.

Gerd czuje, jak obicie fotela zrasta się z jego skórą, skóra wsiąka w napięty splot tkaniny, plecy Gerda otwierają się, sprężyny przyrastają do żeber, krew Gerda zaczyna ściekać w fotel, przez jego chromowane nóżki na parkiet, między spojeniami parkietu w dół, i dalej, do piwnicy, i dalej, między piasek i przedwieczne kości, i między skałę krew Gerda ciecze, między łupki i czarny węgiel, ciecze czerwonymi strużkami cienkimi jak nici i te nici łączą się, skręcają w sznury, w żyły jak potężne rury, i ciecze ta krew do serca smoka.

Gerd zna smoka od środka, tyle razy *szōla* niosła go we wnętrzności, spomiędzy smoczych żeber wydrapywał węgiel, którym potem palono w smoczych nozdrzach, i smok wydmuchiwał dymy, dym osadzał się na zielonych wnękach okien i na bordowych cegłach, i na jasnych włosach dzieci. Smoczy dym znaczył szarością ludzi i drzewa, smocze ciało drżało czasem i pękała smocza skóra, pokryta ludzkimi naroślami. Płynie krew Gerdowa w żyłach smoczych, płynie w smoczych tętnicach i wraca do Gerda, a z ciemnozielonego fotela wyrastają nici smoczych nerwów i wspinają się po sztywnym kręgosłupie Gerda. Perwersyjną pieszczotą wsączają się w Gerdowy mózg i Gerd jest smokiem.

Gerd spala sam siebie, Gerd pozwala się obierać z pasożytów ludzkim bąkojadom, Gerd drży z rozkoszy, gdy jego smocze ciało penetrują *grubiŏrze*, węglowe kombajny, smocze orgazmy trotylu. Gerd poddaje się łagodnym pieszczotom tramwajów, Gerd w *szŏli* wnika w samego siebie, Gerd maleńki zjeżdża w ciało Gerda wielkiego, z siebie samego wydziera czarną smołę, zdrapuje ją z rusztowań smoczych żeber.

Gerd czuje ciało ojca i matki, ciała *starŏszków* i *starek* rozpuszczone w ciele smoczym, ciała ujków i ciotek, czerwono-czarne chrząszcze cmentarne na nieustającej szychcie wzbierającego chaosu.

Chciałby być gdzie indziej. Tam, gdzie jest życie, bo życie jest gdzie indziej, przeczytał to oczami Pyjtra, „Życie jest gdzie indziej”.

Chciałby siedzieć na ławce na placu z innymi *starzikami, rynce na szumnym gryfie kryki*, ręce o skórze jak pergamin starszy niż *gruby* i huty, gadanie ze *starzikami* o tym, jak było za *Niymca*, jak było za starej Polski, jak było za Wilusia, gadanie o tym, co się teraz z tą młodzieżą porobiło, o tym, kto umarł, za kogo się wydała jedna albo druga *frela*, o tym, że jej synek jest od Szyndzielorzy, ale nie tych, co do Rajchu pojechali, tylko tych drugich.

Chciałby kupować wnukom prezenty na *gyburstak*, i na komunię, patrzeć, jak wnuki rosną, potem dawać pieniądze, gderać, upominać, a potem kupić sobie trumnę, kupić se *truła*, położyć się w niej i leżeć, na strychu mieć schowaną wódkę i cukier na własną stypę. Śmieszne starcze starania, którymi gardzi świat, tak jak Gerd śmiał się ze strachów swojego *starŏszka* w czterdziestym drugim. *Starŏszek* bił się pod Sedanem i wiedział, czym jest wojna, a Gerd się głupio cieszył, że jedzie, bo wierzył, że na wojnie skończy się kopalniane niewolnictwo. Wszyscy mówili, że Gerd oszalał, bo Gerda od wojska reklamowała kopalnia, i wszyscy wiedzieli, jak jest w Rosji. Chłopcy przyjeżdżali ze wschodu na urlopy: dziurawi, połamani, bez nosów i palców, zgwałceni mrozem, milczący, martwi bardziej, niż gdyby leżeli w ziemi.

Rodzice mówili: *Synek, tyś chyba zgup! Giździe zatracōny, przecā cie tam zabijōm. Do SS, do tych chacharŏw, hitlerów pōdziesz? Po co jŏ bŏł przi powstaniu, synek, jerzina?*

Gerd odpowiadał: *Jŏ niy ma gupi. Kaj je ta waszŏ Polska? W dupie! Jŏ na wŏs srŏm, jŏ wŏs dupcā, jŏ na wŏs niy poradzā wiyncy patrzyć! Jo ŏny ma żodyn Polok. Jŏ sie krwiōm na Niymca ochrzczā. Jŏ na wŏs srŏm! Jŏ wŏs dupcā!*

Ojciec uderza Gerda w twarz, otwartą dłonią, ale bardzo mocno. Stoją naprzeciwko siebie, Gerd i Józef, Gerda ojciec. Gerda policzek płonie. *Wy żeście już niy sōm mōj tatulek!* Ojciec uderza go po raz drugi. Stoją naprzeciwko siebie: tak podobni, tej samej wielkości, tej samej wagi, tak samo ciasno skórą obciągnięci, czarna kredka *gruby* dookoła oczu, czarne paznokcie, Gerd i *tatulek*.

Ôstatni rŏz żeś mie dŏł po pysku.

Słowa jak ołów, jak zawieszony w powietrzu odważnik, na cienkiej nici. *Tatulkowi* ręka drży, patrzy w twarz Gerda i widzi, i rozumie, że syn ma rację. Rzeczywiście: dał mu w pysk ostatni raz. Potem Gerd odwraca się i wychodzi i nigdy już się nie spotkają.

Gerd nigdy nie uderzył Pyjtra. Nie był w stanie go uderzyć, nie z miłości, lecz ze strachu przed tą chwilą, w której Pyjter zrozumiałby, że właśnie teraz ojciec uderzył go po raz ostatni.

I Gerd poszedł na wojnę, i Gerd z wojny wrócił. Przegrany i zgwałcony. I dołączył do przegranych i zgwałconych powstańców *tatulka*, który już nie żył, bo oboje z *mamulką* umarli w styczniu 1945 roku.

Gerd jest smokiem.

Chciałby od smoka uciec. Ale jak uciec, jeśli płynie się w jego żyłach, jak odejść, skoro dzieli się z kimś bycie, jak uciec od siebie samego? Krew Gerda w żyłach smoczych, czuje jego skórą, czuje pieszczoty dziecięcych stóp na huśtawkach i *klŏpsztangach*, czuje łaskotanie dziecięcych rączek, kiedy ich paznokcie wydłubują z jego skóry kamienie jak pąkle. Zieją smoczym smrodem jamki po tych kamieniach, jakby otwierały się małe wulkany. Ostre brzegi kraterów zgniatają potem opony ciężarówek, zamykają wewnątrz małe pęcherzyki powietrza. Spod stalowych kół lokomotywy w żółty gruz pod torami spada zgnieciony, dwukolorowy krążek metalu, spomiędzy skóry Gerda wybierają go dziecięce palce.

Dlaczego nie miałby zabijać dzieci? W czym dzieci mniej się nadają do zabijania niż dorośli, dojrzali?

Dlaczego miałyby najpierw odcierpieć swoje, zanim zasłużą na łaskę śmierci? Pociski Gerda zabijają noszących zupę chłopców, synów pułku. Masz, synku, łaskę smoka! Czarny bóg dopuścił cię do swego łona, skóra wymieszana z włosami i kośćmi, święta żertwa, ofiara Abrahamowa, Gerda łup.

Nasycony, wyrywa się z fotela, odrywa się od tkaniny Gerdowa skóra. Wysysa ze smoczych tętnic własną krew, trzeszczą Gerdowe kości.

Wstaje.

Płacze smok, płaczą czarni bogowie. Dokąd odszedłeś, przyjacielu nasz? Synu nasz. Dokąd odszedłeś?

Jesteś smokiem, Gerardzie Piontek, nie porzucaj swojego ciała, nie opuszczaj swojej skóry, nie opuszczaj swojego serca.

Ale Gerd już wstał. Gerd nie chce słyszeć dalej o smoku. Gerd szlocha suchym płaczem. *Czy jŏ już blank zgup?* Gerd dzwoni do syna. *Pyjter, pōdź sam, bo jŏ już niy poradzā.* Pyjter się zgadza i Gerd jest już w głowie syna.

Pieprzony wariat. Chciałbym, żeby już umarł. On i ci jego towarzysze, co kryją się po szafach, bogowie, potwory i smoki.

Jerzina, jakiś ty je gupi, bajtel.

Jak to być może, że nawet jego syn jest tak głupi jak oni, jak żywe trupy, których świat jest pełen.

To nie tylko przez wojnę, nie tylko dlatego Gerd potrafi. Przecież bardzo wielu z jego towarzyszy tam, wtedy, w prawdziwym życiu, tak wielu też nie potrafiło.

Nic nie rozumieli.

A dlaczego Gerd rozumie?

Gerd ma dwa lata. Gerd siedzi na placu, na Gerda pada słońce, Gerd tylko trochę potrafi mówić: *mamulko*, *tatulku*. Gerd nic nie wie o świecie, wie tylko *mamulko* i *tatulku*. Do Gerda nie dotarł jeszcze świat Polaków i Niemców, do Gerda nie dotarł jeszcze świat właścicieli kopalń i górników, kapitalistów, socjalistów i komunistów, świat niewolników o płonących w czerni oczach, świat twarzy grafów i baronów ukrytych za mętnymi taflami kabin buicków i mercedesów.

Mały Gerd siedzi w białym kaftaniku i rączką zgarnia z placu pył i kurz. Wkłada garść pyłu do ust. I zjada. Zjada ten kurz i to komunia ze smoczego ciała. I Gerd wszystko rozumie. Nad Gerdem czarne bogi, Gerd wie, czym jest świat, a nie wiedzą tego ani *tatulek*, ani *mamulka*, którzy za piętnaście lat będą załamywać ręce, bo chłopak się na ochotnika zgłosił do Waffen-SS, taki głupi, taki głupi.

Gerd ma znowu dwa lata, Gerd je robaka, którego znalazł na podłodze, i ten smak czyni z Gerda buddę, oświeconego. Gerd nie zna tego słowa, ale zna gorzki smak owada, chrzęst chityny w mlecznych zębach, krótkie drapanie owadzich nóg i szczęk na języku, i zna zgniecioną owadzią śmierć. A kiedy je poznał, wie już o świecie wszystko.

Gerd zanurza się wtedy w smoka. Gerd wie, kim jest, rozumie swoje pochodzenie i swoją przyszłość: z nicości, ku nicości. Rozumie świat, którego nie ma, kręgi na wodzie, Gerd rozumie nawet smoka: tę zwiniętą jak larwa bestię, która wypełnia całą ziemię. I tylko tam i ówdzie ziemia się otwiera nad smoczym cielskiem, Gerd to wie, kiedy ma dwa lata.

I Gerd wie o tym, kiedy wciska samego siebie w mokrą tundrę, nasiąkają wodą gotyckie litery Nordlandu wyszyte srebrną nicią na opasce na przedramieniu, wodą nasiąka Gerd i wie, że ta woda jest tak samo jak on, jak smok, jak świat.

Gerd słyszy wołanie czarnej bogini.

Gerd!

Mieszkanie. Fotel. Czy zrósł się? Smok, gdzie jest smok?

Trzeba wyjść.

Gerd!

Wąskie łóżko, biała pościel świeci w ciemnościach, błyszczy jak księżyc biała skóra rosyjskiej pielęgniarki, *hiwiski*. Olga. Jej dłoń na policzku Gerda. *Ljublju tjebja. Przajã ci*. Gerd już zdrowy. Zastrzel mnie, chłopczyku z dalekich Niemiec, zastrzel mnie, zanim tu przyjdą.

Armię Czerwoną już słychać, ciemną, gęstą pieśń dział, crescenda katiusz, samoloty: te głośne i te straszniejsze, ciche, co najpierw terkoczą niczym maszyna do szycia, wyłączają silniki, w ciszy i w ciemności szybują nad drzewami i zrzucają ogień i śmierć.

Ale teraz leżą nadzy w łóżku, Olga zaraz umrze. Gerd chudy, ona obfita. Jej dłoń na jego policzku i biała skóra. Potem obejmują się jeszcze raz, potem jeszcze jeden spazm, drżą ciężkie piersi, oczy zamknięte, a potem Olga ubiera się, klęka przy łóżku i chowa twarz w dłoniach, i szepcze swoje prawosławne modlitwy. Gerd zakłada na siebie kolejne warstwy munduru: kalesony, koszula, sweter w norweskie wzory, kurtka, płaszcz, pas i szelki, i ładownice, kabura, onuce, wysokie buty, latarka, rękawice, manierka, celtbana, saperka, plecak, bagnet, wszystko, cały dobytek przypięty paskami i sprzączkami, karabin. Olga klęczy przy łóżku, modli się. Gerd wyciąga pistolet, i już. Gerd wychodzi w noc, czarna bogini woła go po imieniu.

Mieszkanie. Trzeba wyjść.

Gerd bierze karabin, sztucer bierze, Gerd wychodzi na schody, czy wychodzi w arktyczną noc? Wychodzi, schody, powoli, po jednym, wspiera się na sztucerze, wychodzi, Katowice.

Kaj żeś je, czŏrnŏ bogini? Kaj żeś sie schrōniyła?

Gerd.

Czy to ona woła Gerda? Kto woła Gerda? *Fater!* Woła· Piotrek. *Fater, co sam robicie?*

Gerd!

Wszystko sobie przypomina, już wie: jego syn, profesor, jego syn, jego syn w wannie, żyletka, jego syn.

Repetuje sztucer, mierzy do własnego syna. Czarna bogini chce ofiary Abrahama. Czy chce ofiary? Nie umie podnieść kolby do ramienia, kolba niewygodna, sztucer ukradziony, mierzy z biodra.

Tata, zwariowałeś, co robisz, ojciec, *fater*, co robisz?

Cof się, abo zastrzelã.

Fater, co robicie, czyście blank ôgupli? Chodź do dom, ojciec, chodź.

Gerd naciska spust. Niewypał. Szarpie rączkę zamka, przeładowuje. Pyjter chwyta lufę sztucera, delikatnie i powoli zniża ją ku ziemi.

Tata, to są kule, oprzyj się na tym, bo się wywrócisz. To nie jest karabin.

Czŏrnŏ bogini, kaj żeś jest, kaj żeś poszła?

Jej twarz pojawia się między chmurami, nad sterczącym jak *pulŏk* Altusem. Pojawia się czarna bogini, pojawia się Olga, jej twarz, jej czoło otwarte pociskiem z Gerdowej lufy, który przyjęła tak wdzięcznie, jak przyjmowała wcześniej jego nasienie, ale czy Gerd wiedział, że w jej łonie rosło już jego dziecię, syn smoka?

Czy jŏ to wiedziŏł? Aże ôna już nosiyła?

Nieważne, Gerd, nieważne.

Teraz biegnij. Wyrwij się z objęć Pyjtra i biegnij, Gerd. Więc wyrywa się. Skąd tyle siły? Biegnie. Lufa sztucera stuka po chodniku, stuka gumowo. Gerd kuśtyka, tysięczne ostrza przebijają mu ciało, ale mięśnie Gerda, zwiotczałe i starcze, jego dziadowskie ścięgna jeszcze pamiętają te dzikie cwały przez sektory kryte ogniem wroga. Od ruiny do ruiny, od spojrzenia do spojrzenia, mięśnie pamiętają marsze w ciemnościach i pamiętają wspinaczki ku miejscom, w których Gerd zapuszczał szarozielone korzenie i rozkwitał ognistymi kwiatami, gdy strzelał do majaczących w oku celownika postaci w płowych albo białych mundurach.

Więc biegnie. Pyjter go dogania.

Gerd! Kto woła? Woła bogini? Tata, to nie jest karabin, to kula.

Gerd patrzy na swój biały sztucer. Kula, zwykła ze szpitala. Pielęgniarka, taka w bieli, ale nie taka jak Olga, przestawia aluminiowy przycisk w rzędzie otworków, jak w dziecięcej fujarce.

Jadymy dōma.

Na schodach pan Marian z małżonką. Dzień dobry, panie Piontek. *Ja, ja, dobry.* Pod spódnicą żony na udach i pośladkach krwawe pręgi po kablu. Gerd wie. Kobieta utyka na schodach.

Z mieszkania na piętrze Radio Maryja. W radio mówi martwy Otokar. Już są w mieszkaniu, drzwi zamykają się za nimi. Gerd klęka. Nic nie widzi.

Kaj twoje życie, Gerd, kaj sie straciyło? Kaj ty żeś sie straciył?

Kaj sōm wsziskie ludzie?

Tato?

Gerd płacze.

2010

MASARA

1

Nie na mnie patrzy. Nie patrzy na mnie, o nie. Ale stoi z nami, z nami rozmawia. O czym rozmawia?

O koledze. Jego koledze. Kolega ma sześć pał z matematyki. Sześć jedynek. Kaloryfer ma. W dzienniku, jedynki w dzienniku obok siebie jak żeberka kaloryfera. Z matematyki.

Stoi i rozmawia: taki piękny, smukły, pukle jasnopłowych włosów, oczy niebieskie, długorzęse, szerokie ramiona pływaka, wąskie biodra w wąskich dżinsach spiętych szerokim paskiem wojskowym, męskie biodra, nie chłopięce. Piękna, męska troska o przyjaciela: dziewczyny, starzy go zabiją. On ma pojebanych starych. Mogłabyś Jacka pouczyć? Tylko wiesz, z nim trzeba siąść, jak z dzieckiem. On sam nic nie zrobi, w ogóle go to nie obchodzi, to znaczy tak tylko gada. Ja nie umiem. A ty byś umiała, z tobą chciałby się uczyć.

Śmieją się. To komplement. To flirt. Śmieją się, każdy chciałby się uczyć z Kasią.

Ja nie dam rady, Marek, mówi Kasia. Ja z czasem się nie wyrobię: szkoła muzyczna, angielski, konie. Nie dam rady. Poza tym ja nie umiem tłumaczyć wcale. Mówi piękna Kasia. Ale Paulina umie.

Paulina umie, Paulina. Ja umiem. Paulina wszystko umie.

Kasia mówi, a spojrzenie Marka dotyka mnie. A ja myślę o tym, jak bardzo chciałabym być w przezroczystym ubraniu i przezroczystym ciele. Wtedy jego wzrok mógłby mnie dotknąć, dotykać, wtedy dotarłby do mnie. Dotarłby do Pauliny ukrytej w środku, ujrzałby Paulinę. Mnie by ujrzał w nagości najgłębszej, nagości bez ciała, chciałabym się dla niego rozebrać z ciała, z tego ciała, którego nie dotykał ani nie widział żaden mężczyzna. Nigdy. A ja chciałabym pokazać mu wszystko: moją miłość, mój strach, moje nienawiści, moją rzadką i wątłą radość, wszystko, co we mnie.

Nikomu innemu nie pokazałabym siebie, ale jemu chciałabym pokazać. Chciałabym, aby patrzył, aby mnie widział.

Myślę, że Kaśka chciałaby przed nim rozchylić kolana. Chciałaby, żeby patrzył na to, co ma między udami, między twardymi od konnej jazdy udami, pewnie nazwałaby to jakoś pieszczotliwie, albo nawet wulgarnie, chociaż Kaśka nigdy nie używa wulgarnych słów, ale przy nim mogłaby użyć, gdyby byli sami, w intymności zanurzeni.

Rozłożyłaby gładkie, opalone uda obciągnięte skórą napiętą. Jej ciało jak eleganckie etui na Kaśkę, Kaśka jak klejnocik w futerale wyścielonym aksamitem. I pozwoliłaby mu patrzeć na to, na co nie pozwoliła patrzeć nikomu innemu. Między nimi to byłoby piękne. Ona naga i on nagi, piękni, płowowłosi oboje.

Ale to mógłby zobaczyć u każdej dziewczyny. Ładne, jak u Kasi, albo wstrętne, jak u mnie. Wstrętne fałdy białej skóry, kudły czarne, które rzedną, kiedy dłoń wędruje do góry na biały brzuch i na uda wielkie, białe, zatopione w sadle, uda drżące i pokryte skórą pomarszczoną.

Ale mnie mógłby zobaczyć tylko we mnie, mnie nie ma w nikim innym, w żadnym człowieku. Ale wolałby na pewno patrzeć na to, co Kaśka ma między nogami, gdyby go zapytać. Ale to dlatego, że mnie nie mógłby dojrzeć zza mojego ciała nieprzejrzystego. Dlatego że Kasia piękna i on piękny.

Gdybym mogła mieć ciało przezroczyste, w ubraniu przezroczystym. Ale nie mogę, nie mogłam. Dotyka mnie światło świata, słoneczne światło, które na korytarz naszego liceum wpada przez wysokie okno o brudnych szybach, i również to światło, które rzucają świetlówki, spada na mnie, uderzają we mnie świetliste fotony albo fale światła, dualizm korpuskularno-falowy, dobrze pamiętam, ja wszystko pamiętam. Więc uderza o mnie światło, odbija się ode mnie i wędruje ku źrenicom ludzkim, wędruje ku źrenicom Marka, tam dotyka pręcików i czopków i potem układa się w obraz. W obraz mnie, a przecież nie mnie.

Ale tylko taką mnie znał, tylko taką mnie widział, tylko taka mu się jawiłam, tylko moje ciało, ciało wielkie.

Patrzy na mnie. Uczyłabyś go, Paulina, uczyłabyś Jacka?, pyta, ale przecież i on, i Kasia myślą o tym, że ze mną Jacek na pewno nie tak chętnie jak z Kasią będzie się uczył. Pewnie tak myślą: Kasi mógłby zaglądać w dekolt, kiedy pochylałaby się nad zeszytem. A przy mnie nie miałby miejsca przy biurku. Kasia pachniałaby perfumami, a ja tylko kwaśnym potem, kiszącym się w bagiennych fałdach mojego ciała.

Możemy spróbować, odpowiadam tak cicho, jakbym nie istniała.

Dzwonek. Dzwonek jak krótkie rozluźnienie. Złagodzenie rygoru piekła. Na lekcji mniej jestem niż na przerwie. Na przerwie stoję, więc bardziej jestem, bardziej mnie widać. Na przerwie przegrywam z głodem i jem moją kanapkę, odbijam światło i rysuję się w ich głowach: gruba żre kanapkę, wdupia kanapkę, wpierdala kanapkę. I od obrazu z odbitych fotonów lub fal, dualizm korpuskularno-falowy, odbijają się ich skojarzenia: jakby nie żarła, to nie byłaby taka gruba jak świnia.

Na lekcji siedzę w ławce. Moje ciało siedzi, ja w środku. To nie chroni mnie od spojrzeń, bo przecież patrzą. Pośladki nie mieszczą się na siedzisku krzesełka. A oni patrzą, gapią się. Obok mnie Kasia: jej pośladki wąskie i twarde, postawione na krześle, jakby ktoś położył na nim kamień, kamyk. Gdyby siadła w mokrych spodniach, to pośladki zostawią na krześle dwa niewielkie, zgrabne, okrągłe ślady, dwa osobne ślady. W moje pośladki krzesło wsiąka, zapada się, mój tyłek krzesło pochłania. A oni patrzą. Na mnie: moje plecy szerokie po obu stronach oparcia, na spocony kark.

A jednak na lekcji patrzą mniej, mniej widzą, mają inne zmartwienia na lekcji. Inaczej niż na wuefie. Na wuefie jest najgorzej. Nie chcę myśleć o tym, jak jest na wuefie, na mojej arenie wstydu, upokorzenia, a jednak myślę o tym, jak jest na wuefie, wuef jest co tydzień. Przecież nie jesteś aż tak gruba, żebyś nie mogła ćwiczyć, mówi boleśnie ciocia, siostra mamy. Ciocia jest lekarzem, a musisz ćwiczyć, bo inaczej nigdy nie schudniesz, dziewczyno, ciocia jest jak nóż. Wielka biała koszulka przykrywa moje fałdy cienką warstwą, spodnie z dresu napinają się na pośladkach, biegnę dookoła sali gimnastycznej, dookoła mojej areny wstydu, każdy krok potrząsa fałdami mojego ciała, drżą, podskakują przy każdym kroku, jakby miały się ode mnie oderwać, jakby krwawe, tłuste połcie miały wypaść spod koszulki na podłogę.

I to boli, to zawsze boli, kiedy ktoś na mnie patrzy, kiedy dźgają mnie oczami. Widziałam w telewizji, jak męczą byka w corridzie, jak wbijają w niego szpikulce z kolorowymi falbankami, *banderilla*, po hiszpańsku dwa el czyta się jak jot, a więc banderija.

Jestem bykiem, a ich oczy jak szpikulce z zadziorami wbijają się w moje miękkie plecy i tkwią w nich, a moje cielsko krwawi wstydem.

Ale teraz nie ma wuefu. Teraz jest fizyka.

Fizyk zadaje pytanie klasie. Podnoszę rękę. Taki instynkt. Wiem, to podnoszę.

Masara.

Słyszę ten szept. Szept jak szpada matadora przebija moją grubą skórę, tłuszcz i mięso i przez ramiona sięga serca, gną się przednie nogi, byk pada na kolana, wali się w piach areny. *Olé! Olé! Olé* to hiszpański okrzyk radości, pochodzi prawdopodobnie od słowa „Allah", z czasów, kiedy Hiszpania znajdowała się pod panowaniem arabskim.

A oni szepczą.

Jak zwykle Masara musi być pierwsza.

Masara, tak nazwali to ciało nieprzezroczyste, które mnie skrywa.

Nie znałam tego słowa. Myślałam najpierw, że chodzi o żeńską formę „masarza". Ale nie chodzi o masarza. To śląskie słowo. Gwara śląska to dialekt języka polskiego zawierający wiele germanizmów, jak również słów staropolskich. To z kolei pamiętam z lekcji historii, ponieważ przygotowałam prezentację na temat Górnego Śląska. Germanizmów, jak również słów staropolskich. Masara. Chodzi o wielką, obrzydliwą muchę, tłustą muchę z zielonym połyskiem, która żre gówno i buczy jak mały bąk. I mówią tak, podobno, na grube baby: ale masara! Oni oczywiście nie mówią po śląsku, po prostu podoba im się to słowo jak miecz matadora, gdzieś usłyszeli, w kawale jakimś, i mówią.

Masara.

Nie będę uczyła matematyki tego chłopaka. Rozwiązuję zadanie z fizyki i myślę: nie będę go uczyła. Chciałabym go uczyć, chociaż nie jest Markiem, w takim uczeniu byłaby intymność, której nie znam, ja i tamten, w jednym pokoju, pochyleni nad stołem. Nie będę go uczyła, wiem. Następne zadanie. Nie będę go uczyła, bo on nie będzie chciał takiej intymności ze mną. Cena byłaby zbyt wielka. Żarty kumpli zbyt bolesne. Słyszałam.

Jak tam było z Masarą? Jak zerżnąć Masarę? Zasadź kopa w dupsko i po siódmej fali ładuj. Byle cię nie wciągnęło. Nie udusiła cię cycami? No co ty, Masara nie ma cycków. No jak nie ma? Wszystkie spasione mają wielkie cyce. A Masara nie ma! Popatrz na nią, jest tak samo gruba wszędzie, tylko dupsko wystaje, z przodu jak wieloryb równa. Po sutach musiałbyś poznać, która fałda to cycki, a która normalne sadło. O ja pierdolę, śmieją się.

Słyszała tę rozmowę Masara, ja słyszałam. Nie widzieli mnie, bo stałam za rogiem, a oni poszli dalej i zauważyli moje ciało za tym rogiem, moje cielsko zauważył Marek, to jego głos mówił o tym, że tylko po sutach można poznać, która fałda to cyce. Głos z jego ust, ust z jego twarzy okolonej jasnopłowymi puklami, z twarzy jednocześnie męskiej i chłopięcej, z cieniem jasnego zarostu na brodzie.

Ale zauważyli moje ciało, mnie zauważyli, za rogiem, kiedy ruszyli w stronę sali gimnastycznej, i zamilkli, wszyscy, Marek też zamilkł, odwrócił wzrok, nie patrzyli na mnie, żaden z nich na mnie nie patrzył. Myślałam: jakby zrozumieli, że ranią.

Mama mówiła: chłopcy już tacy są, Paulinko, spróbuj o tym nie myśleć, nie słuchaj, to minie. Dawno mówiła, jeszcze w podstawówce. Więc myślałam, może rozumieją, że mnie ranią. Może dlatego zabrali ze mnie swoje spojrzenia, dlatego wbili je w podłogę. Może nie patrząc na mnie, dostrzegli mnie przez chwilę i nie chcieli mnie ranić.

Wtedy słyszę: zaczynają chichotać. Śmiech ich rozsadza, jakby zaczynali śmiechem kipieć, odsuwają się ode mnie i chichoczą cicho, ale z każdym krokiem coraz głośniej, a kiedy są już daleko, rżą.

Po sutach poznać można, która fałda to cyce, mówił głos Marka.

Potem, w domu, tamtego dnia, stałam przed lustrem ubrana tylko w ciało i patrzyłam. Kiedy stoję, widać, która to fałda. Jest większa. Kiedy siądę albo się zgarbię — nie widać, rzeczywiście nie widać. Cyce. Cyce Masary. Suty Masary. Ryj Masary. Morda Masary. Dupsko Masary. Giry Masary. Cielsko Masary, jak ciało lwa morskiego na plaży, spocone ciało, śmierdzące kwaśnym potem cielsko, pomarszczone cielsko tucznej świni, cielsko samicy morsa, cielsko kaszalota. Pizda Masary.

Ubrałam się szybko, poszłam do łazienki i myślałam o tym, żeby to tłuste ciało zabić, ale nie zabiłam. Nie zabiję cielska Masary. Położyłam cielsko Masary w łóżku Masary, w pokoju Masary, w domu rodziców Masary, w domu szczupłych, przystojnych rodziców Masary.

Człowieku, widziałeś starą Masary? A co? No nie wiem, ona tak koło czterdziestki musi mieć, a to jest niezła dupa. Nie wierzę. Nie, no serio, widziałem Masarę ze starymi na mieście i normalnie, rozumiesz, z łóżka bym jej nie wygnał. Masary byś nie wygnał? Fuj, mam się, kurwa, porzygać? Śmieją się. Starej Masary bym nie wygnał.

Słyszałam. Masara wiele słyszy, więcej, niż oni sądzą, że może słyszeć, Masara słyszy, bo jest cicha, bo chciałaby być niewidoczna, bo siedzi w ciemnościach.

Więc nie będę pomagała Jackowi z matematyką. Kończy się fizyka, zapadam się w piekło przerwy, ale mniejsze, słabsze, nie trzeba zmieniać sali, siedzę, gdzie siedziałam, wyciągam książkę, w książce występują postacie fantastyczne, nawiązujące odlegle do ludowych mitologii, bohater książki jest typem antybohatera, z którym utożsamiamy się chętnie, bo obok nadludzkich zalet ma również wady, co czyni go bliższym czytelnikowi. Narracja w powieści jest narracją trzecioosobową, narrator typu wszechwiedzącego, co umożliwia autorowi powieści prezentowanie czytelnikowi myśli i wewnętrznych przeżyć bohaterów książki.

Dzwonek. Język niemiecki. Gruba nauczycielka zadaje trzydzieści ćwiczeń gramatycznych z zeszytu ćwiczeń, po czym pogrąża się w lekturze. Czyta harlequina obłożonego grubym, kolorowym papierem. Czy nauczycielka niemieckiego jest grubsza ode mnie? Ma sześćdziesiąt lat. Może jest grubsza. Trochę. Ma wielkie, ogromne cyce. Śmieją się z jej cyców. Śmieją się z wielkich cyców, śmieją się z małych cycków.

Dzwonek. Do domu. Patrzę, jak zbierają się w grupki, jak umawiają się na piwo, zapalają papierosy, które kupują na sztuki w sklepie koło liceum, idą wzdłuż Kłodnicy, Kasia i Marek w roli gwiazd, inni za nimi, idą do Orientalnej albo do Nowej idą, na piwo idą, wiem, że jedni chodzą do Orientalnej na Dworcowej, a inni do Nowej, pod ratuszem, na rynku, ale nie wiem, którzy gdzie, ja nigdy nie byłam, mama mówi, idź z nimi, mama mówi, napij się piwa, nie chcę pić piwa. Kupują dziesięć i pół łamane z eb redem. Wiem, bo słyszałam, ale nigdy nie byłam, nie widziałam, piwo mi nie smakuje. Marek ma naszywkę z Sonic Youth na plecaku. Sonic Youth. Może kupię sobie kasetę. Gdybym powiedziała Kasi jakoś, że chciałabym iść z nimi, to Kasia zaraz by zrobiła tak, żebyśmy poszli, Kasia ma dobre serce, w Kasi nie ma nienawiści, Kasia nigdy nie powiedziała o mnie Masara. I siedziałabym obok. Masara poszła do knajpy. Oni by milczeli, czekali, aż Masara sobie pójdzie. Prowadziliby swoje flirty.

Poszli, ja idę do domu. Rodziców nie będzie, więc spokój. Sama. Kiedy sama — cielsko nie boli.

W domu. Muzyka, puszczam Kult. *Muj wydafca*. Potem *Tata 2*, najnowsza. Konstanty Ildefons Gałczyński w książce Czesława Miłosza *Zniewolony umysł* przedstawiony jest jako Delta. Mam w biurku naszywkę Kultu, ale nie przyszyłam jej do plecaka. To byłoby bez sensu, Kult na plecaku Masary.

Lekcje. Odrabiam. Nauka. Słyszałam, jak w nocy tata mówił do mamy, za ścianą: ta dziewczyna żyje w piekle, Zośka, w piekle. Musimy ją odchudzić, przecież ona ma siedemnaście lat! Wyobrażasz sobie, co to jest być grubą nastolatką? Nie wyobrażam. No tak, z ciebie to zawsze była laska. Oj, Krzysiek, słuchaj, dobrze, że ona przynajmniej ma same piątki. Piątki i szóstki. Ojciec milczy. Co? No dobrze, że ma. No ale co, Krzysiek, przecież dobrze, że dziewczyna się dobrze uczy, nie? No dobrze. No to o co ci chodzi? Przecież ona nic innego nie robi! Tylko się uczy. To jak miałaby nie mieć samych piątek? No ale o co ci chodzi? Boże, no, Zośka, to jest nasza córeczka, kocham ją ponad wszystko na świecie, ale co się mamy oszukiwać, Paulinka nie jest jakoś szczególnie bystra.

A potem awantura. Mama płacze, ojciec przeprasza. A ja słuchałam, ja wszystko słyszę. Zza ściany, nawet zza ściany. Za co jej tak nienawidzisz, przecież to twoje dziecko! Zośka, daj spokój no, ja ją naprawdę kocham.

Nie jestem jakoś szczególnie bystra, tak sądzi mój tata. Ma rację.

Nie ma ich dzisiaj. Uczę się biologii. Kiedy ich nie ma, jest dobrze. Spojrzenie ojca boli, nie tak jak szept, jak Masara, ale boli.

Zgrzytanie zamka w drzwiach. Idę otworzyć. Ciotka.

Są rodzice? Nie ma. I dobrze, bo ja do ciebie mam sprawę. Do mnie?

Zrób herbatę, Paulina, musimy porozmawiać.

Siadamy w kuchni. Słuchaj, bez owijania w bawełnę. Jesteś gruba, dziewczyno. Masz jakieś trzydzieści kilo nadwagi. Albo więcej. Jesteś gruba, samotna i nieszczęśliwa. Ciotki słowa nie bolą. Kiedy ciotka mówi, słowa nie bolą, po prostu są, ciotka mówi prawdę, nie wbija słów we mnie. Jestem, mówię cicho, cichutko, prawie nie mówię. Ile schudłaś na ostatniej diecie? Nic.

Ostatnia dieta. W dzień dieta. W nocy żarcie. Tata wszedł do pokoju, chyba coś usłyszał, wszedł bez pukania. Masara żarła czekoladę. Białą milkę. Tata patrzył na Masarę. Bolało Paulinę to, że patrzył na Masarę. Nic nie powiedział, wyszedł.

Słuchaj, Paulina, twoim problemem nie jest twoja waga, tylko nienawiść. *Nienawiść* — tytuł wiersza Wisławy Szymborskiej. Do samej siebie. Prawda? Prawda.

Nienawidzisz siebie, bo inni się tobą brzydzą. Tak? Tak. Bo tobą gardzą. Tak. Chcesz, żeby to się zmieniło. Chcę. Ale nie schudniesz. Nie schudnę. Więc nie zmienisz siebie. Nie zmienię. Więc zmień ich uczucia.

Jak?, pytam, bo przecież wiem, że nie da się zmienić czyichś uczuć.

Słuchaj, Paulina. Uczucia to jest równia pochyła.

Równia pochyła to jedna z maszyn prostych, składająca się z powierzchni nachylonej do podłoża pod danym kątem.

Uczucia człowieka do człowieka to jest równia pochyła. Wiesz, co to znaczy? Nie wiem. No to patrz.

Ciocia, siostra mojej przystojnej mamy, siostra mamy Masary, bierze serwetkę, ciocia rysuje na serwetce równię pochyłą. Na górze są dobre uczucia, na dole złe. I to jest generalnie tak, że w dół kulka leci sama, kulka to uczucia, o taka, a w górę jest trudno. Więc trudno będzie ci pogardę zamienić w podziw, prawda? No to trzeba pozwolić kulce polecieć w dół, o tutaj, aż spadnie z równi, aż spadnie z tego spektrum podziw – pogarda, wypadnie gdzie indziej.

Gdzie?

No właśnie, Paulina. To jest ważne gdzie.

Mówią na mnie Masara. A ty nie chcesz, żeby tak na ciebie mówili, prawda? Nie chcę. To obrzydliwe, że tak na ciebie mówią. Żeby tak więcej nie mówili, musieliby przestać tobą gardzić. Musieliby mieć cię za co podziwiać. Mnie nie ma za co podziwiać.

Ciocia milczy. Po chwili mówi znowu.

Dziewczyno, nie będę cię okłamywać. Nie ma.

Boli to słowo czy nie boli? Ważę to w sobie, ciocia milczy. Ważę to w sobie — nie boli, bo powiedziała to ciocia. Musisz sama się szanować. Żebyś się sama szanowała — musisz przestać być bezbronna. Rozumiesz? Jak ktoś cię poniża — walcz. Nie jesteś dość wygadana, żeby się odwinąć słownie, ja wiem, ale znajdź inny sposób. Musisz sama znaleźć, ja tego za ciebie nie wymyślę.

Ciocia dopija herbatę. Ciocia idzie. Włączam telewizor. Wiadomości. Premier Cimoszewicz. Premier, czyli prezes rady ministrów, jest szefem rządu w ustroju politycznym Polski. Organami państwa w zakresie władzy ustawodawczej są Sejm i Senat Rzeczypospolitej Polskiej, w zakresie władzy wykonawczej — Prezydent Rzeczypospolitej Polskiej i Rada Ministrów, w zakresie władzy sądowniczej — niezawisłe sądy. Wyłączam telewizor.

Idę do łóżka, czytam, potem gaszę światło. Leżę w ciemnościach, jakby nie było Masary, jakby była tylko Paulina. Szczękają klucze w zamku, rodzice wracają. Kroki. Cicho uchylają się drzwi do mojego pokoju. Zaciskam powieki. Śpi. Co? Paulinka już śpi. O dziesiątej? No.

Budzik. Jaki dzisiaj dzień?

Dzisiaj jest dzień z wuefem. Kołdra na głowę. Paulinka! Jest dwadzieścia po siódmej! Wstaję. Pakuję plecak, książki, zeszyty, piórnik, strój na wuef.

Droga do szkoły. Nowy Świat, Częstochowska, plac Krakowski, most nad Kłodnicą, Zimnej Wody. Na Zimnej Wody spojrzenia stają się konkretniejsze. Wcześniej ludzie mijają mnie wzrokiem, idą do pracy, na politechnikę czy gdzieś tam idą, patrzą, idzie facet w kapeluszu, kobieta z wózkiem, listonosz, chłopak na rowerze, gruba dziewczyna. Nie obchodzi ich moje sadło, na Nowym Świecie albo na Częstochowskiej jestem scenografią.

146

Na Zimnej Wody spojrzenia stają się konkretniejsze. Moja klasa, klasy równoległe, klasy czwarte, klasy drugie. Masara. Patrzę w betonowe płyty.

Szatnia. Przebierają się dziewczyny. Kasia się przebiera. Nie wstydzą się obnażonych piersi, ślicznych piersi wyrastających ze szczupłych torsów, głaszczą się po płaskich, twardych brzuchach, schylają się, aby zawiązać buty, i wypinają przy tym okrągłe, twarde tyłki. Śmieją się, gadają o biustonoszach, kosmetykach, chłopakach. Dziewczyny.

Masara nie jest dziewczyną. Masara jest klocem sadła wciśniętym w kąt szatni. Masara zostawia plecak w szatni i wychodzi do kibla, zamyka się i przebiera nad sedesem, wraca do szatni w spodniach z dresu i ogromnej, białej koszulce.

Dzwonek. Sala gimnastyczna. Chłopcy po jednej stronie siatki, dziewczyny po drugiej. Z dziewczynami Masara. Skłony. Przysiady. Podskoki. Śmiechy. Docinki tak ciche, że nawet Masara ich nie słyszy, słyszy tylko chichot. Podskoki. Bieg dookoła sali.

Sejsmografy szaleją.

Masara to słyszy. Śmiech, śmieją się. Masara patrzy ukradkiem na twarze. Marek się śmieje, Kaśka się nie śmieje. Kaśka chwyta spojrzenie Masary. Kaśka odwraca wzrok. Kaśka się lituje. Nie chcę twojej litości, opalona kurewko, myśli Masara, ja myślę i boję się tej myśli. Boję się wulgarnego słowa. To Masara tak myśli, nie ja.

Gramy w koszykówkę. Żadna z dziewczyn nie podaje mi piłki. Biegam po parkiecie, wolno, po parę kroków, parę ciężkich kroków. No kurde, gdzie stoisz, debilko? Przepraszam.

Przepraszam. Masara przeprasza Justynę. Ja nie chcę przeprosić. Suko jedna. Zaraz ci pokażę. Idę do piłki, tak jak do piłki idzie Kaśka, Kaśka świetnie gra w kosza. Idę do piłki, którą kozłuje Justyna, za późno, Justyna podaje piłkę dalej. Nie udaje mi się zatrzymać, uderzam w Justynę bokiem, Justyna leci na ziemię, ja też tracę równowagę, potykam się, chcę się podeprzeć przy upadku i upadam na Justynę.

Justyna wrzeszczy: Złaź ze mnie, tłusta świnio! Moja noga!

Wuefistka biegnie do nas. Paulina, musisz uważać. Justyna, nic się nie stało? Upadła mi kolanem na nogę, pani profesor. Pokaż. Gdzie cię boli? Dobra, nic ci nie jest, wstawaj. Paulina, usiądź na ławce na razie, dobrze?

Siadam. Patrzą na mnie. Kaśka wstydzi się za mnie. Justyna jest wściekła. Po drugiej stronie sali chłopcy. Śmieją się. Marek mniej się śmieje. Tak ukradkiem. Prawie się nie śmieje.

Wiem dlaczego. Marek chce wepchnąć swojego kutasa w cipę Kaśki, o to mu chodzi. Masara ma straszne myśli. Straszne słowa. Ja tak nie myślę. Ja myślę, że Marek mniej się śmieje, bo się kocha w Kaśce. A Kaśka nie lubi, jak się ze mnie śmieją.

Raz Kaśka mnie obroniła. Michał krzyknął do mnie, jak jadłam kanapkę, czy się nie boję Greenpeace'u. A ja się zapytałam, dlaczego mam się bać Greenpeace'u. No czy się nie boję, że mnie zaciągną do morza. Wszyscy ryknęli śmiechem. Kaśka milczała przez chwilę, a jak się wszyscy skończyli śmiać, zapytała Michała, czy to prawda, że ma kutasika jak fasolka szparagowa, Ania mówiła, że dokładnie taki, o taki malutki, Kasia pokazuje jaki. I że jak raz się odważył, to skończył, zanim w ogóle zaczął, nawet spodni nie zdjął. Nie wiem, o co chodziło z tym, że skończył, zanim zaczął, ale Michał zrobił się czerwony, wyszedł z klasy, trzasnął drzwiami. Wszyscy ryczeli ze śmiechu. Anka chodzi do ce, Michał z nią chodził, ale się rozstali.

Więc Kaśka się nade mną lituje. Masara nienawidzi jej za tę litość. Ale w sumie to i tak najlepsze, co mogę dostać. Litość. Teraz Kaśka się tylko wstydzi za mnie. Tłusta Masara próbowała grać w kosza.

Dzwonek. Przebieram Masarę w ubikacji. Masara się spociła od tego biegania, Masara śmierdzi. W szkole nie ma prysznica. Odczekuję w ubikacji do dzwonka, dzwonek, idę na lekcję.

Marek puszcza do Kaśki list. Czytam Kaśce przez ramię, ale bardzo dyskretnie, tak że nie zauważa, że przeczytałam. Nikt nie zauważa.

„Mam wiesz co. Idziemy na długiej przerwie?"

Kaśka odpisuje.

„Na przerwie — chyba cię powaliło. Ale po szkole możemy pójść".

Nie wiem, o co chodzi. Bo nie sądzę, żeby chodziło o to. Przecież tego nie chcieliby robić na przerwie. Liścik wraca do Kaśki.

„Gdzie?"

„Na polibudzie".

Już wiem, o co chodzi. Na politechnikę, to znaczy na dziedziniec emte, wydział mechaniczno-technologiczny, zaraz obok naszego liceum. Tam chodzą palić papierosy. Ale jeśli Marek pisze, że ma wiesz co, to znaczy, że nie chodzi o papierosy. Marek ma na myśli narkotyki. Nie wiedziałam, że Kaśka bierze narkotyki. Trawa. Tak na to mówią. Ale nie ze mną, przy mnie o tym nie mówią, ja jestem z innego świata.

Dzwonek. Przerwa. Dzwonek. Biologia. I tak do końca dnia. Milczę, notuję, słucham. Nawet najnudniejszych nauczycieli.

Dzwonek, koniec ostatniej lekcji. Do domu.

Ale Masara musi jeszcze coś zrobić. Masara zatrzymuje się przy automacie na kartę przy wyjściu z liceum. Ale teraz Masara nie potrzebuje karty. Masara dzwoni na numer darmowy. Odbiera kobieta o głosie znudzonym, Masara opowiada konspiracyjnym szeptem o handlarzu narkotyków, który sprzedaje w tej chwili narkotyki na placyku pod mechaniczno-technologicznym. Dziękujemy, wyślemy patrol, proszę się nie rozłączać... Masara odkłada słuchawkę.

Masara wychodzi ze szkoły, ale nie idzie do domu. Masara idzie do parku Chrobrego, dochodzącego do parkingu przy politechnice, Masara chowa się między samochodami i krzakami i czeka.

Niedługo czeka. Pod wydział zajeżdża niebieski polonez, syrena nie wyje, szklanki nie migają. Z poloneza wychodzi dwóch policjantów w szaroniebieskich mundurach, wchodzą w szerokie przejście prowadzące na dziedziniec. Po dwóch minutach wracają, prowadząc Marka z rękami skutymi na plecach. Jeden w ręce niesie torebkę z zieloną substancją. Sadzają Marka w radiowozie. Z bramy wybiega Kaśka, krzyczy coś, ale Masara nie słyszy słów. Policjanci obojętnie wzruszają ramionami, radiowóz odjeżdża. Kaśka biegnie do szkoły, wbiega po schodach. Masara uważa, że Kaśka na pewno pobiegła do automatu telefonicznego. Masara wie, że czas stąd iść. Masara wraca do domu okrężną drogą.

Wracam do domu okrężną drogą.

2

Ile można siedzieć przy stole? Wstaję. Do lodówki. Otwieram. Pusto. Nic dziwnego, z niczego nic się nie pojawia. Do sklepu pójść trzeba.

Słucham siebie, słucham swojego ciała. Co słychać?

Słychać daleką, stłumioną melodię kaca. Może to uzasadnia piwo z rana? Może. Byle nie złamać paznokcia, pstryk, szumi ulatniający się z żywca gaz. Jeszcze fajki i na balkon. W domu nie palę. Niepalenie w domu to manifest niezależności od nałogu. Nie palę, bo nie muszę. Na balkonie dwa słoiki pełne petów, zalane brązową wodą. Podobno dobra do kwiatków, podlewałbym, gdybym miał jakieś kwiatki. Ale nie mam, na chuj mi kwiatki.

Pada. Nad miastem chmury. Dotknąć mógłbym tych chmur, włożyć rękę w zimną, wilgotną szarość. Niżej miasto, w mieście moje ślady, na wszystkich ulicach ślady moich stóp, ławki jeszcze ciepłe w miejscach, gdzie siedziałem, stoliki w knajpach wytarte tam, gdzie opierałem łokcie. Nie ma już tych knajp. Nie ma Broka, nie ma Nowej, Orientalnej, Zielonej Gęsi, Dziupli nie ma. Niektóre zostały, ale już tam się nie chodzi. Kluby, w których były koncerty, squat Krzyk, Jazz, arena na placu Krakowskim, rynek, na rynku nawet fajna arena z aluminiowych kratownic, profesjonalne reflektory, dym, tylko ta publiczność: rodzinki z dziećmi i żule z piwkiem. Ale się grało, grałem.

Dziewczyny, które paliły papierosy na moim materacu, pchają teraz wózki z bachorami po tych ulicach, po ulicach, na których są ciągle ślady moich stóp, siadają na ciepłych moim ciepłem ławkach ze swoimi mężami w marynarkach i z dziećmi. Dzieci na szczęście nie moje, nie mam dzieci, zawsze guma, chociażby nawet się zarzekała, że pigułki i co tam jeszcze, zawsze guma, nie ma głupich, ilu uwierzyło w te jebane pigułki i teraz, kurwa, co, sami pchają jebane wózki z bachorami.

Inne już dziewczyny palą papierosy na moim materacu, ale już nie takie jak tamte wtedy. Takich jak wtedy już nie ma. Ciekawe, czy czasem o mnie myślą tamte dziewczyny, kiedy dają się dymać mężom śmierdzącym pracą, kredytem i wrzodami żołądka. Jak ktoś ma kredyt i wrzody, to już nie może dobrze dymać.

No więc jak, myślą wtedy o mnie? Czy raczej myślą o tym, że trzeba pomalować sufit.

Śmieję się sam do siebie, dobry żart, dobry, pstrykam petem, leci sobie pet z ósmego piętra, w powietrzu gasi go deszcz.

Do mieszkania, włączam Rage'ów, tylko pierwsza płyta, koszulka i szorty precz, drążek, podciągam się trzydzieści razy, aż serce napierdala szybciutko, aż czuję, że mięśnie się rozgrzały. Burn, burn. Skakanka, krzyżowanie rąk, lewo, prawo, potem pompki na bicepsach mdlejących już od podciągnięć, potem szóstka Weidera, szybciej, szybciej. Szybciej, szybciej. Ćmi się przed oczami, szybciej, mocniej, mocniej.

Kończę, jeszcze parę razy drążek, żeby poczuć, że mam ciało, wysoko, podnoszę nogi, stopy do sufitu, zeskakuję na podłogę.

Rage napierdala z głośników, a ja ciągle mam za dużo energii. Szczupły, wysoki, mięśnie jak węzły zaciśnięte na napiętych, stalowych linkach. Szarpie mną rytm, szarpie muzyka, szczypię się w brzuch, skóra, mięśnie, ani śladu tłuszczu. Dobrze, dobrze, zdrowo. Burn, burn. Jeszcze pompki, jeszcze parę. Jeszcze dam radę. Na koncertach zawsze bez koszulki, niech widzą mój zajebisty tatuaż na prawej piersi, schodzi na bok, na lędźwie, na pośladek. Chiński smok. Wygolone krocze. Strużki potu po napiętej skórze. Dłoń po łysej głowie. Jest dobrze, kurwa, jest dobrze.

Endorfiny napierdalają w żyłach, jak po seksie, biorę bas ze stojaka, nie podłączam do pieca, tylko pasek i na niemym instrumencie napierdalam *Fistfull of Steel* razem z Timem Commerfordem. Dobry jestem, dobry. Dobrze, dobrze, dobrze.

Ale zaraz już niedobrze, tylko kilka taktów, już nie chcę, bez sensu, bez sensu, odkładam bas, muzyka precz, albo nie, niech coś leci, ale nie Rage, niech będzie Tricky, żeby nie było, że jestem stary dziad i tylko stara muzyka, wcale, kurwa, nie, spłukuję pot pod prysznicem, na mokre ciało slipy, szorty, koszulka z Henrym Rollinsem, z przedpokoju rower na ramię, po schodach na dół i na zakupy do Lidla.

Wracam ze zgrzewką serków wiejskich, kawą, chlebem krojonym, makaronem, piersiami z kurczaka, oliwą i pesto. Trzeba się zdrowo odżywiać. Warzywa w budce, żeby od skurwysynów z korporacji nie kupować. W ogóle wolałbym nie w Lidlu, ale w osiedlowym jednak dużo drożej jest.

Kawa, trzeba dostarczyć mięśniom proteiny, więc otwieram serek i otwieram laptopa. Na forum zespołu żadnych nowych postów. Profil na fejsie i majspejsie. Trzech nowych fanów, jak trzy malutkie prezenciki rano. Łącznie ośmiuset siedmiu fanów na Facebooku mają Patefones.

Na basie: Marek „Kaman" Kamieniecki. Zajebiste mam te zdjęcia z koncertów: światła, tatuaż, mięśnie, spocony, głupie i zajebiste miny, najlepsze to, jak wiszę w powietrzu, trampki pół metra nad sceną i napierdalam.

Wyskoczyła na czacie prywatna wiadomość, od Kaśki.

Jak było na spotkaniu klasowym?

Nie wiem.

Nie poszedłeś?

Nie.

Oj, szkoda, myślałam, że opowiesz.

No szkoda. Myślałem, że pójdę, ale potem w sumie pomyślałem, że po chuj mam iść. Na dziesięcioleciu matury też nie byłem. Będą patrzeć na mnie jak na raroga. Przyjadą swoimi jebanymi autami, w jebanych marynarkach, a ja co, na rowerze przyjadę, bluza z kapturem, kurwa, i bojówki.

I tatuaże.

I kolczyki.

Uśmiechnąłem się, Kaśka pewnie też, oboje wklejamy uśmiechnięte mordki.

Same tatuśki z brzuchami. Posraliby się z zazdrości na twój widok. I laski by z wrażenia sikały po nogach.

Dzięki. To miło, że tak mówisz.

Sama sikam.

Oj, oj, kochana.

No co?

Męża masz!

A czy ja mówię o rozwodzie? Mąż zarabia pieniądze. A stara miłość nie rdzewieje.

No nie rdzewieje, laska, nie rdzewieje.

Odezwij się, jak wpadniesz do Warszawy.

Odezwę się.

Muszę iść, mały płacze.

Jasne. Ucałuj gówniarza od wujka Marka.

Pa.

Dopijam kawę, wchodzę na profil Kaśki, zdjęcia. Znam je na pamięć. Kaśka z mężem i gówniarzem w ogrodzie. Kaśka na plaży w Grecji. Kaśka lat trzydzieści, dziwne, dziwne, dziwne, znałem jej ciało kiedyś, a teraz patrzę na jej zdjęcia na Facebooku. Kaśka w bikini: to jest ten brzuch, to są te same biodra, uda, a jednak nie te same, nie znam ich, to był inny brzuch, inne biodra i uda. Teraz jest piękniejsza. Mąż, gówniarz, auto, mieszkanie na Grochowie, klasa średnia z takim lekkim sznytem bohemy, akurat tyle, żeby się żyło, ale żeby dalej można udawać, że czymś się różnią od konsumentów seriali. Kabotyństwo jebane, a ja przecież też żyję, ja się, kurwa, nie sprzedałem nikomu, nikomu. Bo nikt mnie nie chciał kupić? Chuja tam, po co się, kurwa, dołować, jak nie chcieli, właśnie chcieli, mogłem, kurwa, grać do kotleta albo na sesjach u różnych palantów z „Mam talent" i tak dalej, kurwa. Ale się nie sprzedałem.

Jesteś jeszcze?

Kaśka pisze.

No. Co, śpi gówniarz?

Śpi.

Słuchaj, wiesz, kto to jest?

Klik, otwiera się fotografia.

No. Beton, Anka i jakaś laska.

No ta laska właśnie, wiesz, kto to jest?

Nie mam pojęcia.

Paulina!!!

Jaka Paulina?

No ta z naszej klasy z liceum.

Nie pamiętam imion dziewczyn z naszej klasy z liceum.

Jezu, no ta gruba!

Trzy były grube, pamiętam, ale milczę, milczę, nie pisząc, ciekawy jestem, co napisze Kaśka, chyba wiem, co napisze Kaśka.

Jezu, no Masara.

Pierdolisz!!! — chociaż przecież zdziwiłem się parę sekund wcześniej, teraz już wiem, wiem...

Rzadko — wiesz, dziecko. Poza tym ten mój, ech... Uśmiechy, uśmiechnięte buźki.

Ale serio? Masara?

No. Nieźle, nie?

Chryste Panie, ile ona schudła, pięćset kilo.

Wejdź se na jej profil.

No już wszedłem, oglądam.

Zdjęcia Pauliny Marzec. Paulina Marzec, tak, tak właśnie się nazywała wtedy. Marzec Paulina. Zdjęć nie było dużo, pięć fotek z wakacji w Chorwacji, gustownie ubrana, przystojna trzydziestolatka na tle białoniebieskich krajobrazów, w towarzystwie przystojnego faceta, brunet w jasnej marynarce. Dwa zdjęcia profilowe.

Co ona robi teraz?

Ma firmę w Katowicach, trzydzieści osób zatrudnia, biuro rachunkowe, księgi, doradztwo podatkowe, audyty. Takie tam, chuje-muje.

Lubię, kiedy Kaśka pisze przekleństwa.

To ona na ekonomię poszła?

Uhm. Zrobiła ostatnio biegłego rewidenta.

Co to jest biegły rewident?

Kaśka śmieje się mordką żółtą.

No co?

Cały ty. Nieważne. Beton mówił, że na spotkaniu była w ogóle super. Piła, tańczyła, żartowała. Śmiała się, że mówili na nią „Masara". W ogóle, jakby się z wszystkimi przyjaźniła od zawsze.

Serio?!

No.

A ty masz z nią jakiś kontakt?

Mam ją w znajomych na fb, ale poza tym to nie. Ostatni raz widziałyśmy się na pierwszym roku, przyjechała po coś do Warszawy, nie pamiętam już, i poszłyśmy na kawę. Ale jeszcze gruba była.

Aha. I co, tak się z Betonem zakumplowała?

No najwidoczniej.

Ty, a Beton co teraz robi?

Chyba dalej w Urzędzie Miasta. Podobno ma na radnego kandydować.

W Gliwicach?

No.

No nieźle. Radny Beton. Będziemy go szantażować zdjęciami z imprez.

Żółta, uśmiechnięta buzia, wstrętny uśmiechnięty ryj jebanej ikonki.

Słuchaj, Kaśka, teraz ja muszę lecieć. Sprawy mam.

Jasne. Trzym się, Marek.

Do napisania.

Chuja tam lecieć, nigdzie nie muszę lecieć, nic nie muszę, chcę pomyśleć w spokoju. Dziwi ta Masara, nowa, inna. Klikam na jej profil. I wahanie: myślę o wszystkich przykrościach, jakie jej wyrządziłem. Chyba i tak dokuczałem jej najmniej z wszystkich, a w sumie to wcale, bo nigdy w twarz, po prostu się, kurwa, śmiałem, śmiałem się z kolegami.

Wstyd teraz, wstyd. Teraz jestem inny. Jeśli nie muszę być przykry dla kogoś, to nie jestem. Jak trzeba, to mogę

nawet przypierdolić, ale jak nie trzeba, to nie jestem przykry. Dla nikogo. Taki mój prywatny buddyzm, nikogo nie
krzywdzić, jeśli nie trzeba. A kiedy trzeba, to bez wyrzutów sumienia. I nie, nie jestem dla siebie pobłażliwy, nie
pozwalam sobie. Tylko raz uznałem, że trzeba skrzywdzić, kiedy się nam pierwszy zespół rozpadał, bo Wania
chciał iść w górę, nagrywać przeboje, a my wtedy, my, to
jest Arek, Ślimak i ja, myśmy wtedy szli coraz bardziej
w underground, w koncerty na squatach. Tylko wtedy.
I się nie sprzedałem. Nikomu.

Klikam „dodaj do znajomych", idę na fajkę, na balkon.

Wracam, znajomość już potwierdzona, a na pasku
Facebooka wiadomość od Masary. Od Pauliny.

Cześć.

Cześć.

I rozmawiamy, niewiele, krótko, o niczym. Nie wracamy do czasów martwych bezwarunkowo, do czasów,
w których Masara była Masarą, a ja miałem długie włosy
i słuchałem Sonic Youth.

Potem zamykam laptopa, na pokrywie duża biała na-
klejka z czachą i anarchią. Tak dla jaj przecież. Na rowerze do pracy, zmiana od czternastej i przez sześć godzin
leję piwo w knajpie, w której sam nie chciałbym się piwa
napić. Ale przynajmniej muzykę sobie puszczam wedle
uznania.

Aśka ma po mnie przyjść do roboty. Potem do kina
albo coś, a potem do mnie, wino, jakieś palenie albo koks,
potem wiadomo, rano jeszcze raz i znowu kolejny dzień.
Kolejny dzień ze sobą, rano lustro w łazience, gęba, dłoń

przesuwa się po szczecinie porastającej czaszkę, i patrzę w gębę swoją, i dlaczego chcę płakać, przecież ja nigdy nie płaczę.

Nie. Dzwonię do Aśki, nie dzisiaj, mała. Kurwa, naprawdę, mówię do niej „mała". Więc odwołałem i żałuję, od razu żałuję, i w drodze do domu myślę, jaki diabeł samotności szepnął mi do ucha, żeby ją dzisiaj spławić, po co mi ten wieczór samotny, po co?

Trudno, obejrzę film, wypiję trzy flaszki bułgarskiego wińska, które miałem pić z Aśką.

Tylko film jakoś się nie włącza. Nie wstaję, nie mam siły włączyć DVD, nie chcę, nie wiem, siedzę po prostu przy stole, siedzę, piję, palę w kuchni, pierdolę, nie chce mi się wychodzić na balkon, palę w kuchni, przynajmniej się nie sprzedałem. Nikomu. Nawet samemu sobie się nie sprzedałem, własnym pragnieniom się nie sprzedałem i własnym marzeniom się nie sprzedałem, jak buddyjski mnich oddzielam się od siebie samego.

Chciałbym pogadać z Kaśką, bo Kaśka to jedyna bliska mi osoba w tym całym moim zasranym życiu. Tylko wyszła za tego chuja z Warszawy, ale dobrze, że za niego wyszła, przecież nie mogłaby być ze mną. No bo jak ze mną? Starczy, że czasem pogadamy. Ale Kaśki nie ma.

Pierwsza flaszka wystarczyła, piszę do Kaśki SMS-a. Przyjdź, pani Kasiu, bo jestem biedny i samotny. Odpisuje zaraz, natychmiast, i tak miło, tak ciepło, że gdyby tylko mogła, to nawet przyjechałaby do Gliwic, żeby pocieszyć, i że tęskni, ale młody jest chory, i przeprasza, ale naprawdę nie może. Więc odpisuję ja, że to ja przepraszam i że jasne, że po prostu się nawaliłem i to dlatego.

Piję drugą. Patrzę na listę znajomych online, czy nie ma kogoś, z kim da się pogadać, kogokolwiek, patrzę, ale nic, nic.

Może zadzwonię do Asi, do mojej małej, słodkiej Asi, przecież przyjdzie, zobaczy mnie nawalonego, ale co tam, jej to akurat nie może przeszkadzać, przecież nie spotyka się, kurwa, z ministrantem, tylko ze mną.

Ale nie o to chodzi, nie o wino, wino okej, jednak nie chcę, żeby widziała mnie w takim nastroju. Bo się przestraszy, ujrzy mnie starego, pomarszczonego, bardzo starego. Przecież mi na tej cipce zależy, nie bardzo, ale na tyle, że nie chcę, żeby widziała, jak bardzo stary jestem, a dzisiaj jestem bardzo stary, całe moje trzydzieści lat mnoży się przez trzy. Otwieram więc flaszkę.

I włączam sobie porno. Wino prosto z butelki i patrzę sobie na fikające na ekranie cycki i tyłki, ale zaraz mam dość, w takim nastroju porno jest tak podniecające jak filmy o szpitalach.

Nic nie wiem, nie mogę już. Wino.

Otwieram forum zespołu. Jakaś cipcia zadaje głupie pytanie, więc piszę obraźliwy, pijany post w odpowiedzi, taki w stylu, że pierdolcie się wszyscy. Ale nie klikam wyślij, usuwam przed kliknięciem. Tak tylko sobie napisałem.

Na fajkę, na balkon. Nie dlatego, żeby nie palić w kuchni, tylko dlatego, żeby wyjść na balkon. I tak jestem zajebisty. A skoro taki zajebisty, to dlaczego taki...?

Pstrykam żarzącym się petem, mała spadająca gwiazda, świetlik, trochę iskier po uderzeniu w asfalt. W zasadzie to nie lubię imprez po koncertach, w sumie nie lubię koncertów, w sumie, kurwa, niczego nie lubię. Druga fajka, popijam winem, pstrykam w dół, pet zgasł, zanim dotarł do asfaltu.

Kolejna pusta noc, chciałbym wyć. Tylko nikt nie usłyszy.

Łażę po mieszkaniu, od ściany do ściany. Chciałbym płakać, chciałbym. Nie mogę płakać. Nikt mi nie zabrania, mógłbym, tylko nie mogę, bo nie umiem jakoś. Jakoś łzy nie chcą polecieć. Nie wiem, jak to się robi, żeby płakać. Kaśka kiedyś płakała, wtedy właśnie Kasia płakała i gdybym ja wtedy płakał, może byłaby tutaj, może nie byłaby w tej jebanej Warszawie, z jebanym mężem i dzieckiem? Więc dobrze, że nie umiem płakać, dobrze, że jest tam, nie tu.

Nie chcę już chodzić, nic nie chcę, siadam przed komputerem. W otwartym Facebooku wiadomość od Masary. Od Pauliny, znaczy się. O kurwa!

Cześć. Jesteś?

Sprzed pięciu minut. Odpisuję, szybko odpisuję.

Jestem. Na fajce byłem.

Czekam, czekam w napięciu, czy jest jeszcze przy komputerze? Skąd to napięcie, z samotności?

Cześć.

I uśmiech.

Co tam dobrego?

Kurwa, kurwa, co to jest za pytanie, co dobrego, co może w ogóle być dobrego? Że mam nogi, ręce, a za to nie

162

mam białaczki ani raka odbytu, kurwa? Że mam co jeść, co pić i że nie wiem, po co mam żyć, bo nikt tego nie wie, ludzie tak tylko żyją, kurwa, z rozpędu, bo tak jakoś wychodzi, że się rano wstaje, że się połyka śniadanie, że się popija, kurwa, kawą, że się coś tam robi, oddycha, a potem kładzie się spać i rano znowu, kurwa, śniadanie i kawa.

Niewiele. A u ciebie?

Uprzedzę: pijany jestem.

No ja też trochę.

Dwie żółte, uśmiechnięte mordki.

Mam waszą płytę. Bardzo mi się podoba.

Nie wygłupiaj się, to gówno jest.

No jak uważasz.

No, whatever.

I jakiś czas nic, nic nie piszę ani ja, ani ona nic nie pisze.

Jesteś sam?

Słowa wiszą na ekranie jak zachęta, jak wyzwanie, jak obietnica, jak obelga. Najbardziej jak obelga. Tak, kurwa, jestem sam, sam jak palec w dupie, nie mam przyjaciół, tylko Kaśkę mam w Warszawie, a w Warszawie to tak jakbym nie miał, zostałem w jebanych Gliwicach, jakbym właśnie w dupie został, nie mam kobiety, nic nie mam, tylko jakieś kurwiszony same, jakieś cipki głupie, jestem sam. Sam. I teraz gadam z tobą, chociaż od matury w zasadzie chyba ani razu nie pomyślałem o tobie, bo byłaś gruba jak wieloryb, więc dlaczego miałbym o tobie myśleć, nie interesowałaś mnie zupełnie i całkowicie. Jakbyś umarła, to dowiedziałbym się o tym od Kaśki i generalnie wcale by mnie to nie obeszło. A teraz z tobą gadam, bo

jestem pijany i chętnie poszedłbym z kimś nowym do łóżka, w ogóle nie jesteś dla mnie osobą, którą znałem wtedy.

Nie, nie piszę tego, ale wpisuję to w okienko, ale kasuję zaraz, słowa jak powiedziane, ale nie powiedziane,
nie nadane, jak otworzyć usta, ale nic nie powiedzieć.
Czasem pisać lepiej jest, niż mówić. Piszę coś innego.

No, sam. A ty?

Ja też.

Czyli teraz co, mam napisać to, co zwykle, że wspólne
picie przy fejsie, jak zwykle z Kaśką, kiedy mogła pić, to
znaczy przed ciążą, Kaśka daleko, ja daleko, jej mąż —
chuj wie gdzie, wino, siedzimy i gadamy, potem Kaśka
dzwoni i długo płacze w słuchawce, gdybym wtedy tylko
chociaż raz zapłakał do telefonu, ale nie umiem, a teraz
już nie dzwoni i nie płacze, teraz Kaśka ma dzieciaka. Ale
nie piszę tego, nie.

To może się napijmy razem na żywo, skoro już i tak
pijemy?

Tak piszę. Tylko dlaczego nie wprost, dlaczego nie to,
co mam na myśli, że ja wiem, że jest za późno, żeby jechać z Katowic do Gliwic, ale może się spotkajmy, u mnie
albo u ciebie, widziałem cię na zdjęciach, fajnie byłoby
z tobą pójść do łóżka. Ale nie, zamiast tego pisze się takie niezobowiązujące głupoty, żebyśmy się napili razem.
I patrzę, w napięciu patrzę na ekran, co odpisze.

Pewnie.

I co teraz, wycofać się? Kurwa. Po siódmej fali ładuj,
pamiętam. Przestraszyła mnie tym „pewnie". Ale z drugiej strony, czego się bać?

No to jak?

U ciebie czy u mnie?

Znowu uśmiechnięte, żółte mordki.

Może być u mnie.

Ciekawe, jak przyjedzie. Pewnie taksówką. Dobrze, że nie u niej, bo nawet jakbym wszystko z konta wyciągnął, to na taksówkę i wino nie mogłoby wystarczyć, nie ma szans.

Adres podaj.

Dziwne, dziwne, przecież to ktoś zupełnie obcy. A przyjedzie. Przecież oboje to widzimy, jakie to dziwne, dziwaczne, słowa wstukane w dwa laptopy, ponad dziesięć lat absolutnej, czarnej nieobecności, a teraz nawet nie telefon, tylko klawiatura, ekran, nic. Znałem kogoś, kto był przodkiem Pauliny, jakbym znał jakiegoś australopiteka albo neandertalczyka. Jakoś tam ją znałem, z daleka, nawet wtedy ile razy z nią rozmawiałem?, trzy, pięć razy, przez te cztery lata, ile razy?, a potem przecież nawet o niej nigdy nie myślałem, bo i o czym, tylu ludzi się znało i tylu zniknęło, wypisało się z pamięci. A te czasy przecież tyle dla mnie znaczą, są takie ważne, może to najlepszy czas w moim życiu: Kasia, wakacje, wino pod kutrem, pierwszy raz w łóżku z Kaśką, jej pierwszy i mój pierwszy, wszystko pierwsze, więc czasem patrzę na zdjęcia, czuję się wtedy jak ostatni dupek, ale tak, oglądam zdjęcia, nawet te klasowe, i kiedy je oglądam, to przecież na wielkim cielsku Masary ani razu nie zatrzymuję się spojrzeniem, ani razu.

A teraz ma do mnie przyjechać: ona, a nie-ona, co ma wspólnego ta trzydziestoletnia Paulina z tamtą grubą Masarą? Nic nie ma wspólnego. No nie, jednak coś ma, mają te same wspomnienia, to znaczy jest ciągłość między tymi dwiema całkowicie różnymi kobietami, ale przecież są różne.

Bez sensu, po co się przejmować? To proste, przecież, kurwa, po prostu przyjedzie do mnie dziewczyna, kobieta raczej, nie wiem zresztą, wypijemy wino, pójdziemy do łóżka i tyle, nie pierwszyzna. Przecież to bez znaczenia, że chodziliśmy razem do liceum, jakie to ma znaczenie, żadne, i że kiedyś była gruba, no teraz, kurwa, już nie jest, i dzięki Bogu, więc o co chodzi, nie pierwszyzna.

Chwytam się tej myśli, tylko dlaczego muszę się chwytać, jaki strach tłumię, czego się boję, skąd wziął się we mnie lęk? Przecież krzywdy mi baba nie zrobi, chuja mi nie odgryzie.

Wytrzeźwiałem jakoś. Biorę bluzę i do Żabki po wino, sofię? Ale nie, przypominam sobie zdjęcia Pauliny-Masary: drogie auto, drogie ciuchy, ogólnie dorosłość i brak tatuaży i kolczyków w nosie. Inny świat. Mam siedemdziesiąt złotych. Biorę trzy flaszki jakiegoś lepszego, po dwadzieścia złotych i orzeszki ziemne, solone. Mogłem wziąć takie bez soli, są niedobre, więc lepsze na pewno. Ale wziąłem solone.

Do domu. Przez kwadrans miotam się po mieszkaniu: na balkon na fajkę, ale w sumie nie chce mi się palić, no to może posprzątam, ale nie, kurwa, po co mam sprzątać, dla Asi nie sprzątam, to czemu mam sprzątać w sypialni dla tej nieznajomej, obcej baby, która chce, żeby ją ktoś wyruchał. Zjem coś. Pół kanapki, na więcej nie mam ochoty. Zęby myję.

Dzwonek. Patrzę przez judasza. Idiota, po co patrzę przez judasza, kogo się spodziewam? Kasi. Ale Kaśki nie ma po drugiej stronie drzwi, po drugiej stronie drzwi jest Paulina, Paulina, która jest moją znajomą na Facebooku, Paulina, córka Masary.

— Cześć.

— No cześć — odpowiadam głupio, powinienem ją zaprosić do środka czy coś takiego, ale sterczę idiotycznie, nie wiem, co powiedzieć, nie wiem. A ona wymija mnie bez słowa, wchodzi do mieszkania, rozgląda się.

— Kupiłem wino.

Paulina zdejmuje jasny płaszczyk z podszewką w kratkę, podaje mi, jak jebanemu szatniarzowi.

— Nie przyjechałam tutaj pić wina.

Głupi uśmiech, durny uśmiech, uśmiech kretyna.

Przecież wiadomo, o co chodzi, wiadomo, po co przyjechała, ale nie lubię tak, lepiej, kiedy dziewczyny pozwalają się uwodzić, nie lubię tych konkretnych, które dzwonią z pytaniem, czy nie wpadłbym na chwilę, bo mają ochotę na pierdolenie, czy coś. I czasem nawet takim odmawiam, właśnie dlatego że tak proszą. Rzadko, ale czasem odmawiam. Raz chyba odmówiłem.

Paulina zdjęła bluzkę, tak jakby zdejmowała ją u siebie w domu, przed pójściem spać, to nie był striptiz. Nie próbuje mnie kusić, nic. Zdjęła biustonosz, rzuciła na ziemię i stoi przede mną z obnażonym torsem. Cycki sobie zrobiła, to nie są naturalne cycki. Miała wtedy, pamiętam, miała wtedy takie małe, płaskie fałdy, a teraz zupełnie co innego.

— Przelecisz mnie czy mam wracać do siebie? — pyta.

Uśmiecha się, jej uśmiech jak skalpel zakażony trupim jadem.

Jak fakir, hipnotyzuje mnie, jak fakir kobrę. Nie fakir, zaklinacz węży to się nazywa, co to w ogóle za różnica, co to za myśli. Powinienem ją wyrzucić, ale idziemy do sypialni.

— Masz kondomy?

Mam, zawsze mam, nigdy bez gumy. Wyjmuję z szuflady i tak stoję, z kondomem w ręce, jakbym nie wiedział, co mam z tym zrobić. Paulina zabiera mi srebrny kwadracik, ogląda i wyrzuca, sięga do torebki, woli swoje, nawet kondomy ma swoje. Żłobkowane, dla większej przyjemności. Ściągam spodnie, nie czuję żadnego podniecenia, ale ona mnie dotyka i zaraz wszystko jest już w porządku. Nie daje mi kondomów, popycha mnie na materac i sama zakłada mi gumę, nie ściąga spódnicy, podwija ją tylko na biodra, bezceremonialnie, nieerotycznie, pod spodem tylko pończochy.

Siada na mnie, a ja przypominam sobie stary kawał: „Ona mówi, że kochaliśmy się na stole — a ja ją tylko pierdoliłem".

Po wszystkim wstaje, sięga do torebki, wyjmuje chusteczki i podciera sobie krocze, nie odwracając się, nie ściąga zawiniętej spódnicy. Zużytą chusteczkę rzuca na podłogę, a ja wciągam szorty. Jak gówniarz przyłapany na onanizmie. Wstaję.

— Dlaczego nie zdjęłaś spódnicy…? — pytam, nie wiem dlaczego, ale pytam, jak idiota, co to w ogóle za pytanie, co mnie to, kurwa, obchodzi, czemu nie zdjęła, może jej się nie chciało zdejmować.

Uśmiecha się, pokazując zęby. Boję się tego uśmiechu, jakbym patrzył w pysk wilka, obnażającego kły. Nagle rozumiem: ona mnie kiedyś kochała. Ale już nie kocha.

Zapina biustonosz, wkłada bluzkę.

— Nie zrobiłam sobie jeszcze tyłka — mówi Paulina. Wychodzi.

A ja zamykam za nią drzwi, zamykam na klucz.

2010

DWIE PRZEMIANY
WŁODZIMIERZA KURCZYKA

Dosięgają go pierwsze krople deszczu. Podnosi twarz ku niebu siwemu. Chmury oblepiają górne piętra Silesia Towers jak błoto. Włodzimierzu!, woła miasto, w zgrzycie tramwajowych kół, w szumie opon ugniatających mokry asfalt.

Pracował na siedemnastym piętrze wieżowca, w firmie Halski i Tomiczek SA. Dzielił pokój z dwoma kolegami: Andrzejem Bemem i Grzegorzem Pacułą, żaden z nich nie był jego kumplem. Siedział tyłem do drzwi. Każdy, kto wchodził do pokoju, patrzył mu w monitor. Od sześciu lat prowadził księgowość drobnych klientów: parę niezależnych sklepów z centrum handlowego, zakłady usługowe, piekarnia, dwie knajpy. W firmie były jeszcze dwa pokoje biurowe, gabinet zarządu i recepcja z poczekalnią, brzydką sekretarką, dystrybutorem z wodą, kserokopiarką, ładną recepcjonistką i jej biustem.

Kurczyk słyszał kiedyś rozmowę dwóch kolegów z pokoju. Nie wiedzieli, że kolega z pokoju siedzi na sedesie za cienkimi drzwiami kabiny. Stali przy pisuarach, mówili: recepcjonistka, osoba głupia i niekompetentna, zarabia pięć tysięcy złotych netto, ponieważ obsługuje cieleśnie obu właścicieli firmy. Grzegorz, starszy księgowy, przyciszonym tonem opowiadał, że bardzo często panowie Halski i Tomiczek zajmują się panią Kasią w duecie, ale w to młodszy księgowy Kurczyk nie wierzył. Każdy wiedział, że Tomiczek jest podwładnym Halskiego, chociaż to właśnie Tomiczek oficjalnie był prezesem zarządu i właścicielem osiemdziesięciu procent akcji.

Od tamtej chwili, kiedy młodszy księgowy Kurczyk wchodził do pracy, patrzył na recepcjonistkę z pogardą, nienawiścią i strachem. Kiedyś kochał się w niej skrycie.

Pracy nienawidził, jak wszystkiego. Nigdy nie zdobył się na śmiałość wysłania curriculum vitae do innej firmy. Był przekonany, że nie jest zdolny do samodzielnego zdobycia posady. Robotę w H&T załatwiła mu matka, dawna znajoma Halskiego, który zjawił się nawet na jej pogrzebie trzy miesiące temu. Raczej przez wzgląd na zmarłą, nie na jej syna, którego w pracy w ogóle nie zauważał, jakby Kurczyk był człowiekiem przezroczystym. Besztać młodszego księgowego nie było za co, chwalić Halski nie miał zwyczaju, więc w ciągu sześciu lat pracy w H&T Kurczyk rozmawiał ze swoim szefem tylko trzy razy, jeśli nie liczyć uprzejmych „dzień dobry, panie prezesie", których Halski wymagał bezwarunkowo. I nigdy na pozdrowienia nie odpowiadał.

Włodzimierza uprzejmości nauczyła matka. Mamusia — tylko tak wolno mu było ją określać w rozmowach z innymi. I tylko tak mógł się do niej zwracać, naturalnie w trzeciej osobie. Ile mamusi dać cukru do kawy? Ciągle jeszcze nosił jej zdjęcie w portfelu, nie potrafił wyciągnąć tego czarno-białego kartonika spod przezroczystej folii. Spoglądała na niego, kiedy otwierał portfel, patrzyła na niego swoimi ciemnymi oczami. Zaciskała wąskie usta z delikatną linią ciemnych włosków nad górną wargą. W tych ustach, w ich ledwo widocznym grymasie była cała wściekłość świata. Miała czterdzieści siedem lat, kiedy urodziła swojego jedynego syna. Była panną. I do śmierci panną została.

Wcisnął się do tramwaju, zatłoczonego obrzydliwie, jak zwykle o tej porze. Brzydził się ludzi, szczególnie ich zapachów: starych ubrań, tanich papierosów, niemytych zębów, przetrawionego alkoholu. Mamusia nauczyła go higieny. Higieny i abstynencji. Zdrowego trybu życia. Mycia zębów po każdym posiłku, mycia rąk przy każdej okazji. Higieny intymnej również. Stosowania talku i dbałości o systematyczność tych zabiegów. I nigdy nie pozwoliła mu nauczyć się jeździć samochodem, choć sama zawsze miała auto. Nie mógł tego auta nawet myć. To byłoby poniżej godności chłopca z porządnego domu. Za umycie auta płaci się człowiekowi gorszego rodzaju.

W latach osiemdziesiątych mamusia miała żółtego poloneza, który potem rozleciał się w wyborczą niedzielę wrześniową 1993 roku, kiedy mamusia uderzyła nim w latarnię przed szkołą, pod którą podjechali głosować. Polonez nadawał się tylko do kasacji. Mamusia była wściekła. Dwa dni później długo rozmawiała z kimś przez telefon. Nie wiedział z kim, bo zabroniła mu wychodzić z pokoju, aż go zawoła. Wieczorem nieznajomy młodzieniec siadł przy kuchennym stole w ich mieszkaniu, podpisali jakieś papiery i zostawił mamusi kluczyki od granatowego renault 25. Auto było ośmioletnie, ale duże, wygodne i luksusowe. Miało nawet brązową tapicerkę ze skóry i elektryczne szyby. Miało też klimatyzację, mamusia jednak nigdy jej nie włączała, twierdząc, że to niezdrowe. Nie pozwalała Włodzimierzowi siadać na przednim siedzeniu i nigdy na tym przednim, wygodnym fotelu nie siedział, nawet na postoju. Próbował sobie wyobrażać, jak to musi być cudownie jechać z przodu, patrzeć na drogę przez szeroką szybę, ze wszystkimi przełącznikami tablicy rozdzielczej na wyciągnięcie ręki.

Miał wtedy czternaście lat i od trzech tygodni chodził do ósmej klasy. Chłopakom imponowałaby elegancka limuzyna, ale na Włodzimierza zwracali uwagę tylko wtedy, gdy chcieli go dręczyć, a dręczyli go od początku podstawówki.

W szóstej klasie nieco osłabł im prześladowczy entuzjazm, nie ganiali już dziwaka, który nie chodzi na religię ani na wuef. W ósmej świadczyli mu już tylko drobne, nawykowe przykrości: walnęli książką w łeb, wyrzucili teczkę przez okno i podstawiali nogi, kiedy Włodzimierz zrywał się do biegu po swój tornister: skórzany, zamykany na dwie klamry — sam w sobie powód do drwin. Prosił mamusię, aby kupiła mu plecak z ortalionu zamykany na zamek błyskawiczny, ale odmawiała. Twierdziła, że tylko z tornistrem uczeń wygląda jak uczeń. Z tego samego powodu zakładał do szkoły mundurek, chociaż dawno już obowiązek mundurkowy zniesiono i tylko on nosił tę śliską, granatową bluzę z białym kołnierzykiem i naszytą tarczą szkolną.

Odpuściła mu dopiero w liceum — na wyraźną, bardzo uprzejmą prośbę wychowawczyni, która skądś tam mamusię znała. Wszyscy ją zresztą skądś znali. Wychowawczyni klasy chciała uchronić chłopca przed drwinami, choć przez parę pierwszych dni szkoły wielu zdążyło go już w tym mundurku zobaczyć. Poza tym do tego samego liceum chodzili starsi chłopcy z jego podstawówki, więc opinii dziwaka nie musiał sobie wyrabiać. Wszyscy w nim już tam dziwaka widzieli.

Odpuściła więc mamusia mundurek. Zamiast niego były granatowe swetry, białe koszule i granatowe spodnie sukienne, smutne jak pogrzeb złego starca. Zamiast tornistra — skórzana teczka do ręki.

W liceum też było bicie. Pierwsze sprowokowała pierwszoklasistka z równoległej klasy, której imienia nigdy nie poznał, tak się jakoś złożyło. Była piękna, zielonooka i włosy miała rude, ogniste. Słyszał, jak starsi chłopcy mówili o niej, że jest dziewicą, ale chętnie puszcza się na inne sposoby. Nie rozumiał wtedy, co to znaczy. Pewnego razu nieumyślnie popchnął tę rudą piękność w szkolnym sklepiku, zawsze był niezgrabny, i dziewczyna oblała się herbatą. Spłynął rudy płyn po białej bawełnie podkoszulka, załamującej się na wyniosłych piersiach. Rudowłosa krzyknęła z bólu. Włodzimierz nie przeprosił, bo nie umiał wydobyć z siebie ani słowa. Próbował tylko zetrzeć fusy, ale ruda odepchnęła go z odrazą.

Dopadli go na następnej przerwie. Na bardzo długiej przerwie. Zaciągnęli do najmniej uczęszczanego męskiego kibla. Ruda już tam czekała, poważna i okrutna. Jej koledzy, trzecioklasiści, byli rozbawieni i radośni. Poszturchali go, zabrali okulary, wymierzyli parę ciosów w twarz. Stał tam, jakby go nie było: nic nie mówił, nie bronił się, nie prosił, nie płakał. Zawiedzeni jego biernością, wepchnęli mu głowę do kibla i spuścili wodę, ściągnęli spodnie z jego tłustych pośladków, po czym najodważniejszy kopnął go jeszcze w jądra. I tak go zostawili: półślepego, w majtkach, zwiniętego z bólu na zaszczanych kafelkach pod pisuarami.

Po kopniaku w genitalia Włodzimierz zsikał się z bólu. Podciągnął potem spodnie, znalazł okulary, które wrzucili do pisuaru, i poszedł tak na polski: z mokrymi włosami i plamą moczu na spodniach. Nie wyobrażał sobie, że mógłby zrobić cokolwiek innego. Nauczycielka zauważyła to dopiero, gdy klasa zaczęła rechotać. Położyła mu rękę na ramieniu. Współczuła mu, Bóg jeden wie dlaczego, i kazała mu iść do domu. Nienawidził jej bardziej niż swoich oprawców. I poszedł do domu, bojąc się mamusi bardziej niż tych wyrostków z trzeciej klasy, chociaż mamusia nigdy nie podniosła na niego ręki. Nigdy. Nawet w żartach, bo nigdy nie żartowała. Nigdy nie dostał od mamusi nawet klapsa.

Odkąd pamiętał, mamusia nigdy go nie dotykała, wyłączając sytuacje związane z higieną. Kiedy chodził do liceum, mamusia nadal sprawdzała, czy dobrze się podtarł, obcinała mu paznokcie, nacierała go szorstkim ręcznikiem po kąpieli i posypywała mu krocze talkiem. Robiła to z obrzydzeniem i w milczeniu, jakby wcale jej przy tym nie było. Wydawała krótkie polecenia, konieczne, aby szybko zakończyć całą sprawę.

Kiedy był mały, brakowało mu jej dotyku. Próbował się przytulać, ale odsuwała go stanowczo i potem już się przyzwyczaił, a kiedy widział matki całujące swoich synów przed drzwiami liceum, wydawało mu się to obrzydliwe i żenujące.

Ale i tak bał się jej po stokroć bardziej niż chłopaków ze szkoły. Bał się kary za to, że zsikał się w spodnie. Każe mu napisać dwa tysiące razy „człowiek dorosły powinien kontrolować swoją fizjologię". Albo zabroni zjeść kolacji, albo każe nauczyć się na pamięć trzech stron z jakiejś powieści, aby wzmocnił swoją siłę woli. Najbardziej zaś bał się tego, że mamusia zsunie okulary, złoży je starannie na czytanej zawsze popołudniami „Trybunie", popatrzy na niego, po czym powie cicho, że ponownie ją zawiódł.

W tramwaju stał, trzymając się wiszącego uchwytu, i zauważył, że śmieją się z niego dwie młodziutkie dziewczyny, może trzynastolatki, stojące przy drzwiach. Odwrócił się do nich plecami i zauważył powód ich śmiechu — uniesiona wysoko, do uchwytu, ręka sprawiła, że koszula wyszła mu ze spodni, odsłaniając brzuch. Blady, pulchny jak ciasto. Zaczął wciskać koszulę za pasek, tramwaj przyhamował i Włodzimierz, chwilowo pozbawiony punktu podparcia, poleciał do przodu, wpadając na babinę z wielką, kraciastą torbą. Wymamrotał jakieś przeprosiny, dziewczynki rechotały. Wysiadł na następnym przystanku. Resztę drogi do domu przebył pieszo.

Mieszkał w kamienicy przy Warszawskiej. Zanim doszedł, był już cały mokry. Wchodził drzwiami od podwórka, na którym stało i rdzewiało ostatnie auto matki, citroën xantia. Nie pozwoliła mu zrobić prawa jazdy, bo twierdziła, że ma za słaby wzrok, że brakuje mu koordynacji i jeżdżenie samochodem byłoby dlań zbyt trudne. Nie nalegał, miała rację, często coś leciało mu z rąk i nie widział zbyt dobrze.

Wspiął się po schodach do mieszkania na czwartym piętrze. Było zbyt duże dla niego, miało ponad sto metrów kwadratowych i cztery obszerne pokoje, było też sporo warte, ale nie myślał o tym, żeby je sprzedać. Tak samo jak nie myślał o tym, żeby sprzedać rozpadający się na podwórzu samochód.

W mieszkaniu nie przesunął ani jednego mebla, nie tknął niczego w pokoju mamusi. Jej ubrania, równo złożone, leżały tam, gdzie odłożyła je przed śmiercią. Tanie kosmetyki na toaletce. Na ścianie nad toaletką pocztówka z ośnieżoną górą, jedyna pamiątka, jaką przywiozła z wycieczki do Izraela w dziewięćdziesiątym ósmym. Na półkach stare, stylonowe bluzki w kwiaty. Od dnia, w którym umarła, po przyjściu z pracy otwierał drzwi do jej pokoju, nie pukając. Nie odważył się wejść do środka, więc zapalał światło, patrzył przez chwilę, gasił światło i wychodził. Jak perwersyjny zbrodniarz.

Coś się jednak zmieniło. Po śmierci mamusi Włodzimierz założył sobie internet. Mamusia nigdy nie wspominała, że mogliby założyć sobie internet. Nie potrzebowała tego przecież, a on jakoś nie miał odwagi zapytać. Miał zresztą dostęp do sieci i komputera w pracy. A teraz miał również w domu, specjalnie kupił nowy komputer, bo zakurzony, dziesięcioletni pecet już się do niczego nie nadawał. I założył sobie internet. Jak perwersyjny zbrodniarz.

Zamknął drzwi do pokoju matki, ściągnął przemoczone trzewiki i marynarkę, rozluźnił krawat i człapiąc mokrymi skarpetami, poszedł prosto do komputera. Włączył go, system ładował się przerażająco długo. Cały pulpit miał zawalony krótkimi klipami z porno, które ściągał hurtowo z setek podobnych do siebie stron, razem z całą plejadą wirusów. W końcu uruchomił przeglądarkę i wstukał adres strony z pornografią.

Nagie kobiety oglądał w życiu tylko na papierze albo na ekranie. Najbardziej brawurowym postępkiem w całym jego życiu było nabycie numeru „Playboya" w roku 1998, nadal miał ten numer ciągle schowany przed mamusią pod obiciem fotela. Nie wiedział, dlaczego ukrywa się z tą miękką pornografią przed mamusią, mamusia nie była przecież zacofana.

Mamusia była ponadto zupełnie martwa. Gdyby go wtedy na tej pornografii przyłapała, nie robiłaby mu wyrzutów, tylko pewnie gardziłaby nim jeszcze bardziej. Jeszcze jedna fizjologiczna funkcja, której Włodzimierz nie kontroluje.

Nigdy nie ukrywała przed nim, skąd się biorą dzieci, ale też nie poświęcała temu tematowi zbyt wiele uwagi. Kiedy miał czternaście lat, zdał sobie sprawę, że jego mamusia musiała pójść kiedyś do łóżka z mężczyzną. Najpierw chciał się ukarać za tę myśl, ale nie mógł się od niej uwolnić i w końcu musiał się z tym pogodzić. Widział czasem ten straszny obraz: mamusia w uścisku z cieniem — z mężczyzną, który nie istnieje.

W kwestii pornografii czuł jednak, że jego obowiązkiem jest płci nie mieć. Nigdy więc nie pozwolił sobie na uwagę, że podoba mu się jakaś dziewczyna, w ogóle nigdy nie rozmawiali o żadnych dziewczynach. Mamusia nigdy o to przecież nie pytała. Gdyby więc znalazła u niego pornografię, umarłby. Wyskoczyłby natychmiast przez okno ze wstydu. Wstydziłby się tego, że znowu zawiódł swoją mamusię.

Kiedy miał dwadzieścia dwa lata, mamusia zapytała o sprawy płci. Włodzimierzu, czy miałeś już stosunek płciowy? Zawsze tak do niego mówiła: imię odmienione, w wołaczu, bez żadnych zdrobnień. Włodzimierzu. Włodzimierzu. Nie, mamusiu, nie miałem. I znowu wstyd, wstyd, wstyd.

Mamusia wyciągnęła z portfela dwieście złotych i pomiętą ulotkę reklamującą dom publiczny, zapewne wyciągniętą zza wycieraczki samochodowej. Dziewczyna w stringach, wypięta przy rurze. Nie popieram prostytucji, mówi matka. Dobrze pamiętał tę rozmowę. Nie popieram prostytucji, mówi matka, trudno jednak nie zauważyć, że w niektórych przypadkach to najlepsze i jedyne wyjście. Masz tutaj pieniądze, idź tam wieczorem. Ma się rozumieć, że to w żadnym wypadku nie uprawnia cię do niszczenia sobie zdrowia piciem alkoholu. Oczywiście, mamusiu.

Poszedł pod adres z ulotki. Stanął przed domem kostką: szary, chropowaty tynk, cztery okna na fasadzie, wejście z boku, szyld „Agencja Towarzyska". Wszedł do środka i znalazł się w świecie z luster, mebli z czarnej skóry, chromowanych rur, stolików i krzeseł, i różnokolorowych świateł. Na sofach i na wysokich stołkach przy barze siedziały kobiety półnagie, w stringach albo zwykłych majtkach, w koszulkach, peniuarkach, ażurowych sweterkach. Dwie miały obnażone piersi. Żadna nie była ładna. Włodzimierz, chociaż wiedział, że sam nie jest atrakcyjny, dzięki mamusi miał bardzo konkretne wymagania co do kobiecej urody. Mamusia potrafiła wyłapać i w paru lakonicznych zdaniach celnie skomentować niedostatki urody u każdej napotykanej kobiety. Włodzimierz nauczył się od niej tego krytycznego spojrzenia.

Wszystkie dziewczyny odwróciły się w jego stronę i zmierzyły go wzrokiem: wtedy dziesięć lat młodszego niż teraz, lecz tak samo mikrego wzrostu, otyłego, z pryszczami na tłustych policzkach. Pozbył się od tego czasu pryszczy i większości włosów i okulary miał jeszcze mocniejsze, poza tym nie zmienił się wiele.

Kurwy zmierzyły go wzrokiem, najstarsza i najbrzydsza musiała dostrzec dwustuzłotowy banknot, który ten nieładny chłopiec ściskał w dłoni, zsunęła się ze stołka i podeszła do klienta. Godzina sto złotych, francuz tylko w gumie. Włodzimierz stoi, jak zamurowany, nie wie, co odpowiedzieć na tak konkretną propozycję, mamusia nauczyła go uprzejmości. No, chodź, młody, nie stój tu. Dziwka popycha go i Włodzimierz idzie, nieomal odruchowo, wspina się po schodach, dziwka za nim, inne już nie zwracają na nich uwagi. Dziwka otwiera drzwi do pokoju, wchodzą, kobieta ściąga różowy peniuarek. Ma duże, ciężkie piersi. Wiszą jej te piersi. Bez żadnej kokieterii ściąga majtki, kiedy się schyla, jej brzuch układa się w połyskliwe fałdy. Biodra ma otłuszczone i pomarszczone uda, sutki jej piersi celują w podłogę, zadek jest duży, płaski i biały. Pod bielą skóry Włodzimierz widzi sinawą plątaninę naczyń krwionośnych, skóra ściąga się od zimna.

Włodzimierz czuje odrazę do tej kobiety, która w ogóle nie przypomina nagich dziewcząt z „Playboya", których wizerunki zna na pamięć. Piersi i brzuchy twarde, jak wykute z marmuru, z ornamentem pępka, opięte idealną skórą, gładką i brązową jak skóra na fotelach luksusowego auta. Kreseczki wystrzyżonych włosów łonowych, jak drogowskazy do tego, czego na kredowym papierze „Playboya" nie pokazują. Tłusta dziwka nie przypomina ich, tak samo jak Włodzimierz nie przypomina uśmiechniętych, wysportowanych mężczyzn w kabrioletach, patrzących na niego z innych stron tego samego pisma, mężczyzn, których tak bardzo nienawidzi, podobnie jak nienawidzi tych dziewczyn wypinających okrągłe, marmurowe tyłki. Dziwka, nie patrząc na niego, kładzie się na łóżku i rozkłada nogi, pokazując mu krocze. Włodzimierz ucieka.

Zbiegł wtedy po schodach, odepchnął ochroniarza, który zastąpił mu drogę, wydostał się na zewnątrz i biegł tak długo, aż zupełnie stracił oddech, a kolka żelazną klamrą ścisnęła mu żebra. Zgubił dwieście złotych, biegł dwieście metrów, zakręciło mu się w głowie z wysiłku. Od tamtego dnia nigdy już nie biegł. Nienawidził biegania.

A dzisiaj siedzi w swoim mieszkaniu, matki już nie ma, a on ogląda tyłki kobiet na stronach pornograficznych, tyłki doskonałe, i wcale go nie obchodzi, że ktoś je wygładzał w Photoshopie. Teraz już wie o tym, że wygładzają je w Photoshopie. Usuwają pryszcze, zmarszczki, fałdy tłuszczu, blask sebum ze skóry, wszystko. A mamusi nie ma. Nie tylko umarła — nie ma jej. Nie patrzy na niego znikąd, nigdzie na niego nie czeka, w grobie leży trup i jedzą go te małe, czarno-czerwone chrząszcze, które tak często widuje się na cmentarzach. I uśmiechają się do niego te wszystkie profesjonalne, napompowane dziwki na filmach i na zdjęciach, ogląda tylko profesjonalistki, brzydzi się amatorskiego porno.

Wszedł na stronę z anonsami prostytutek i długo przeglądał zdjęcia dziewczyn o zamazanych twarzach. Zdjęcia wypiętych tyłków, cycków, na tle skromnych wnętrz, do tego głupawe, pisane przez szemranych alfonsów ogłoszenia, niektóre słodkie: „przyjdź do mnie, spełnię twoje najskrytsze fantazje", inne melodramatyczne: „oderwij się od chłodu codzienności, w moich ramionach zaznasz ciepła i już zawsze będziesz chciał do mnie wracać", a jeszcze inne wulgarne i konkretne: „robię loda bez gumy". Poniżej komentarze zadowolonych klientów: „Martyna jest super, ciągnie druta jak szalona, jest napalona, waliłem ją przez godzinę i nie miałem dosyć".

Poczuł mdłości, wyłączył przeglądarkę i odwrócił fotel od biurka. Pójść do takiej kobiety, dotykać ciała, którego dotykali inni, pocałować usta, w których były penisy innych mężczyzn, wreszcie pozwolić takim brudnym rękom dotykać jego ciała. To jak napić się ze spluwaczki. Widział kiedyś coś takiego w telewizji, na jakimś westernie. Sama myśl o tym sprawiała, że żołądek skręcał mu się w węzeł. Chociaż może na filmie ktoś tylko grzebał ręką w spluwaczce w poszukiwaniu srebrnego dolara, którego ktoś inny wrzucił tam, by bohatera upokorzyć.

Jego ciało pełne było niezaspokojonej żądzy, jednak brzydził się wszystkiego, co łączyło się ze stosunkiem płciowym. Brzydził się pocałunków, tego obrzydliwego wpychania sobie języków w usta, brzydził się nieunknionego dotykania okolic kobiecego krocza, które uważał za wstrętne, bo swoją pozbawioną skóry nagością przypominało wnętrzności człowieka.

Ludzie nie pożyczają szczoteczek do zębów, myją ręce po wyjściu z ubikacji, nie tknęliby zupy, w której ktoś zamoczyłby palec, a potem robią rzeczy o tyle bardziej obrzydliwe, niehigieniczne, wstrętne i czerpią z tego rozkosz, całują, liżą, tak jakby wylizywali klozet. A potem mają dzieci i — jak mamusia — muszą myć im krocza, ściągać napletek z małych siusiaków, żeby dokładnie wymyć, wycierać tyłki z gówna.

Wstał, poszedł do kuchni, otworzył lodówkę. Była pusta, na półce stał tylko samotny słoik zjełczałego majonezu, w dolnej szufladzie cztery zeschłe strączki fasoli szparagowej powoli pokrywały się pleśnią. Kupiła je mamusia, nie mógł ich tak po prostu wyrzucić.

Zamknął lodówkę, stanął przy oknie, patrzył na ludzi wysiadających z tramwaju przy białym, ewangelickim kościele. Po drugiej stronie ulicy młody mężczyzna w brązowym płaszczu i kolorowym szaliku obejmował dziewczynę, chronił ją przed wiatrem i deszczem. Włodzimierz takich jak on nienawidził najbardziej: wysokich, o gęstych włosach, odważnych, uśmiechniętych. Po takich widać, że gdyby trzeba było, nie baliby się użyć pięści. Świat jest ich miejscem. Ten chłopak mógł bić go w liceum na polecenie Rudej, która potem, w nagrodę, zaprosiła go do łóżka i robiła z nim różne rzeczy. Dziś Włodzimierz wiedział już, jakie rzeczy mogła z nim robić, aby nie stracić dziewictwa.

Włodzimierz odwrócił się od okna, nalał do dużej szklanki wody mineralnej z pięciolitrowej butli, pił małymi łykami, tak nauczyła go mamusia. Zanim dopił do końca, wstrząsnęły nim spazmy niemego szlochu, szlochał i pił dalej, woda ściekała mu po brodzie na koszulę, płakał głośno, osunął się na podłogę, siedział na zimnej posadzce oparty o kredens i płakał, z nienawiści do świata, do ludzi, do kobiet, z nienawiści do mamusi i z oburzenia na mamusię, za to, że umarła, i za to, że żyła. Chętnie pozostałby sam na świecie, szedłby ulicami Katowic i patrzył na wszystkich innych ludzi na świecie, których ciała legły na ulicy, tam, gdzie zastało ich tchnienie złego bożka z kamienicy przy ulicy Warszawskiej.

Kiedy płakał, wzbierała w nim złość. Gdy zanosił się szlochem, robił dla tej złości miejsce. W końcu był już wściekły na siebie, na tę miękką, słabą istotę, był wściekły, że płacze, że nie jest prawdziwym mężczyzną. Że nigdy nikogo nie uderzył, że nie potrafił nigdy bronić swojej godności, przed mamusią i przed dręczycielami. Od dawna nikt go nie prześladował, ale nie potrafił o tym zapomnieć, jakby tam, w podstawówce i liceum, ci źli, silni, młodzi mężczyźni i te drwiące, zimne dziewczyny złamali mu duszę. Złamali w nim człowieka, był tylko robakiem, który nigdy nie zasłużył na zadowolenie mamusi. Kurwa, kurwa! Cisnął szklanką o ścianę. Wulgarne słowa w jego ustach brzmiały niezdarnie, jakby czytał fonetyczny zapis nieznanego języka. Nawet przeklinać nie potrafił.

Wybiegł z kuchni, stanął przed drzwiami do sypialni mamusi. Zawahał się chwilę, po czym wszedł. Stał, patrzył na zwykłe meble, potem nagle rzucił się na jej łóżko, na jej pościel, która jeszcze pachniała jej perfumami. Poleżał chwilę, wstał, otworzył szafę. Jej ubrania. Jej bielizna, straszne. Pudełko, którego nigdy nie widział. W środku małe, czarno-białe fotografie o brzegach wycinanych w fale. Na fotografiach ludzie, których nie znał. Żadnych podpisów, tylko ślady palców mamusi. Musiała często je oglądać. Rozpłakał się. Płakał, łkał i szlochał, aż w końcu zasnął ze zmęczenia.

Śnił o nagich, sterylnych kobietach, o ustach wyłożonych skórą jak wnętrza drogich samochodów, o kobietach, które nie wydzielają żadnych cieczy i śluzów, z których warg nie ciekanie ślina. O takich kobietach, które mają zapach aromatyzowanego mydła, o kobietach, które się nie pocą, nie wydalają, o takich, którym nawet z oczu nie płyną łzy. O kobietach, których ciała nigdy nie zgniją, o ciałach z wiecznego marmuru. W półśnie kamienne kobiety z sennych obrazów ożyły, poruszyły się i przyszły do niego.

Rano obudził się jak zwykle, o siódmej. Po otwarciu oczu czuł wstręt do samego siebie. Spał w ubraniu, w skarpetkach, owinięty kapą z łóżka mamusi. Powlókł się do łazienki, rozebrał i wlazł pod prysznic. Mydlił się starannie, z obrzydzeniem, potem spłukał mydło i umył włosy. Wyszedł z kabiny, stanął na elektronicznej wadze naprzeciwko dużego lustra. Dziewięćdziesiąt trzy kilogramy. Sto sześćdziesiąt siedem centymetrów wzrostu. Szerokie biodra, pulchne uda, duży, biały brzuch porosły rzadkimi, czarnymi włosami, piersi jak u kobiety, tłuste ramiona. Spod tłuszczu nie widać nawet delikatnego zarysu bicepsów. Fałda sadła pod brodą. Czerwone, lśniące pryszcze na szyi, na klatce piersiowej, ich żółte źrenice. Kryjący się w tłuszczu fallus.

Tłusta, blada, gnijąca larwo, powiedział.

Widział kiedyś mamusię, przez szparę w półotwartych drzwiach, jak stała na tej wadze w bieliźnie. Miała wtedy prawie sześćdziesiąt lat, a na jej ciele nie było tłuszczu, skóra była napięta. Mamusia wcierała w całe ciało różne kremy i codziennie uprawiała gimnastykę. Jego też do tej gimnastyki zmuszała. Ale to nie pomagało, tak jak na jego otyłość nie pomagały żadne diety. Mamusia miała ciało silnego człowieka, człowieka, który nad tym ciałem panuje. On miał ciało larwy.

Wybrał garnitur trzeci, szary, i ciemnozielony krawat. Miał trzy stroje do pracy i sześć krawatów. Zakładał więc każdy garnitur co trzeci dzień, a każdy krawat co szósty. Włożył płaszcz i wyszedł z domu. W sklepie kupił cztery bułki, dwie kostki sera topionego, mleko, „Gazetę Wyborczą" i „Dziennik Zachodni". Wrócił do domu, zrobił sobie śniadanie, gazety położył na równym stosiku poprzednich wydań. Nigdy nie czytał tych gazet, dzienniki kupował dla mamusi. Wiedział, że już nie musi ich kupować. ale sprzedawca w sklepie podawał mu gazety bez pytania, a on nie miał odwagi powiedzieć, że już nie będzie więcej tych gazet brał.

Po śniadaniu wypił kubek kawy zbożowej. Miał jeszcze dużo czasu, więc siedział przy kuchennym stole i gapił się na mokry chodnik i na jezdnię za oknem, aż w końcu, kiedy była już pora, wstał, założył płaszcz, zabrał teczkę i parasol i poszedł do pracy.

Zgodnie z ustaloną od lat rutyną wsiadł do zatłoczonego tramwaju, jechał, ściskając z obrzydzeniem wyślizganą ludzkimi dłońmi skórzaną pętlę, na której wyraźnie czuł wilgoć czyjegoś potu. Tak jakby miał kubki smakowe na dłoni i wyczuwał skórą słony smak fermentującej wydzieliny człowieka, który wcześniej trzymał tę samą pętlę.

Wysiadł na przystanku pod wieżami. Poranny deszcz zamienił się w śnieg, którego ciężkie płaty przylepiały się do włosów i ubrań. Zmarzły mu palce u stóp, musi zacząć zakładać zimowe buty. Lawirując między ludźmi i kałużami, poczłapał w stronę swojej pracy.

W windzie śnieg na włosach i płaszczu stopniał i po twarzy Włodzimierza pociekła woda zmieszana z potem. Pocił się, bo w windzie było gorąco. Zdjął mokry płaszcz i do firmy wszedł objuczony paltem, parasolem, teczką. Wypadły mu rękawiczki. Musiał więc upchnąć torbę i parasol pod pachą, żeby je podnieść. Zanim się schylił, ktoś wysiadł z windy. Włodzimierz spojrzał przez ramię: nieznana dziewczyna. Przyklęknęła, podała mu rękawiczki. Uśmiechnęła się. Podziękował, dziewczyna powiedziała parę słów, których nie słuchał dokładnie, ale wynikało z nich, że to jej pierwszy dzień w pracy, tutaj, w H&T.

Kiedy wieszał ubranie na wieszaku w swoim biurze, przypomniał sobie, że kilka dni temu słyszał rozmowę o nowej sekretarce. Miała pomóc Alinie, bo ta nie daje rady z pracą, a puszczalska recepcjonistka w niczym jej nie pomaga. Podśmiewali się z tego, Pacuła wyraził nieśmiałą nadzieję, że ta nowa potrafi pracować nie tylko w pozycji horyzontalnej, Bem zaś precyzował, że biorąc pod uwagę warunki biurowe, to raczej na kolanach, nie na plecach.

Włączył komputer, z szuflady wyciągnął stosik faktur, otworzył program i ze zwyczajną nienawiścią wziął się do roboty. Po paru kwadransach przyszli Pacuła z Bemem, narobili hałasu, gadając o pogodzie, nanieśli na butach śniegu, z którego po chwili zrobiły się małe kałuże brudnej wody. Przywitali się z Włodzimierzem zdawkowo, siedli do swoich komputerów i niemrawo zabrali się do pracy, nie przestając rozmawiać, jakby Włodzimierza nie było w pokoju. Jak co dzień.

Nigdy nie okazywali mu jawnej niechęci, nie dokuczali, wydawało mu się, że nawet nie drwią z niego za jego plecami. Traktowali go po prostu jak element wystroju biura, jak kserokopiarkę. Z nim rozmawiali tylko o sprawach służbowych, nie krępowali się natomiast zupełnie jego obecnością, jak arystokraci, bez oporów rozmawiający o intymnych sprawach przy służbie.

O jedenastej do pokoju weszła nowa i przyniosła gazety: „Rzeczpospolitą", „Wyborczą" i „Prawną". Położyła je na biurku Pacuły, który zaraz rozdzielił prasę rutynowo: sobie zostawił białe strony Rzepy, „Wyborczą" dał Bemowi, a „Prawną" oraz żółte i zielone strony z „Rzeczpospolitej" położył na biurku Włodzimierza. Andrzej wyszedł po kawę, ale zaraz wrócił. Okazało się, że od dziś to nowa sekretarka będzie im przygotowywać gorące napoje. Gdyby jeszcze laskę robiła do kawki, powiedział. Włodzimierz życzył mu śmierci.

Zabrał się do lektury. Wyciął dwa ważne artykuły i schował je do teczki z wycinkami. Wiedział, że Pacuła i Bem ordynarnie go wykorzystują. Nie chce im się czytać fachowych gazet na bieżąco, bo wiedzą, że zawsze mogą zapytać Włodzimierza, który ma rewelacyjną pamięć i albo od razu rozwiąże ich problem, albo rozwieje wątpliwości, albo przynajmniej powie, gdzie szukać aktualnych przepisów.

Kiedy studiował „Prawną", koledzy z pokoju rozpoczęli swoją codzienną dyskusję polityczną, przerzucając się argumentami, które przed chwilą wyczytali w swoich gazetach. Potem Bem wyzywał Pacułę od pisiorów, a Pacuła Bema od lewaków. Jednak rozbieżne o sto osiemdziesiąt stopni poglądy polityczne w niczym nie naruszały ich komitywy.

Dyskusję przerwała nowa, przyniosła na tacy dwie filiżaneczki z grubej porcelany z espresso przykrytym grubym kożuchem beżowej pianki i dwie wody mineralne. Postawiła je przed Pacułą i Bemem. Już miała wychodzić, ale zatrzymała się na chwilę i zapytała Włodzimierza po prostu: a dla pana co do picia? Kurczyk odwrócił się na obrotowym krześle, nie wiedział, co odpowiedzieć. Miał w biurku swój pojemnik z kawą zbożową „Anatol", z którego dwa raz dziennie nabierał dwie łyżeczki szarego proszku i zalewał wrzątkiem w sekretariacie. Ale teraz wstydził się odmówić, wstydził się też poprosić tylko o wrzątek. Jęknął więc cichutko: kawę poproszę.

Odpowiedziała mu uśmiechem. Po kwadransie dostał espresso i pił je powoli, nabożnie, małymi łyczkami. Mamusia nigdy nie pozwalała mu pić kawy, sama też nie piła. Kawa szkodzi. A teraz pił ją i smakowała wyśmienicie, i czuł się od tej kawy rześki, niezwykle pobudzony.

O szesnastej czterdzieści pięć odpisał na dwa e-maile od klientów, które przyszły w ciągu dnia, zamknął programy, uporządkował papiery na biurku i pochował do szuflad, wyłączył komputer, ubrał się i wyszedł na korytarz. Wsiadł do windy. Zaraz po nim wsiadła nowa sekretarka. Znowu obdarzyła go uśmiechem, po czym wysunęła smukłą dłoń z zamszowej rękawiczki i wyciągnęła ku niemu. Kalina, powiedziała. Nie zrozumiał i otworzył usta, jak zawsze, kiedy był zmieszany. Uśmiechnęła się znowu. To jest imię. Tak się nazywam, Kalina.

Zaczął gorączkowo zrywać rękawiczkę z prawej dłoni, upuszczając przy okazji teczkę i parasol i wywracając oporną rękawicę na drugą stronę. Podał jej w końcu dłoń i nie patrząc w oczy, przedstawił się, tak jak uczyła go mamusia: Kurczyk Włodzimierz, bardzo mi miło.

Jej skóra była sucha i gładka, paznokcie przycięte krótko, prawie po chłopięcemu, lecz wypolerowane i błyszczące. Nie nosiła żadnej biżuterii, nawet obrączki.

Puścił jej dłoń, podniósł teczkę i parasol i przez całą drogę w dół wpatrywał się intensywnie w instrukcję obsługi windy, wiszącą nad konsolą z guzikami.

Potem zobaczył ją jeszcze z okien tramwaju, siedziała za kierownicą wielkiego, luksusowego citroëna, zatrzymała się na czerwonym świetle. Auto wyglądało na nowe, a co za tym idzie — na pewno zbyt kosztowne dla młodej sekretarki. Można być prezesem banku i jeździć taką limuzyną z szoferem. Podniosła wzrok, zauważyła go w tramwaju, uśmiechnęła się i pomachała mu przez szybę. Zmieszał się i odwrócił wzrok. Pomyślał, że lubi samochody i że miło byłoby zrobić kiedyś prawo jazdy i tak siedzieć sobie w klimatyzowanym wnętrzu, z rękami na kierownicy, i patrzeć przez szybę na ludzi w śmierdzącym tramwaju. Szkoda, że prawdopodobnie nie zdałby egzaminu, jest taki niezdarny.

Kiedy wrócił do domu, był już bardzo głodny. Zostawił w mieszkaniu teczkę i parasol i poszedł z powrotem na przystanek. Wsiadł do tego samego tramwaju, którym jeździ do pracy, i wysiadł w tym samym miejscu, w którym wysiada, ale zamiast do firmy poszedł do centrum handlowego. W KFC kupił największy kubełek z kawałkami kurczaka, siadł przy stoliku i żarł ociekające tłuszczem, grubo panierowane kawałki mięsa, palcami kładąc je sobie do ust. Mamusia na pewno by tego nie pochwaliła. Mam to w dupie! Powiedział to głośno. Kobieta przy stoliku obok popatrzyła na niego tak, jak patrzy się na wariatów okazujących swoje dziwactwa.

Zjadł wszystko. Siedzące nieopodal trzy nastolatki bezwstydnie pokazywały go palcami, chichocząc. Był otyłym konusem w grubych okularach, który pochłonął właśnie posiłek przeznaczony dla czterech osób, obok tekturowego wiaderka piętrzyła się teraz wielka sterta kurzych kości i chrząstek, pudełek po sałatkach i frytkach. Wstał, zrzucił pozostałości po posiłku do kosza, po czym poszedł do toalety i długo szorował dłonie, zmywając z nich tłuszcz. W lodziarni kupił pięć gałek i zjadł je, siedząc na ławeczce. Postanowił, że pójdzie jeszcze do sklepu z elektroniką — gapił się na wielkie telewizory plazmowe, zastanawiał się, czy mógłby sobie taki kupić, ale nie potrafił oszacować własnych możliwości finansowych.

Miał dwieście czterdzieści tysięcy złotych, tyle zostało mu po mamusi, ale sam chyba zarobił dużą część z tych pieniędzy, bo jego pensję H&T i tak przelewało bezpośrednio na konto mamusi, która finansami gospodarowała nadzwyczaj oszczędnie, chociaż sama miała bardzo sutą emeryturę. Cała ta kwota zamrożona była na ośmioletniej lokacie, której nie odważyłby się zlikwidować. Na rachunku bieżącym miał jakieś dziesięć tysięcy, miesięcznie zarabiał cztery tysiące netto.

Telewizor, który naprawdę mu się podobał, wielki, błyszczący sony, kosztował sześć tysięcy, ale Włodzimierz bał się wydać taką kwotę za jednym razem. Bardziej bał się tylko wziąć kredyt, do którego namawiały rozwieszone w całym sklepie reklamy. Kiedy podszedł do niego uprzejmy sprzedawca, Włodzimierz przestraszył się i uciekł.

Do domu wrócił taksówką, bo bał się nocnych tramwajów, a zrobiło się już późno. Zasnął w swoim łóżku, spał snem ciężkim i czarnym jak śmierć, a kiedy się obudził, był piątek, dzień, który nieodmiennie niósł ze sobą straszny moment: koniec pracy i perspektywę dwóch pustych dni, wlokących się tak, jakby wieczór i pora snu nie miały nadejść nigdy.

Gdy mamusia żyła, weekendy w domu były jeszcze gorsze, siedzieli razem w dużym pokoju i czytali prasę i książki. Potem mamusia zmuszała go do rozmów na temat lektury. Nienawidził tego i bał się, bo każda rozmowa kończyła się konstatacją, że Włodzimierz skrajnie zaniedbał swój rozwój intelektualny. Różne to były książki. Dziewiętnastowieczne powieści, których Włodzimierz zupełnie nie rozumiał, Hegel, książki historyczne. Raz, jedyny raz, mamusia przyniosła wydanie apokryficznych ksiąg biblijnych, wielki wolumen, którego wcześniej nigdy u niej nie widział, otwarła stronę założoną cienką tasiemką i przeczytała na głos: „Kiedy ludzie rozmnożyli się, urodziły im się w owych dniach ładne i piękne córki. Ujrzeli je synowie nieba, aniołowie, i zapragnęli ich. (…) Wzięli sobie żony, każdy po jednej. (…) Zaszły one w ciążę i zrodziły wielkich gigantów. Ich wysokość wynosiła trzy tysiące łokci"*. Podniosła wzrok na niego i patrzyła, oczekując jakiejś reakcji. Włodzimierz nie miał nic do powiedzenia. Wzruszyła ramionami, odłożyła księgę i wróciła do przerwanej dzień wcześniej rozmowy o *Pani Bovary*. Rozmowa-tortura. Samotność jest lepsza, o wiele lepsza.

Przystanek, deszcz ze śniegiem, tramwaj, smród, winda, biuro, Pacuła, Bem, żółte i zielone strony. Kalina przyniosła trzy espresso, Włodzimierz burknął podziękowania, Andrzej i Grzegorz spróbowali flirtować, ale dziewczyna zbyła ich od razu.

Kiedy wychodził i szamotał się z płaszczem, teczką i parasolem, próbując nacisnąć przycisk przywołujący windę, Kalina stanęła obok niego. Może poszedłbyś ze mną coś zjeść? Jakby była to najzwyczajniejsza rzecz na świecie.

Może zresztą i była to najzwyczajniejsza rzecz na świecie, ale przecież nie dla niego. Nigdy nie był z kobietą nigdzie, wyłączając, ma się rozumieć, mamusię. Mamusia nie pochwalała zresztą marnowania czasu w kawiarniach i restauracjach. Postanowił więc stanowczo odmówić. No, chętnie, powiedział i zdziwił się na dźwięk własnych

* *I Księga Henocha*, przeł. R. Rubinkiewicz SDB, w: *Apokryfy Starego Testamentu*, Warszawa 1999.

słów. Ucieszyła się. Super! A masz jakieś ulubione miejsce? Pewnie, że ma. No. KFC. W centrum handlowym. Spocił się, strasznie się spocił, a nienawidził się pocić. Nienawidził tej wilgoci, która występowała mu na czoło, ściekała po plecach, wsiąkała w gumę od majtek i spływała między pośladki. Sprawiała, że czuł się wstrętnie cielesny. Przyjechała winda, wsiedli, zjechali na parter, poszli w stronę wejścia do centrum handlowego. Nic nie mówił, nie wiedział, co miałby powiedzieć, a Kalina tylko uśmiechała się do niego, za każdym razem, kiedy na nią patrzył.

W KFC zamówił sobie to, co zwykle: kubełek gigant, Kalina wzięła sałatkę cezar. Postanowił jeść tak, jakby siedział tu z mamusią, wziął więc plastikowe sztućce i uzbrojony w nie zabrał się do kurczaka. Powstrzymała go ze śmiechem. W ogóle nie przestawała się uśmiechać i Włodzimierz nie umiał znaleźć w tym uśmiechu ani odrobiny szyderstwa. Nie wygłupiaj się z tym nożem i widelcem, co? Śmiała się. Więc nie wygłupiał się, nagle coś się w nim przełamało. Żarł kurczaka, jakby był sam: łapczywie, nie bacząc, że tłuszcz spływa mu po brodzie. I patrzył na nią czasem, i nie dopatrzył się w jej oczach nawet odrobiny dezaprobaty. Zjedli, wypili dwa litry pepsi, wytarli usta i dłonie serwetkami.

Jakieś plany na wieczór? Oczywiście, że miał plany na wieczór, zawsze planował wieczory. Dziś wróci do mieszkania, zwiększy temperaturę na piecyku gazowym, pogląda porno w internecie, aż go zemdli od tych pękniętych, ociekających śluzem kobiet, a potem pójdzie spać. Nie powiedział jej o tym. W ogóle nic nie powiedział, mruknął tylko coś zupełnie nieartykułowanego. No to może byśmy do kina poszli, co? Nie chodzę do kina. Nie patrzył na nią. To zapraszam do mnie. Położyła swoją smukłą dłoń na jego dłoni. Zapraszam na herbatę.

Nikt jeszcze nigdy tak do niego nie mówił, jednak Włodzimierz rozumiał ten język. Rozumiał nawet wagę, znaczenie takiej sytuacji, chociaż nigdy wcześniej nie flirtował z kobietą. Rozumiał, że Kalina zrobiła właśnie coś nietypowego. Jest odważna. Oczywiście tylko na tle ich pokolenia. Wydawała się jego rówieśnicą, w okolicach trzydziestki. Włodzimierz sądził — na podstawie gazet i własnych odległych obserwacji — że nastolatki podchodzą do tych spraw z zupełną swobodą, brzydził go ten promiskuityzm, chociaż nie powinien. A ona tak po prostu przejęła kontrolę: nad sytuacją, nad flirtem, nad nim. Włodzimierz nigdy nie uczestniczył w tych godowych rytuałach, które jego rówieśnicy odgrywali z namaszczeniem od pierwszych klas liceum. Może to właśnie dlatego znał je nawet lepiej niż ci, którzy w nich uczestniczyli, bo miał dystans, patrzył na nich jak antropolog na Trobriandczyków. Bawiło go, kiedy widział, jak udają i może nawet wierzą, że pewne gesty są niewinne, że nie mają znaczenia: dziewczyna kładzie głowę na kolanach chłopaka, a przecież „nie chodzą ze sobą", ale się tulą, dotykają, tańczą tak mocno przytuleni, że dziewczyna musi czuć erekcję tego młodego byczka. Widział to w telewizji, sam oczywiście nie bywał w miejscach, w których się tańczy.

Nienawidził ich wszystkich za to, że był z tych rytuałów ściśle wykluczony, jeszcze bardziej za to nawet, że wykluczenie to nie miało charakteru jakiejś zmowy czy intencjonalnej szykany. Był wykluczony niejako naturalnie, tak jak wykluczeni z gry zalotów byli ksiądz katecheta albo stara polonistka.

Wtedy próbował sobie wyobrazić, jak czułby się w takiej sytuacji, co zrobiłby, gdyby z obserwatora stał się graczem. I nie znajdował prostej na to odpowiedzi, bo wstręt do cielesności kiełznał go równie mocno, jak rozpalało go pożądanie.

A teraz, nagle, w sposób dziwaczny i niezrozumiały, właśnie znalazł się w takiej sytuacji. Piękna kobieta dotyka jego dłoni i zaprasza go do siebie.

Podniósł wreszcie wzrok i spojrzał najpierw na jej dłoń, która spoczywała na jego dłoni, a potem podniósł wzrok jeszcze wyżej i spojrzał na nią. Po raz pierwszy tak naprawdę patrzył na nią i po raz pierwszy, jak daleko sięgał pamięcią, otwarcie patrzył na kobietę, która patrzyła na niego. Po raz pierwszy nie był podglądaczem zza szyby okiennej ani zza plastikowej tafli monitora. Po raz pierwszy patrzył na nią, a ona patrzyła na niego. Czekał na szydercze skrzywienie ust, na drwinę, na złośliwość, na odrazę, na znudzenie przynajmniej. Czekał na cokolwiek, co sprawi, że świat znów będzie taki, jaki był przez całe jego życie.

Nie dojrzał niczego. Nic takiego się nie stało.

I dopiero po chwili wyczekiwania na szyderstwa, które nie nadeszły, zdołał rozluźnić swoją napiętą uwagę.

Nie wypatrywał już oznak niechęci albo odrzucenia i dopiero teraz naprawdę ujrzał Kalinę.

Musiała mieć około trzydziestu lat. Miała dorosłą twarz o nieskazitelnej cerze, co bardzo go ucieszyło. Wyjątkowo brzydził się wszelkich wyprysków, rozwartych porów i rozmaitych zmian na skórze, która powinna być nieskazitelnym pokrowcem, szczelnie opakowującym wstrętne wnętrze człowieka. Brzydziło go również wszystko to, co przez skórę przesiąkało: sebum na twarzy, pot, łój, który zbierał się na włosach, krew i ropa z ran otwartych.

Nie widział na jej twarzy również żadnych oznak starzenia się. To też było ważne: bo starzenie się to powolny triumf cielesności, każda zmarszczka i siwy włos są oznakami butwienia, zgnilizny, rozkładu. Usta miała wąskie, pociągnięte skromną w kolorze szminką, oczy duże, lecz matowe, niezwilżone łzami, zielone. Jakby jej twarz ktoś namalował akwarelą. I włosy — w kolorze miedzi, długie, spływające na plecy, splątane w falach.

Była piękna i była czysta.

Milczał. Włodek, odwiozę cię potem do domu. Skinął głową.

Wstali od stolika, wyszli z centrum handlowego i ruszyli w stronę parkingu pod wieżami. Padało, więc otworzył parasol. Kalina chwyciła go pod ramię i wtuliła się weń, aby schować się przed deszczem. Jej włosy dotykały jego policzka, pachniały jak kobiece kosmetyki, jak kobieta. Przez ubrania czuł jej ciało, a raczej wyobrażał sobie jej ciało, oddzielone od jego ciała tylko warstwami ubrań.

Bardzo szybko poczuł odpowiedź ciała własnego. Po raz pierwszy w życiu miał erekcję przy prawdziwej kobiecie, do tej pory podniecały go tylko bezcielesne kobiety z ekranu monitora.

Wsiedli do citroëna, wyjechali na autostradę — tam Kalina wcisnęła gaz i auto wyrwało się w slalom między innymi samochodami. Było ogromne, bardzo francuskie w stylu i bardzo luksusowe, z tapicerką z jasnej skóry, która pokrywała prawie wszystko, co się skórą obszyć dało. Na środkowej konsoli jarzył się wielki wyświetlacz, a pod nim znajdowało się mnóstwo przycisków, których przeznaczenia Włodek nie znał. Kurczył się z przerażenia na prawym fotelu. Mamusia z zasady nie łamała przepisów ruchu drogowego i nigdy w życiu nie jechał jeszcze tak szybko. Kalina na dodatek co chwila odrywała wzrok od drogi, patrzyła na Włodka i uśmiechała się do niego, wtedy on zamykał oczy z przerażenia. Citroën płynął nad jezdnią miękko, jak latający dywan.

Kiedy zjechali z autostrady zjazdem w Sośnicy, Włodzimierz zdobył się na odwagę i zapytał: skąd masz taki drogi samochód?

Przestraszył się natychmiast swojej bezczelności, ale Kalina tylko się roześmiała.

Zdziwił się jeszcze bardziej, kiedy zaparkowali na strzeżonym parkingu w willowej dzielnicy Gliwic, pod pofabrycznym budynkiem, w którego ceglanych murach wybudowano nowoczesne lofty. Windą wjechali na piętro, Kalina otworzyła drzwi. Mieszkała pięknie i drogo, apartament musiał mieć co najmniej sto pięćdziesiąt metrów kwadratowych powierzchni, nieprzeciętej ściankami działowymi. Dwa poziomy, schodki, ascetyczna kuchnia, stołki barowe przy niej, pokryte czerwoną skórą, niskie kanapy z czerwonej skóry, na podłodze drewno i puszyste dywany. Gazowy kominek, o palenisku jak akwarium ciągnącym się na kilka metrów w głąb pokoju, Kalina rozpaliła w nim ogień, naciskając na przycisk pilota, którym również ściemniła lampy pod sufitem i rozjaśniła inne, po czym Włodzimierz Kurczyk nie mógł już dłużej podziwiać mieszkania, gdyż gospodyni zsunęła z siebie sweterek, bluzkę i spódniczkę i stanęła przed nim w bieliźnie i pończochach.

Włodek poczuł się tak, jakby zaraz miał zemdleć, ale nie stracił przytomności. Podeszła doń i zaczęła go rozbierać, chciał ją powstrzymać, bo tak strasznie wstydził się swojego białego, pulchnego, robaczego ciała. Ale nie potrafił.

Potem leżeli razem na ciepłej, gładkiej kanapie. Kalina spała, Włodzimierz zaś niczego nie rozumiał. Dlaczego nie którykolwiek z atrakcyjniejszych przecież kolegów z firmy, bystrzejszych od niego, przystojniejszych i zamożniejszych, chociaż biorąc pod uwagę samochód i mieszkanie Kaliny, pieniądze najwyraźniej nie grały tu roli. Nie rozumiał również tego, jakim cudem wszystko poszło tak gładko. Kalina nie wzbudzała w nim ani odrobiny obrzydzenia, które zwykle odczuwał względem kobiecej cielesności. Nie miała w sobie niczego z tego zbioru zapachów, wilgoci, fałd ciała, który sprawiał, że kobieta wydawała się Kurczykowi czymś odrażającym. Była niecielesna, jej ciało nie miało w sobie nic fizjologicznego, jej ciało było jak piękny przedmiot. I słowa, które wymawiała — żadnych sprośności, tylko cicha, szeptana litania: mówiła, że go kocha, że kocha jego ciało, jego usta, brzuch, ramiona, nogi, mówiła, że jest wspaniałym kochankiem, wspaniałym mężczyzną, mówiła, że jest jej pierwszym i jedynym. Mówiła tak cały czas, a Włodek po raz pierwszy cieszył się z tego, że przyszedł na świat. Wierzył jej.

Zasnął.

Kiedy się obudził, Kaliny przy nim nie było. Usiadł. Dziewczyna kręciła się w kuchni, ubrana tylko w jego koszulę. Tyle razy widział to na filmach, jak dziewczyna, rano, po miłosnej nocy przygotowuje jakieś jedzenie albo kawę ubrana w koszulę swojego mężczyzny. Jakby zakładając na siebie ten za duży kawałek płótna, podkreślała wagę tego, co ich łączy. Tak jakby to noszenie męskiej koszuli na gołe ciało było nawet czymś bardziej intymnym niż to, co robili wcześniej, a posunęli się do najintymniejszych pieszczot poza tym, co wydawało się Włodzimierzowi wielkim finałem intymnego połączenia z kobietą. Nie miał w tej kwestii jednak żadnego doświadczenia, więc nie nalegał wtedy, a teraz nie żałował.

Odwróciła się, uśmiechnęła. Zrobiłam ci Vesper martini, wiesz, takie prawdziwe, jak z Bonda. Zęby jak z przezroczystej porcelany obnażone w uśmiechu. Kalina, ja nie piję alkoholu.

Usiadła obok niego, podała mu zmrożony kieliszek z pływającą w drinku spiralką z cytrynowej skórki. Nie piłeś do tej pory. A teraz możesz się napić. Uśmiech.

Siedział obok niej nagi, z ciężkim brzuchem opierającym się na udach i nie wstydził się swojego ciała. Poruszony nagłym impulsem, wstał i z kieliszkiem w ręce podszedł do barowego stołka, tak że mogła go sobie obejrzeć całego. Był taki sam jak wczoraj, niski i otyły, z wielkim tyłkiem i bladą skórą. Ale to nie było już ciało larwy. Włodek po raz pierwszy w życiu pomyślał, że ma ciało mężczyzny. Usiadł na hokerze, oparł się łokciami o bar i napił się martini. Gin wymieszany był z wódką w proporcji trzy do jednego, do tego pół porcji likieru lillet. Drink był mocny, a Włodek nigdy nie pił alkoholu, więc napój wydał mu się obrzydliwy. Ale przemógł się i zdobył na drugi łyk. I trzeci. Kalina stanęła za nim i pogładziła go po ramionach i udach. Twoje życie musi się zmienić. Wyrwę cię spod trupa twojej matki.

Przestraszył się. Trup matki. Jak można tak powiedzieć? Życie musi się zmienić. Jego życie? W nim nic nie może się zmienić. Odwrócił się, razem z siedziskiem obrotowego stołka. I siedzi nagi na barowym stołku, przed dziewczyną, pije drinka jak James Bond, nie wstydzi się swojego ciała, nie wstydzi się nawet swojego mikrego przyrodzenia, ginącego między udami, niczego w ogóle się nie wstydzi.

Patrzył na własne palce, jak rozpinają dobrze znane guziki jego własnej koszuli i koszula opada na ziemię, i Kalina stoi przed nim obnażona. Uniosła kieliszek, on zrobił to samo, szkło brzęknęło cichutko. Czwarty łyk alkoholu. Kalina śmieje się do niego. Zapaliłbym. Perwersyjny zbrodniarz.

Uradowana cmoknęła go w policzek, podeszła do barku, otworzyła go. I była naga, naga, zupełnie naga i jego własna. Nie na ekranie i nie na zdjęciu. Naga, piękna kobieta, stała, odwrócona doń plecami i patrzył na jej pośladki, i czuł, że należy do niego. Papierosa czy cygaro? Wahanie. Cygaro. Super. Wyciągnęła z barku humidor z czeczoty, postawiła przed nim, otworzyła. W środku biała tarcza higrometru w pozłacanej oprawie, nawilżacz i rząd kilkudziesięciu cygar o różnych kolorach i wielkościach. Włodzimierz Kurczyk wybrał jedno, bo słyszał już kiedyś nazwę, którą mógł przeczytać na opasce: Cohiba. Kalina pokazała mu, jak przyciąć kapturek — nie za nisko, żeby tytoń się nie rozwinął, podała długie zapałki. Poczekaj, aż wypali się siarka. Potem opal z tej strony i dopiero wtedy włóż do ust, tak okręcaj w płomieniu, o — tak, i delikatnie zaciągaj, aż cała stopa się rozżarzy. Zrobił tak, jak mówiła, nieco niezdarnie, smak dymu był obrzydliwy. Ale to nic. Zaciągnął się drugi i trzeci raz i ważne było, że zrobił wszystko tak, jak należy.

Wyszła na chwilę, wróciła i podała mu męski szlafrok z czerwonego, śliskiego jedwabiu. Sama była ciągle naga. Jej ciało bezwłose jak kamień, tylko fala miedzianych loków spływa na plecy i ramiona. Nie pytał, skąd ma w domu męski szlafrok, założył, siadł na fotelu i próbował czerpać przyjemność z alkoholu i tytoniu. Czuł mdłości, ale przemógł je i pod koniec kieliszka martini zaczęło mu już smakować. Kalina dotknęła jego głowy, pogładziła ramiona, miała zimne i suche dłonie.

Musisz odejść od Halskiego. Odejść, odejść z firmy, wyjść, rzucić wulgarne słowo, odejść z pracy, którą dała mu mamusia, aby mógł żyć dorośle. Za dobry jesteś. Za dobry. Włodzimierz Kurczyk jest zbyt dobry?

Wierzył jej. Kiedy widział ją nagą, musiał jej wierzyć.

Musisz zrobić prawo jazdy i kupić sobie samochód.

Prawo jazdy tak, ale samochód mam, po mamie. Stoi na podwórzu, xantia. Xantia? Nie żartuj sobie.

Dopił martini.

I wyszli w świat, w życie, którego Włodzimierz Kurczyk miał uczyć się jak dziecko wychowane przez wilki, jak ludzkie szczenię z jamy wilczej do świata zabrane. W świecie zaś nic się nie zmieniło. W samochodach siedzieli ludzie, którzy gardzili takimi jak Kurczyk i pożądali takich kobiet jak Kalina.

Usiądź za kierownicą. Ale ja nie umiem prowadzić. To się nauczysz. Tu jest dźwignia automatycznej skrzyni, tu gaz, tu hamulec. Wszystko samo jeździ. Ruszył po wąskiej drodze, sprawdzał, co się dzieje, kiedy przekręca kierownicę, co, kiedy naciska na pedały w podłodze. Jasna skóra. Wyświetlacze. Kiedy był dzieckiem, marzył o dowodzeniu statkiem kosmicznym i wehikuły z jego marzeń były skromniejsze niż ten francuski samochód.

Przesiedli się po chwili, pognali znowu autostradą, nie pytał, gdzie jadą, minęli bramki, citroën połykał asfalt, milczeli. Ale nie było to niezręczne, krępujące milczenie, które Kurczyk znał, którego doświadczał zawsze, kiedy nie wiedział, co powiedzieć, kiedy czuł, że ludzkie spojrzenia przebijają go jak włócznie, a drwiące, wyczekujące uśmiechy są jak sól sypana w rany. Milczał, bo nie musiał do niej mówić. Było to milczenie spokojne i wygodne. Kalina zadzwoniła z samochodu, umówiła ich z kimś na poniedziałek. Nie pytał.

Dojechali do Krakowa, poszli na kolację, wypili dwie butelki wina. Kalina długo opowiadała mu o tych winach. Garbniki, kwasowość, taniczność. Terroir. Zapach. Jak to: ziemisty? Shiraz i syrah. Jakie to wszystko cudowne, wspaniałe, wszystko to, czego nigdy nie próbował, zdławiony matczyną smyczą. I rozmawiali potem, o mamusi. I Włodzimierz Kurczyk mówił, drżał mu głos, ale z każdym słowem czuł się silniejszy i czuł, że mamusia jest coraz bardziej martwa. Kalina nienawidziła jego mamusi.

Wyszli. Kalina bez żadnych wahań siadła za kierownicą, chociaż wypiła mnóstwo wina. Nie było jednak po niej widać nawet śladu upojenia. Tylko miłość. Pojechali do hotelu w starej, pięćsetletniej kamienicy, z renesansowymi malowidłami w pokojach. Kalina zamówiła jeszcze butelkę szampana do pokoju, położyli się nadzy do łóżka i pili tego szampana, i Włodzimierz był już zupełnie pijany.

Odłożył kieliszek, pocałował Kalinę i postanowił dopełnić to, co rozpoczęli wczoraj. Oddała mu pocałunek, jednak powstrzymała go, gdy nieporadnie próbował przekroczyć tę ostateczną granicę intymności. Jeszcze nie teraz. Mogę z tobą robić wszystko i będę z tobą robić wszystko. Zgadnę twoje życzenia, zanim je wypowiesz. Moje ciało jest twoje, należy do ciebie, nie ma niczego, czego bym dla ciebie nie zrobiła. Poza tym? Poza tym, ale tylko na razie. Na to przyjdzie ci jeszcze trochę poczekać. Niezbyt długo. Dobrze. A do tego czasu zapomnisz nawet, że jest coś, czego ci jeszcze nie dałam, bo zaspokoję każdą twoją żądzę, Włodzimierzu.

Dotrzymała słowa. Przez weekend prawie nie wychodzili z łóżka, zamawiali do pokoju kosztowne alkohole i jedzenie droższe niż cokolwiek, co Włodzimierz Kurczyk jadł do tej pory. Wnosili je do pokoju pracujący w hotelu mężczyźni i kobiety, a hotel był tak drogi, że żadnym spojrzeniem nie zdradzali najmniejszego nawet zaskoczenia czy zażenowania nagością hotelowych gości. A Kalina dotrzymała słowa i Włodzimierz Kurczyk całkowicie pogrążył się w zaspokajaniu cielesnych pragnień, które wzbierały w nim przez trzydzieści lat. I nie musiał niczego mówić, nie musiał o nic prosić, Kalina odczytywała jego wolę tak, jakby czytała w książce. W niedzielę wieczorem zadzwoniła do kogoś z łazienki, nie słyszał rozmowy, a po godzinie wpuściła do pokoju dziewiętnastoletnią dziewczynę. Włodzimierz domyślił się, że była prostytutką.

Kalina głaszcze go po piersiach. Zrób z nią to, czego nie możesz na razie zrobić ze mną. Jestem Bella. Ciało dziewczyny jest ciałem zwykłej, młodej kobiety, trochę już zeszpeconym strasznym trybem życia, nie ma sterylnej, marmurowej czystości ciała Kaliny, mimo że jest młodsza. Jej ciało bardziej przypomina ciało starej prostytutki, które widział wiele lat temu. Ale kiedy Kalina jest obok, kiedy czuje jej suchy dotyk, potrafi pokonać obrzydzenie do jej zwyczajnej cielesności.

I odprawiali ten perwersyjny taniec w przedziwnych układach, Włodzimierz był wyczerpany, ciało odmawiało mu posłuszeństwa, jakby przebiegł maraton, mdlały mu kończyny, ciemniało mu przed oczami, ale wtedy Kalina dotykała go i wydawało mu się, że tylko dzięki temu dotykowi nie tracił przytomności. Dziewczyna wyszła nad ranem, leżał na łóżku, Kalina tuliła się do jego boku.

Palą papierosy. Mamusia umarła. Nie ma mamusi. Zjadły ją czarno-czerwone chrząszcze.

W poniedziałek rano obudził go dzwonek komórki. Dzwonił jego telefon, fabryczny dzwonek nokii, do którego dźwięku nie przywykł, bo nikt do niego nigdy nie dzwonił: klienci mieli numer służbowy z firmy, a prywatnie nie miał kto do niego dzwonić. Odebrał. Panie Kurczyk, dlaczego, do jasnej cholery, nie ma pana w pracy? Naga Kalina uśmiecha się do niego, dotyka go i Włodzimierz Kurczyk czuje się silny. Bo już u was nie pracuję. Wyłączył telefon. Kalina pocałowała go swoimi suchymi ustami, Włodzimierz czuł wstrętny zapach własnego oddechu, czuł zapach prostytutki, który pozostał na pościeli, zapach alkoholu i papierosów, i tylko Kalina nie miała zapachu.

Śniadanie w hotelowej restauracji, długi bufet, półmiski z jedzeniem, którego Kurczyk nie potrafił zidentyfikować. Kawa. Dlaczego przyszłaś pracować do Halskiego? Żeby cię obejrzeć, żeby cię zobaczyć i przekonać się, jaki jesteś naprawdę. Nie rozumiem. Nie musisz. Nie zadaje więcej pytań, nie musi. Sok wyciskany na ich oczach z wielkich, pięknych pomarańczy. Bardzo słodki.

Nawigacja na środkowym wyświetlaczu prowadziła ich wąskimi ulicami, zaparkowali pod opisaną nazwiskiem właściciela pracownią krawiecką. To najlepszy krawiec w Polsce. Szyje dla prezydentów i premierów, dla najlepszych artystów. Angielskie sukna, sześćdziesiąt lat tradycji. Zapraszamy państwa. Włodzimierz rozebrał się do bielizny. Zdejmowanie miary, ręce opasują go krawieckimi metrami jak szarfami orderów. Uzgodnienia. Kalina wybierała sukna, mistrz krawiecki doradzał fasony, dobierał dodatki, obiecał załatwić uszycie koszul na zamówienie według zdjętej miary. Smoking, cztery ubrania wizytowe, marengo, prawie czerń, szary i granat w cieniutkie prążki, trzy ubrania spacerowe, szare, brązowe, ciemnoszare, trzy ubrania sportowe koordynowane z marynarkami z tweedu, jeden garnitur wieczorowy czarny. Trzydzieści koszul. Czterdzieści kilka krawatów, gładkich lub w drobny deseń. Płaszcze: dwa raglany, dyplomatka, dwa ulstery. Skarpetki. Paski. Chusteczki. Pierwsze przymiarki za trzy dni, za dwa tygodnie odebranie zamówienia. Płatność? To już załatwione, proszę pana. Dziękujemy państwu bardzo za wizytę w naszym zakładzie. Kłaniam się.

Wyszli. Po co mi tyle garniturów? Ile to będzie kosztowało! Stać cię przecież. Dobrze, jedźmy do banku. Wysiadł z auta, wszedł do środka, odstał swoje w kolejce. Miła dziewczyna za kontuarem. Chciałbym zlikwidować lokatę. Ale straci pan pięćdziesiąt procent odsetek. Owszem.

Czy widział coś nowego w jej spojrzeniu? Był tym samym Włodzimierzem Kurczykiem, co parę dni temu, miał na sobie ten sam źle dopasowany garnitur, był niski, gruby i łysiał, i ta szczupła blondyneczka, która ma dobrą pracę i długie nogi, powinna patrzeć na niego z całą kobiecą pogardą i z całą kobiecą odrazą. Ale nie patrzyła. Oto nowe życie Włodzimierza Kurczyka. Proszę przelać środki na rachunek oszczędnościowo-rozliczeniowy. Ich pogarda zniknęła dokładnie w tym momencie, w którym przestała mu przeszkadzać. Gdyby nawet ta panienka z banku patrzyła na niego wzrokiem cycatej recepcjonistki Halskiego i Tomiczka, to nie dotykałoby go już to spojrzenie. Wyszedł.

Pojechali do jubilera, od którego wyszedł oszołomiony zupełnie: kupił dwa zegarki, za łączną kwotę osiemdziesięciu dwóch tysięcy złotych. Po rabacie.

Włodzimierzu, Włodzimierzu! Uśmiechały się do niego kobiety mijane na ulicy, kiedy szedł pod rękę z wyższą od niego Kaliną, jakby uważały, że ten nieatrakcyjny mężczyzna musi mieć wielką władzę albo wielkie pieniądze, skoro idzie z tak piękną kobietą.

Zapisał się na kurs prawa jazdy, ciągle w Krakowie, potem kupili w salonie czarny, sportowy samochód z tapicerką z czerwonej skóry i silnikiem trzylitrowym, potężnym, pozostawiając za sobą pracownika salonu oniemiałego swobodą, z jaką ta dziwna para wydała dwieście pięćdziesiąt tysięcy złotych w dwadzieścia minut. A wyposażenie dodatkowe? Niech pan wszystko wpisze. Szklany dach też? Tak.

I mieszkali w Krakowie, co jakiś czas zmieniając hotele. Jedli w najdroższych restauracjach. Chodzili na bankiety i wernisaże, Kalina znała wszystkich i wszystkim przedstawiała Włodzimierza tak, jakby był kimś, o kogo względy zabiegała całe życie. Kurczyk najpierw milczał, bo się bał — a potem milczał, bo odkrył, że milczenie sprawia, że szanują go jeszcze bardziej, nie mają nawet odwagi zagadywać. Traktowali go z większą rewerencją niż Kalinę, której z szacunkiem kłaniała się nawet co najmniej dwa razy od Kaliny starsza żona grubego kompozytora, gwiazda lokalnej socjety, dystyngowana tak, jakby królowa angielska biegała dla niej na posyłki. Bywali tam, gdzie prezydenci miast, aktorzy i pisarze, malarze i półkurewki, obsługujące całe to męskie towarzystwo, bywali tam, gdzie ekspremierzy i prawie premierzy, całe rzesze dostojnych senatorów i posłów na sejm, wielki biznes i małe cwaniaczki.

A między nimi Włodzimierz Kurczyk: milczał w swoich drogich garniturach na zamówienie i czuł, jak zmienia się w innego człowieka. Jak lawa zastygająca w czarny bazalt. Nie zmieniał się tak, jak się zmienia fryzurę albo upodobania kulinarne. Waldemar Kurczycki wykluwał się ze swojej larwy, z Włodzimierza Kurczyka. I nic nie robił. Nie zawierał ważnych znajomości, nie budował sieci kontaktów, nie obejmował stanowisk, pokazywał się tylko w drogich garniturach u boku Kaliny. I milczał. Myślał o sobie jako o Waldemarze Kurczyckim. I tak się przedstawiał, chociaż w dokumentach zostało stare nazwisko. Ale jako człowiek nowy, przemieniony nie mógł być już Włodzimierzem, to imię mamusia nadała mu tylko po to, żeby go upokorzyć. Był Waldemarem.

Łysinę Włodzimierza porosły włosy Waldemara.

Z nowymi włosami ukazał się na zdjęciach w „Gali". Na bankietach Krakowa i Warszawy bywać zaczęła tajemnicza i bez wątpienia bardzo wpływowa osobistość u boku równie tajemniczej Kaliny Kurczyckiej. Cudowne perły, pani Kalino!

Prezydent Rzeczypospolitej Polskiej niniejszym zaprasza Waldemara Kurczyckiego na spotkanie z przedstawicielami środowisk ekonomicznych i finansowych poświęcone bieżącej sytuacji gospodarczej w kraju. O tej Waldemar Kurczycki nie miał pojęcia. Milczał więc, a prezydent i jego doradcy patrzyli na niego z wyczekiwaniem, zadawali mu coraz bardziej fundamentalne pytania, aż w końcu na kolejne odpowiedział po prostu: „Nie" — i zaraz rozbiegli się, z rozwiązanym problemem, do swoich laptopów i dokumentów, prezydent dziękował wylewnie, obiema dłońmi ściskając dłoń Waldemara Kurczyckiego.

Nazajutrz obojętnie obserwował w gazetach skutki tego „Nie".

Zdał egzamin na prawo jazdy i w grudniową noc jedzie autostradą do Katowic. Obie dłonie na kierownicy. Czerwonej skóry foteli dotykają nagie uda Kaliny. Po jej gładkich jak kamień nogach zsuwają się majtki. Waldemar Kurczycki odrywa prawą dłoń od kierownicy.

Już dziś, kochany. Już czas. Już dzisiaj weźmiesz mnie całą. Błyszcząca skóra foteli, matowa skóra ud Kaliny. Nie zjeżdżaj tutaj, zawieź mnie do domu. Muszę się przygotować, przyjadę do ciebie za kilka godzin. Do mnie, na Warszawską? Tak.

Nawigacja wyświetla pętle węzła dwóch autostrad i paru zwykłych dróg, opony na czterech napędzanych kołach brery piszczą, kiedy Waldemar Kurczycki perfekcyjnie kładzie auto w zakręt, zaraz potem w drugi, na granicy utraty przyczepności, wielokrotnie przekraczając dozwoloną prędkość. Łopatkami na kierownicy redukuje bieg, dodaje gazu, jakby pokonywał szykanę toru wyścigowego.

Kalina wysiada przed swoim gliwickim domem. Waldemar Kurczycki wraca na autostradę, wyjeżdża w Katowicach, parkuje na podwórku swojej kamienicy, obok citroëna xantii, który należał do mamusi Włodzimierza Kurczyka. Wchodzi do mieszkania, w którym Włodzimierz Kurczyk mieszkał ze swoją mamusią.

Nic go z tym niegustownym, zimnym mieszkaniem nie łączy. Nie jest tutaj u siebie. Siada sztywno na brzegu krzesła, ręce złożywszy na blacie stołu. Jest tutaj z wizytą, czeka na nieobecnego właściciela.

Waldemar Kurczycki nie czuje się do końca sobą i dlatego zaczyna szperać po szafach i komodach. Bardzo delikatnie. Tak, aby właściciel lub właściciele nie zorientowali się, że grzebał w ich prywatnych rzeczach. Nie wstydzi się tej niedyskrecji, bo Waldemar Kurczycki niczego się nie wstydzi. W szafie, w pokoju mamusi Włodzimierza Kurczyka Waldemar Kurczycki znajduje pudełko ze zdjęciami. Oglądał je już kiedyś. Przegląda fotografie, stara się zachować ich porządek.

Znajduje zdjęcie, którego nie widział Włodzimierz Kurczyk. Mamusia Włodzimierza Kurczyka, około pięćdziesiątki, stoi obok bardzo do niej podobnego mężczyzny w tym samym co ona wieku. Potem inne. Dwójka dzieci w wieku około trzech lat, chłopiec i dziewczynka. Trzymają się za rączki. Chłopiec patrzy przerażonymi oczami w obiektyw, dziewczynka jest spokojna, jej czarno--białe usteczka układają się w poważny uśmiech.

Waldemar Kurczycki jest pewien, że zdjęcie przedstawia małego Włodzimierza Kurczyka, a dziewczynką, która trzyma go za rękę, jest Kalina.

Kalina Kurczyk.

Kurczycki wkłada zdjęcia do pudełka. Zamyka pudełko. Chowa je do szafy. Zamyka szafę, przekręca wątły kluczyk, ale wie, że nie zamknie tam Kaliny. Nie rozumie jeszcze wszystkiego, ale rozumie już bardzo wiele. Nie rozumie, na czym polegała przemiana Włodzimierza w Waldemara, nie rozumie istoty jego związku z Kaliną, nie wie, kim jest, zastanawia się nawet, czy w ogóle jest, czy nie zniknął. Ale rozumie, dlaczego Włodzimierz Kurczyk spotkał Kalinę. Spotkał ją, ponieważ Kalina jest jego bliźniaczą siostrą.

Bałby się, gdyby był Włodzimierzem. Ale jest Waldemarem, więc uspokaja drżenie rąk, nalewając sobie z piersiówki duży kieliszek rémy martin. Samotne oczekiwanie prowadzi jego usta do zaokrąglonego skraju szkła, koniak pali mu usta, wypala język i wargi osad z wysychającej w ustach śliny. Uciekać?

Ucieczka jest niemożliwa. Stukają na schodach jej obcasy, jej sucha dłoń dotyka stuletniej poręczy, wygładzonej dłońmi katowickich mieszczan.

Nie zamknął drzwi na klucz. A teraz jest już zbyt późno.

Kalina wchodzi do mieszkania mamusi Włodzimierza Kurczyka, do mieszkania w kamienicy przy ulicy Warszawskiej. Mój ukochany. Waldemar Kurczycki wstaje. Kalina obejmuje go. Wygląda pięknie, jak zawsze. Miedziane loki, płaszczyk, pantofelki o czerwonych podeszwach.

Mój ukochany. Dam ci moje dziewictwo.

W sypialni mamusi Włodzimierza Kurczyka Kalina wypuszcza go z objęć i uśmiecha się do niego jak zakochana kobieta. Waldemar Kurczycki kładzie się w ubraniu na łóżku. Marmurowe ciało Kaliny, płaszczyk, sukienka i pantofle na podłodze. Oczy jej zimne jak piekło. Jej kamienne palce zaciśnięte na jego gardle, groźby, obelgi i klątwy szeptane w językach starszych niż człowiek, w językach, których śladów nie ma w nazwach rzek ani wzgórz. Straszliwy skurcz wszystkich wnętrzności, jakby mordowano go w czasach, w których tortury były artystycznym rzemiosłem. Waldemar Kurczycki chciałby wyć, wypuścić ból przez usta, ale jej palce ściskają jego gardło równie mocno, jak jej uda ściskają jego biodra. Wije się jak larwa przygwożdżona ptasim dziobem. Jej oczy jak piekło czarne, jej usta rozwarte, w nich zęby jak stłuczona porcelana. Kalina porusza biodrami, szybko, szybciej. Koniec. Nie ma w tym ani śladu przyjemności, jest tylko ból i strach.

Rzucę cię na pożarcie moim dzieciom.

Włodzimierz Kurczyk leży na łóżku swojej mamusi. Kalina stoi nad nim, naga, piękna i straszna. Nigdy więcej mnie nie dotykaj, Kurczyk. Ty tłusta, blada larwo. Zrobiłam, co musiałam, i to koniec. Włodzimierz kurczy się ze strachu na łóżku. Wynoś się stąd. Idzie do swojego pokoju. Łóżko, biurko, krzesło, szafa, dywanik. Ze strachu zasypia.

Budzik, potem jej głos. Wstawaj, gnoju. Ściągaj te ciuchy. Ciągle jest w ubraniu Waldemara Kurczyckiego, ściąga więc spodnie, koszulę i marynarkę z wyhaftowanymi dyskretnymi monogramami. Do łazienki, ubieraj się i wypierdalaj do firmy, przeprosisz Halskiego za swoją bezczelność.

Kalina nie jest jak mamusia, o nie. Mamusia była zimna, surowa i gardziła nim, tak jak na to zasługiwał, ale mamusia nigdy nie była wulgarna. Pewnie, że nie jestem jak ona. Ona mnie oddała, a jej nie oddali do bidula. Nie mieszkała w rodzinach zastępczych, nie musiała obciągać różnym obleśnym facetom, zanim skończyła piętnaście lat. Robić to, żeby jej przypadkiem nie zgwałcili. A mnie oddała, bo nie chciała wychowywać dwójki dzieci. Wiedziała, że i tak cię znajdę, gnojku.

Kalina, proszę cię, jęczy.

Zamknij się. Spierdalaj stąd.

Włodzimierz idzie do łazienki. Myje się, czesze przed lustrem, włosy Waldemara Kurczyckiego spływają do kratki prysznica i zostają na grzebieniu, jak u człowieka po chemioterapii. Włodzimierz starannie wyciąga je spomiędzy zębów grzebienia i wyrzuca do kosza. Zakłada stary, zapomniany garnitur numer cztery: butelkowa zieleń, trochę za ciasny. Waldemar Kurczycki wolałby wyjść z domu nagi, niż założyć to dwurzędowe paskudztwo z połowy lat dziewięćdziesiątych: o klapach szpiczastych, z najpodlejszej tkaniny. Kawa rozpuszczalna w kubku. Przez rozwarte drzwi widzi, jak Kalina siedzi na szerokim parapecie w sypialni mamusi, przez okno wygląda na ulicę Warszawską i pali.

Włodzimierz Kurczyk wychodzi z domu. Zamykając za sobą drzwi, słyszy, jak Kalina rozmawia przez telefon. Tak, panie Halski. Włodzimierz nie dotyka kluczyków do sportowego samochodu, które dalej leżą tam, gdzie położył je Waldemar: na kuchennym stole.

Na przystanku gołe brzuchy dwóch nastolatek, mimo listopada. Piersi i ramiona okryte puchowymi kurteczkami. Błyszczące kolczyki w pępkach. Pogarda dla tej niezgrabnej karykatury mężczyzny. Taki wstrętny tłuścioch nigdy nie weźmie ich młodych ciał. Wezmą je wysocy, opaleni, piękni chłopcy, wezmą je starzy mężczyźni o wielkich brzuchach i piersiach porosłych siwym futrem, bogaci i potężni. Ale nigdy ktoś taki.

Skórzany uchwyt w tramwaju przesiąknięty potem ludzkich dłoni. Wysiada.

Dosięgają go pierwsze krople deszczu. Podnosi twarz ku niebu siwemu. Chmury oblepiają górne piętra Silesia Towers jak błoto. Włodzimierzu!, woła miasto w zgrzycie tramwajowych kół, w szumie opon ugniatających mokry asfalt.

Włodzimierzu, ty tłusta blada larwo!, woła miasto.

Winda. Recepcja. Pan prezes czeka na pana. Gabinet. Delikatnie zamyka za sobą drzwi. Za biurkiem Halski jak stary samiec alfa na wzgórzu w samym środku swojego terytorium, siwiejący, pokryty bliznami pysk opiera na potężnych łapach, pazury wciąż ma ostre. Długo jeszcze żaden podrostek nie przegna go od jego samic i od jego zwierzyny. Długo jeszcze na łowy chodzić będą tylko wtedy, kiedy on im na to pozwoli. Na biurku Halskiego nie stoi komputer, Halski nie potrzebuje komputera.

Co masz na swoje usprawiedliwienie, Kurczyk? Spuszcza wzrok, gapi się w dywan, jakby mówił: moje istnienie obraża pana. Halski wstaje, zapina guzik marynarki, podchodzi do niego. Na kolana. Słucham? Słyszałeś, kurwo, na kolana. Klęka. Proś o wybaczenie. Proszę o wybaczenie. Halski kopie go w brzuch czubkiem drogiego pantofla. Kurczykiem wstrząsa spazm, Kurczyk wyrzyguje na dywan kawę, którą pił rano. Halski odsuwa się z obrzydzeniem. Poproś recepcjonistkę o szmatę i posprzątaj to. Tak, żeby nie było śladu. A potem zabieraj się do roboty.

Czy mogłaby mi pani powiedzieć, gdzie znajdę szmatę i wiadro? Tam. Dziękuję. Trze gruby dywan, zanurza szmatę w wodzie, płucze, wykręca i znowu trze. Mijają go koledzy z pracy, których tak długo nie widział. Bem, Pacuła i inni, siadają na krześle przed biurkiem Halskiego, omawiają z szefem różne swoje sprawy, a Włodzimierz Kurczyk trze gruby dywan szarą szmatą. Po szesnastej Halski zakłada płaszcz. Dobra, wypierdalaj stąd. Idzie do swojego miejsca pracy, włącza komputer, czyta zaległą pocztę. Odpisuje.

Włodzimierz Kurczyk wraca tramwajem do domu.

Kaliny nie ma. Włodzimierz idzie do swojego pokoju, siada na łóżku, plecy proste, i śledzi postęp wskazówek zegara. Po dwóch godzinach słyszy szczęk otwieranych drzwi wejściowych. Śmiech Kaliny. Męski głos, głos prezesa Halskiego. Włodzimierz wie, że nie może wyjść ze swojego pokoju. Piją, śmieją się, tak jak robił to z Kaliną Waldemar.

Trzydzieści jeden lat dziewictwa, rozumiesz, kurwa? Trzydzieści jeden lat i nikomu nie dałam dupy, aż do wczoraj. A ja przecież jestem normalna baba, potrzebuję, żeby ktoś mnie porządnie zerżnął czasem, nie?

Skrzypienie łóżka w sypialni mamusi. Kalina krzyczy.

Rano Włodzimierz wychodzi do pracy. Przystanek, deszcz ze śniegiem, tramwaj, smród, winda, biuro, Pacuła, Bem, żółte i zielone strony „Rzeczpospolitej". Stos faktur. Samotne wieczory w pokoju. Obiady w KFC. Kalina nie rozmawia z nim, wydaje mu tylko krótkie polecenia. Łamie mu nos, kiedy Włodzimierz pewnego dnia odzywa się do niej niepytany. Jedno mocne uderzenie małej pięści, cios wyszkolony na salach treningowych bidulowych nocy, na ulicach, cios, którego uczy się wtedy, gdy uczy się noża, tulipana i żyletki. Kolanami przygniata go do ziemi, przedramię gniecie gardło. Nigdy więcej do mnie nie mów, gnoju. Zamknij się, rozumiesz? Zamknij ryj. Włodzimierz idzie do pracy z opuchniętą twarzą, nos goi się przygięty do policzka, zniekształcony. Samotne wieczory w pokoju, Kalina krzyczy w sypialni mamusi. Skrzypi łóżko. Głosy różnych mężczyzn. Awantury. Szarpanina. Wypierdalaj stąd! Pierdol się sama, głupia suko!

Wizyty mężczyzn kończą się, gdy wyraźnie już widać brzuch Kaliny. Jest w piątym miesiącu ciąży. Rusza się coraz mniej. Pierwszego dnia siódmego miesiąca ciąży kładzie się naga na łóżku w sypialni mamusi i Włodzimierz nie widuje jej całymi tygodniami. Nie je, nie pije wody, dyszy tak ciężko, że Włodzimierz słyszy jej dyszenie w nocy, przez ścianę.

Chudnie. Tylko brzuch ma ogromny, skóra opina go jak półprzezroczysta membrana. Czasem, co kilkanaście dni, Kalina opuszcza sypialnię mamusi i pełznie do łazienki, dysząc jak pies. Pod skórą brzucha, który Kalina wlecze po ziemi, Włodzimierz widzi ludzkie kształty, ręce, łokcie, stopy, czaszki, jakby w brzuchu nosiła czworaczki.

Potem dzieci robi się mniej, brzuch rośnie już wolniej. Kalina jest wychudzona jak więźniowie obozów koncentracyjnych i łagrów: kolana grubsze od łydek i ud, ręce cienkie jak patyki wiszą bezwładnie z kościstych ramion. Nie rusza się z łóżka. Dyszy, ma zamknięte oczy. Włodzimierz odważa się czasem zajrzeć przez rozwarte na dwa centymetry drzwi. Kalina nie zmienia pozycji ani nie otwiera oczu przez parę dni, ale żyje, oddycha ciężko. Pod skórą brzucha Włodzimierz widzi wyraźnie dwójkę wielkich dzieci, wielkich jak paromiesięczne niemowlęta, jak wiją się, napinają skórę matczynego brzucha, jakby chciały go rozerwać.

Włodzimierz nie potrafi już wykonywać pracy księgowego. Zapomina przepisów, mylą mu się liczby, w końcu zniecierpliwiony Halski wywala go z firmy i kiedy Włodzimierz czepia się z płaczem jego nogawki, odpycha go butem. Będziesz cieciem na parkingu, ale wynoś się stąd. Już!

Włodzimierz pracuje na parkingu pod Silesia Towers. Siedzi w szklanej budce, którą sierpniowe słońce rozgrzewa jak piec. Poci się, pobiera opłaty od ludzi, którzy nawet nim nie pogardzają, bo go po prostu nie widzą, pobiera opłaty od ludzi, dla których jest mniej elegancką, tłustą wersją parkometru. Otwiera szlaban. Dzień dobry szanownemu panu, tak musi mówić. Dzień dobry szanownej pani.

Chodź tutaj! To szepcze Kalina, zapewne najgłośniej, jak potrafi. Włodzimierz biegnie do pokoju mamusi. Przynieś nóż. Patrzy z przerażeniem na jej siny, nabrzmiały, pulsujący brzuch. Przynoś, kurwa, nóż! Biegnie do kuchni, sięga do szuflady, przebiera kuchenne narzędzia, trzęsą mu się dłonie, w końcu znajduje nóż o drewnianej rękojeści i ostrzu długim, wąskim. Zanosi do sypialni. Kalina próbuje ostrza palcem, mocno przyciska opuszkę kciuka, nie pojawia się ani kropla krwi. Naostrz go, szepcze. Naostrz go dobrze. Włodzimierz ściąga z haczyka ostrzałkę w postaci długiego, metalowego pręta, przesuwa po niej ostrzem, wiele razy, tam i z powrotem. Kalina znowu próbuje, tym razem tkanki kciuka ustępują pod stalą od razu.

Dobrze. Rozetnij mi podbrzusze. Włodzimierz wymiotuje, na podłogę leci przetrawiony kurczak z KFC. Rozetnij mi podbrzusze, w poprzek, tak jak zapina się pasek, tam, gdzie u kobiet kończą się włosy, rozumiesz? Tnij. Włodzimierz wyje, ale nie potrafi nie być posłuszny

Kalinie. Podnosi więc z podłogi nóż, ściska go w dłoni, wyje i zbliża ostrze do napiętej skóry. Przez tkanki widzi małe dłonie. Próbują małymi paznokciami rozedrzeć powłoki ciała matki. Tnij!

Ostrze dotyka naciągniętej skóry, ta ustępuje natychmiast i pęka szybciej, niż Włodzimierz prowadzi ostrze. Z rany wycieka mała, wąska strużka krwi, ścieka po biodrze i wsiąka w prześcieradło. Więcej ciekło mu z nosa po ciosie Kaliny. Pod skórą są kolejne warstwy tkanki. Tnij! Żółtawy płyn wypływa z niej obficie, spływa po jej kroczu i wsiąka w pościel i materac.

A teraz daj im wyjść.

I wypełzają z niej, wielkie jak roczne dzieci, najpierw dziewczynka, potem chłopiec.

Patrzą na niego szeroko rozwartymi, mądrymi oczami. Ich ciała pokrywają delikatne, jasne włosy, które schodzą, kiedy dzieci nieporadnie trą swoje twarze, ramiona i brzuchy. Kalina przyciska poduszkę do otworu, którym wypełzły z niej dzieci. Kalina jest czystą nienawiścią, nienawiścią obleczoną w to straszne ciało, nienawiścią wzburzoną jak pęczniejący wulkan. Chwyta go za rękę. Mówi: mogą być, kim zechcą. One, dzieci jednego z tych, którzy zeszli po stokach góry Hermon. Mogą być tobą, a mogą być mną. Teraz są czystą potencjalnością, czystą, niezrealizowaną wolą. Prawie jak Bóg. Kiedyś byliśmy tacy sami. Tacy sami jak one? Tak. I ty byłeś taki sam jak ja. Miałeś tyle samo krwi tych, którzy patrzą, tyle samo co ja, połowę. Tyle samo, co matka i wszyscy przed nią, wszystkie pokolenia bliźniąt. Nasza krew pozostała czysta.

Włodzimierz przypomina sobie to, co zapomniał: porosłe lasem wzgórza u stóp ośnieżonej góry, wznoszącej się wśród pustyń, krzak tamaryszku, cienkie płótno namiotu, dywan, poduszki. Ogień, na ogniu skwierczy jagnię, obok klęczy dziewczyna o rudych włosach. Klęczy, potem wypuszcza z dłoni kamienne naczynie i niewidoczne dłonie unoszą jej ciało w powietrze, w którym zawisa. Dziewczynie odbiera mowę najgłębsze przerażenie, jakie poczuć może człowiek, oto on: jest czystą wolą. A potem dziewczyna umiera, a z jej brzucha suche dłonie starej Amorytki wyjmują dwoje dzieci, chłopca i dziewczynkę.

Ale potem ja zabrałam ci prawie wszystko, po to matka zostawiła cię przy sobie, a mnie wysłała w noc, gdzie o swoje trzeba walczyć. Wszystko trzeba zdobyć: nożem, pięścią i zdradą. Włodzimierz ciężko przełyka ślinę. Po to, żeby moja wola zahartowała się, a twoja — obrosła tłuszczem i w końcu znikła, tak samo jak zniknął twój fiut.

Dzieci wpychają małe rączki pod poduszkę, którą Kalina przyciska do brzucha. Dzieci liżą jej ranę, ich ślina skleja skórę matki, zastygając w pajęczych włóknach. Zlizują krew z jej biodra, dotykają jej sflaczałego brzucha małymi łapkami, ugniatają zwiotczałe nagle ciało, które zstępuje się jak wrzucona w ogień folia.

Kalina odsuwa dzieci. Wstaje. Skóra opięta na kończynach pozbawionych zupełnie mięśni, z twarzą jak pokryta skórą czaszka i z pomarszczonym brzuchem, oblepionym włóknami śliny. Włodzimierz cofa się przed Kaliną. Stój. Z trudem stawia kilka kroków. Kościstym ramieniem otacza jego szyję, jej palce wysupłują z jego palców nóż. Mógłby ją odepchnąć, uciec. Kładź się. Słaby nacisk jej ramion sprowadza go na podłogę. Włodzimierz płacze. Leż, kurwa. Leż. Odwróć się na brzuch. Jej palce szukają czegoś na jego szyi, Włodzimierz płacze, jej palce szukają zagłębień między kręgami pod warstwą tłuszczu, którą obrośnięty jest jego kark.

Włodzimierz czuje, jak ostrze przebija skórę i tkanki. Włodzimierz czuje, jakby klinem odłupano mu głowę. Włodzimierz nie czuje poza tym nic innego. Jego tłuste ciało jest nagle zupełnie bezwładne. Kalina z trudem odwraca go na plecy. Chodźcie, dzieci. Ześlizgują się z wysokiego łóżka, pełzną w kierunku rodziców.

Włodzimierz wyje. Dzieci wypluwają resztki żółtego płynu, ocierają buzie rączkami. Mają równe i mocne ząbki. Chodźcie, dzieci. Mamusia pokaże wam, jak to się robi.

Małe szczęki zaciskają się i pęka skóra, i płynie krew.

2009

UDERZ MNIE

Pamiętam: przechyla głowę, kiedy ją całuję, pochylenie głowy na ramię jak rozkaz. Słuchałem tych rozkazów. Ja, nie Barcz. Barcza nie było wtedy ze mną.

Więc przechyla głowę, a ja całuję jej szyję. Jej skóra inna, starsza, piękniejsza, inna niż ta, którą dotąd znałem.

— Kocham cię — szepczę do jej ucha. Szepczę, jakbym chciał to ucho zaczarować, jakbym sączył do tego ucha siną truciznę, żeby ściekła do jej głowy i wsiąkła, zabarwiła na swój trupi kolor zwoje jasnego mózgu. Wbijam w to ucho język, oddycham w to ucho, gorzki jego smak. Ona oddycha szybciej i jeszcze bardziej odchyla głowę. Rozkaz — nie przestawaj!

— Kocham cię — szepczę.

A ona wydycha śmiech przez nos i mruczy:

— Głupek!

Jestem głupi.

Potem mówi: rozbierz się. Rozbieram się, a ona patrzy na chłopca, którym jestem, którym byłem, dotyka mojego ciała zdziwionymi palcami, dotyka mojej piersi, brzucha, ud. Przesuwa dłonią między moimi pośladkami, jakby jej dłoń musiała być wszędzie na moim ciele, jakby to ciało dotykiem zdobywała.

I wkłada mi palce do ust, śledzi zwój ucha, a potem obejmuje je palcami, jakby trzymała mnie na smyczy, i dotyka. Potem płacze. Prawdziwe łzy. Przepraszam, przepraszam — przeprasza.

A ja nic nie rozumiem, przestaję, nie przestawaj, uderz mnie, mówi nie swoim głosem, uderz, nie potrafię, nagle ona zatrzymuje się, jakby stała obok w tej swojej garsonce i okularach na ocenie projektu, i mówi głosem Arktyki: powiedziałam, daj mi w twarz, gnojku, albo koniec zabawy.

Mocniej, głupku. Mocniej! Przepraszam. Płacze. Ja też. Mocniej. Chwyć mnie za szyję.

Chciałem uciec, bałem się jej, bałem się, że mnie pożre, że ją zabiję, podniecenie tylko w lędźwiach. Robiłem, co kazała, miałem dwadzieścia trzy lata, podniecenie nie mogło mnie opuścić, ściskałem ją za szyję, jej cienka szyja w moich rękach. Ona płakała, przepraszam, przepraszam, wybacz mi. A ja chciałem tylko, żeby doszła i odeszła, żebym mógł się z niej wyrwać, żebym mógł uciec. Powiedz do mnie: ty kurwo. Pierdol mnie jak kurwę. Nie chcę tak. Ja panią kocham. Zamknij się, idioto.

Widziałem ją dzisiaj rano. Nigdy nie patrzyła na mnie jakoś inaczej, zawsze zwyczajnie. To było przecież tak dawno, że prawie nie było. Zresztą jak by miała na mnie patrzeć? Ma prawie pięćdziesiąt lat, wygląda na sześćdziesiąt pięć, zestarzała się nagle, w rok. Szpital, rekonwalescencja, piętnaście kilo więcej, niektórzy jej nie poznawali, a ona nie udawała, że jest inaczej. Zgubiła gdzieś płeć. Już nie jest kobietą, tylko ociężałą panią profesor, a jest mądra i wie, że śmieszność jest gorsza od śmierci, w śmieszności człowiek umiera najbardziej, w śmieszności własnej, we własnych oczach, tej śmieszności ostatecznej.

Więc tylko wspomina, tak sądzę. A może nawet nie wspomina. Na zebraniu katedry drwi z Krystiana. No i jak tam, byłeś u Grażynki, Krystian? Ależ pani profesor. No, byłeś czy nie?

Pewnie, że był, stukał w drzwi, skamlał, nie otworzyła mu. Krystuś siedzi za biurkiem w swoich ciuchach, które nie odejmują mu lat, ale za to dodają mu śmieszności. Krystuś umiera, ależ pani profesor, przecież to nie o to chodzi, pani profesor, nie powinniśmy chyba o tym tutaj rozmawiać. Krystuś umiera, kąciki ust ściągają się prawie jak do płaczu, ale przecież nie płacze, nie może.

Głupia menda, śmieć, gardzę nim bardziej, niż jej nienawidzę. Gardziłbym mniej, gdyby chociaż płaczu się nie bał. Jej uśmiech jak ostrze, jego twarz z obwisłej skóry. Nienawidzę jej, Barcz ją szanuje, dla Barcza jest godnym przeciwnikiem.

Boi się Barcza. Mnie. Mnie nie może zagrozić, że jeśli nie zrobię habilitacji, to wiadomo, czy coś. Nienawidzi mnie szczerze, szczególnie od kiedy poszła wieść, że wygraliśmy Muzeum, ale to już jest nienawiść bezradna, pełna szacunku, to ona mnie potrzebuje. Proszę państwa, pan doktor Barcz, oczywiście znany państwu, bez wątpienia najwybitniejszy praktyk w naszej katedrze, na pewno znają państwo realizacje.

Ją całowałem: te usta, tę szyję, te piersi, ale przecież nie ją. To przecież nie ona. I nawet wtedy to nie była ona, tak jak ja nie jestem Barczem. Ona wtedy ubierała się szybko, a kiedy ja sięgałem po spodnie, powstrzymywała mnie, nie ubieraj się, więc się nie ubierałem. Patrzyła na mnie nagiego. Kiedy się zobaczymy? Kiedy zechcę, głupku. Kocham cię. Zamknij się, idioto. Chcę się z tobą kochać.

Synku, nie kochasz się ze mną. Chodź tutaj. Była prawie mojego wzrostu, teraz jakby skarlała, albo ja urosłem, ale wtedy była mojego wzrostu, więc całowała mnie, nagiego, wbijała mi język w usta, chwytała mnie za włosy, drugą ręką gładziła po piersiach, brzuchu, śmiała się, dotykała, jęczałem. Cześć, Jacek. I wychodziła. A ja zostawałem nagi.

Pisałem wiadomości. Kocham cię. Kocham. Jesteś moim światem. Jesteś moim wszystkim. Chcę być tobą. Chcę się w tobie rozpuścić. Chcę w tobie umrzeć. Zabierz mnie w siebie. Zjedz mnie. Wypij mnie.

Nie odpisywała nigdy. Tylko potem, nagle, znikąd, pojawiała się wiadomość. Za godzinę w hotelu Diament. Pokój 231. Wykąp się najpierw. A ja kąpałem się, biegłem, pędziłem. Barcz nie biegłby, ale ja biegłem.

Sześć razy, osiem miesięcy, sześć razy, sześć wiadomości, sześć razy. Była wtedy bardzo piękna. Wtedy Ania mnie zostawiła, a ja się zakochałem. W tamtym jej wzroście, w tamtej powadze i obojętności. W jej obojętności.

Gratuluję, panie doktorze, bo chyba jeszcze nie było okazji. Dziękuję, pani profesor. Gratulacje należą się zespołowi, nie mnie samemu, sam bym przecież nic... Och, Jacek, wspaniała jest ta skromność, ale już bez przesady! Cóż to za zespół, wszyscy przecież wiedzą, kto tu jest architektem. Wszyscy się uśmiechają życzliwie, mendy, padalce, nienawidzą mnie tak bardzo, że to chyba najgorętsze uczucie w ich życiu, jakże mieliby mnie nie nienawidzić? Gratulujemy, Jacku, jesteśmy dumni z twojego sukcesu, z wszystkich sukcesów.

A potem, pewnie, za moimi plecami: ciekawe, czy ją dalej rucha, starą raszplę. Nie no, daj spokój, Krystian, kurwa, bez przesady, akurat ten chujek nie musi, przecież to jej zależy, żeby tu pracował. Chuj go wie.

Wychodzę z uczelni, do biura piechotą, biuro blisko. Myślę o tym, jak Martyna będzie na mnie dzisiaj patrzeć. Rano długo przyglądałem się sobie w lustrze, w wielkim lustrze, chciałem mieć jej oczy, chciałbym wyrwać jej oczy i widzieć siebie jej oczami, albo Barcza, ale raczej siebie, widzieć w lustrze, jak ona mnie widzi, kogo widzi, jakiego widzi, tylko to mnie obchodzi, bardziej mnie obchodzę ja dla niej niż ona sama.

Nie jestem stary, nie jestem za stary. Jestem piękny, jestem pięknym mężczyzną. Barcz jest. Ja jestem pisklęciem, jestem z gołego mięsa, kryję się we wnętrznościach Barcza, wpycham się pod ciepłą wątrobę.

Wydaję na Barcza dużo pieniędzy. Ania o tym nie wie. Po co ma wiedzieć, ile kosztują moje garnitury, koszule, buty? Barcz kocha buty bardziej niż cokolwiek na świecie.

Wiedenki, brogsy, lotniki, noski nakładane, noski wszyte, skóra dziurkowana, skóra gładka, szyte specjalnie do stopy Barcza. Barcz zaczyna się od butów. Kończy się wąskimi okularami w czarnej oprawce i raz na tydzień odświeżaną fryzurą. A ja schowałem się pod jego wątrobą, umościłem pod płatem czerwonego mięsa i niknę powoli.

Ale jak ona na mnie patrzy? Przecież Martyna nie odróżniłaby moich butów od sklepowych za trzy stówy. Bo co ją to obchodzi? Pewnie nie wie nawet, kto to Kielman. Czy patrzy na mnie jak na faceta w garniaku? Przychodzą do nas różni przedstawiciele w plastikowych garniturkach, w plastikowych krawatach zadzierzgniętych pod szyją na węzły większe niż ich jebane twarzyczki, przecież widzi, że jestem człowiekiem innego gatunku. Czy widzi, że Barcz jest? Czy mnie od tamtych odróżnia? Po czym ma mnie odróżnić? Czy widzi tylko starszego od niej faceta? Ile ma lat, dwadzieścia pięć, piętnaście lat starszego, ile to lat, jak wiele?

Pewnie, że widzi starszego, ale nie faceta. Facecików to ma na studiach, tych wszystkich gówniarzy, gnojków. Ja jestem mężczyzną. Jestem architektem, moje ubrania są jak moje projekty, muszą być ze szlachetnych materiałów, gramatura właściwa porze roku. Architektem nie jestem przez projekty, architekt jest całością. Barcza bycie mężczyzną, Polakiem, mężem, ojcem, czy jakie tam jeszcze mam tożsamości, nie wiem — heteroseksualistą — wszystko to jest wtórne wobec tego, że jest architektem. Architektem jestem, tak jak Bóg jest Bogiem. Siebie zaprojektowałem i doglądnąłem wykonania tak, jak projektuję domy i biurowce. Szyte na zamówienie buty jak ława fundamentowa. Jestem, który jestem. *Echie aszer echie.*

Materia poddaje się mnie: mojej głowie, moim dłoniom, palcom. Na dużych kolorowych kartkach grubym pisakiem rysuję koncepcje. Linia kantów bez załamania, czystych jak modernistyczna fasada, płaski brzuch. A moje pisaki organizują roczną pracę kilkunastu ludzi w naszym biurze i branżystów różnych, a potem koparki gryzą ziemię, leje się beton, kładą się potulne pręty zbrojeń. A wszystko według tego, jak poprowadziłem nadgarstek, jak ułożyła się dłoń z czerwonym pisakiem, jak spłynął na jasnożółty papier czerwony tusz. I tylko tyle. Niczego nie projektuję na komputerze, nie wiem, czy umiałbym jeszcze obsłużyć ArchiCAD-a. Ostatni raz robiłem coś takiego chyba z pięć lat temu. Już nie muszę. Władam czasem innych.

Jej czasem też. Jestem jej władcą. Przez czterdzieści godzin w tygodniu, a czasem więcej. Ale chciałbym być władcą jej snów, jej marzeń, jej myśli, *twenty four seven*, jak mówi Barcz, kiedy pytają o godziny jego pracy. Żeby widziała mnie we własnych oczach, chciałbym być w każdym jej mgnieniu oka. Obraz we wnętrzu jej powiek.

Chcę, żeby mnie szanowała, żeby mnie uwielbiała, żeby chciała stać się mną, żeby była moim odbiciem, żeby jej oczy nie odrywały się ode mnie, chcę, żeby prześladowała mnie swoją psią obecnością, chcę, żeby zawsze była ze mną i za mną, i przy mnie, i pode mną, żeby mnie przebóstwiła, żebym stał się jej światem. A ona o mnie nie wie. Wie tylko o Barczu. Musi wystarczyć.

A dla mnie będzie tylko o tyle, o ile będzie mnie wielbić. Tylko tego jej uwielbienia pragnę, nie jej samej, ale uwielbienia, które dostrzegam, kiedy ze skupieniem i z szacunkiem wsłuchuje się w moje decyzje na naradach, kiedy patrzy prawie podniecona, gdy besztam jej kolegów, tych wszystkich chłopców młodszych ode mnie o osiem albo o pięć lat, którzy są tak daleko i tak nisko. I widzę, jak czeka na moją pochwałę, jak płoni się, gdy ją słyszy, jak na mnie patrzy: jakbym był jej ojcem, jej mężem, jej Bogiem.

Może chciałaby całować moje czerwone, niecierpliwe, nerwowe kreski na żółtym papierze, ostre krawędzie kalenic i węgłów wytyczane liniami jak cięciem, detale szkicowane nerwowymi skrętami nadgarstka, niewidzialne zbiegi i perspektywy zawsze najczyściej, bez błędu.

Widzę, jak nabożnie zwija gotową koncepcję, jak rozpina ją potem na tablicy, jak delikatnie wsuwa ją do wielkoformatowego skanera, moja kreska — jej życie. Czy chciałaby, żebym ją narysował? Nie umiem rysować ludzi, dawno zapomniałem, jak to się robi, ostatni raz na studiach. Ludzie nie mają w sobie perfekcji moich czystych projektów, za dużo krzywizn, za dużo kudłów, za dużo brudu.

I myślę, że podziwia nawet to, jak prowadzę interesy, jak negocjuję, jak besztam nierzetelnych współpracowników. Jest cały czas obok mnie, cały czas jej wzrok podąża za mną i podziwia: kiedy w jednej chwili wiem, o co chodzi, że tak dobrze znam ceny i rynek, i zasady, i wszystko, jak od razu potrafię powiedzieć, co jest możliwe, co niemożliwe, co może się udać. Podziwia nawet to, że ze wszystkimi jestem zaprzyjaźniony, że nie ma takich problemów, których nie mógłbym rozwiązać, podziwia to, jak się zastanawiam krótką chwilę przed każdym ważnym telefonem, jak się koncentruję i potem, już w trakcie rozmowy jestem zimny i bezwzględny jak prawnik.

A może wcale nie podziwia? A może patrzy na mnie tylko jak na szefa? Na jednego z szefów. A ja chcę, żeby patrzyła na mnie jak na mężczyznę, chcę, żeby patrząc na wszystkich mężczyzn, widziała tylko mnie. Barcza. Albo mnie. Nas. Mnie. Nie wiem.

Martyna. Pożerają mnie myśli o niej, ona mnie pożera, siedzę w moim przeszklonym gabinecie, widzę ich monitory i ich plecy, jej plecy i jej monitor. Nie pracuję, w żadnym tego słowa znaczeniu. Nie pracuję. Mam otwarty komunikator, to wygodniej, niż dzwonić, jej imię w komunikatorze i miga kursor.

Myślę o niej, od kiedy przyszedłem. Tylko o jej plecach w granatowym sweterku, o jej włosach. W pracy są zawsze spięte. Kiedyś widziałem ją na mieście, miała włosy rozpuszczone, a dla mnie zawsze ma spięte, nie dla mnie, tylko do pracy. Wtedy siedziała, z jakimiś chłopcami, chłopaczkami, chłoptasiami, ale widziałem: patrzyła na mnie. Na Barcza. Oczywiście przywitała się, kiedy weszliśmy z Anią i z Zosią. Nie lubię, kiedy takie dziewczyny widzą mnie z Zosią, są przecież od Zosi tyle starsze, co ja od nich. A może to dobrze. Może czyni mnie doskonalszym mężczyzną. Moja córeczka już na tyle duża, żeby pójść z nami do restauracji. Daję jej trochę wina, mam w dupie zgorszone spojrzenia. Jestem Jacek Barcz i mam w dupie zgorszone spojrzenia. Czemu nie miałbym dać mojej dwunastoletniej córce trochę wina? Zobaczymy, co będą chlać wasze bachory za pięć lat, komu obciągać będą w krzakach albo w kiblu w centrum handlowym. A ja uczę ją rozkładać zapachy. Wtedy uczyłem ją dębowej wanilii chardonnay. A wy — żryjcie kurz i gruz.

Więc siedziałem z Anią i z Zosią, i z przyjaciółmi, też architekci, przyjaźnię się tylko z architektami. Ania jest architektem, moi rodzice i moi teściowie również. Zosia będzie architektem, to jasne. A ona — Martyna — też architekt, studentka piątego roku, czyli prawie architekt, czasem odwracała się od swoich znajomych, nie kojarzyłem twarzy z wydziału, więc pewnie nie architekci, chłoptasie i jedna dziewczyna, a Martyna odwracała się od nich i patrzyła na mnie, na mnie, na mnie — na Barcza, ale na mnie.

A teraz patrzę na jej spięte włosy i granatowy sweterek. Może powinienem jej powiedzieć. Powiedzieć: chcę cię zerżnąć, chodź ze mną do hotelu. Piotrek tak robi, podobno, i wystarcza mu, że się jedna na dziesięć zagadniętych zgodzi. Inne też by chciały, to jasne, ale nie po takiej propozycji, Piotrek jednak twierdzi, że nie ma czasu ani zdrowia, ani ochoty na flirtowanie z dupami. Nienawidzę tego słowa: dupy. Po co mu to flirtowanie, skoro nie lubi kobiet? Być może nawet nienawidzi kobiet, ożenił się z kobietą, w której tylko ciało z okładki „Playboya" jest kobiece. Kolasiński mówi, że to mężczyzna z cipką i cyckami, i jemu to odpowiada, bo dzięki temu może z nią wytrzymać. Proste sprawy, konkrety: idziemy dzisiaj na film czy będziemy się pieprzyć? Żadnych, kurwa, romantyzmów, mówi Kolasiński, tylko konkret. Proste życie.

Ale mnie to nie interesuje. Nie byłbym w stanie użyć tego słowa, którego używa Kolasiński. Barcz też nie, tak samo jak ja, Barcz jest inny niż Kolasiński, inny moją innością. Ja chcę, żeby patrzyły na mnie oczami Martyny. Ania kiedyś miała takie oczy, ale potem mnie pokochała. I poznała. I teraz już nie ma takich oczu, teraz w tych oczach jest miłość, a te oczy, których pragnę, to nie są oczy prawdziwej miłości, to są oczy zauroczenia, pożądania, oczy, które patrzą nie na prawdziwego człowieka, tylko na miłosny fantom. Ja o tym wiem, ale Barcz zapomniał. Myślę, że nawet nie podejrzewają mojego istnienia. Te oczy — to są oczy, które zakochały się w Barczu. Ania zna mnie, więc takich oczu mieć nie może. Chcę, żeby o mnie marzyły, chcę, żeby pękały im serca, chcę być ich całym światem. Chcę ich — przede mną obnażonych.

Ale gdyby mi odmówiła, to okryłbym się śmiesznością. Nie ma nic gorszego od śmieszności. Wolałbym nie być wcale, niż być śmiesznym. Śmieszność rozrywa człowieka i wywraca na drugą stronę, jak koszulę brudną, szwy nieprzystojnie obnażone. Chciałbym, żeby to kobiety prosiły, żeby mnie uwodziły, ale one rzadko uwodzą. Bo jestem zimny. Nauczyłem się Arktyki od doktor Niezgody. Wiele się od niej nauczyłem. Boją się Barcza. Doktor inżynier architekt Jacek Barcz, Barcz, Kolasiński i Partnerzy. Wygrał mój projekt, nasz projekt, ale mój projekt. Wszyscy to wiedzą. Mój projekt wygrał konkurs na Muzeum, mój projekt wyrośnie w samym centrum Warszawy, moja pieczęć na materii stolicy, jakbym tę Warszawę przeleciał i zrobił jej dziecko, i zostawił z tym dzieckiem. Bo przecież nie mogę się teraz przenieść z pracownią, chociaż mógłbym, ale nie po tych wszystkich wywiadach, w których tyle mówiłem, że Śląsk, że Gliwice, mój dom w „Dobrym Wnętrzu", Fabryka Drutu do „Mojego Mieszkania", jeszcze dwa lokale: w drugim mieszka Kolasiński, trzeci wynajmujemy jakimś angolom.

Barcz i Kolasiński — najbardziej kreatywna przyjaźń w polskiej architekturze. Czy panowie nie czują czasem przesytu sobą? W końcu: wspólna praca, zespół, a jeszcze są panowie sąsiadami, podobno razem również panowie żeglują? Oczywiście, że nie czujemy przesytu — odpowiada Kolasiński. A ja myślę, oczywiście, kurwa, że czujemy przesyt, nie możemy w ogóle na siebie patrzeć, ale jesteśmy sobie potrzebni, tak bardzo potrzebni, bardziej niż ktokolwiek inny, ja zrobiłem Kolasińskiego, a Kolasiński mnie, on trzyma biuro w jednym kawałku, ja projektuję, ja tworzę, Kolasiński tworzy mi warunki do tworzenia — ja nic bez niego, on nic beze mnie.

I potem siedzimy we dwóch na tym zasranym jachcie i nie chcemy tam być, ale wiemy, że musimy, niezależnie od wzajemnej nienawiści, po to kupiliśmy ten jacht. Więc siedzimy albo idziemy do Karlskrony, Bałtyk zimny, albo jakieś, kurwa, fiordy, jacyś tam znajomi, albo żony, Kolasiński dowodzi, po to mamy ten jacht, żeby Kolasiński był kapitanem, jest mu to winien Barcz, za to całe życie w upokorzeniu bycia drugim i po to całe to żeglowanie, Kolasiński, stary szyper wchodzi między główki portu. Na rejsy zawsze zapuszcza kosmatą brodę. Opłynęło się w końcu Horn dwa razy, było się na Spitsbergenie, na Antarktydzie i dziewczyny śniade się dupczyło na Bermudach. Jasne. Kiedy szliśmy przez Pacyfik. Czerwony sztormiak, wyprawa taka a taka, 2003, wyprawa taka a sraka. Żeglarz pierdolony.

Wczoraj wieczorem napisałem do niej SMS-a. Zapytałem o coś do projektu, nie wiem o co, musiałbym sprawdzić w telefonie, bo nie pamiętam. Ale nie mogę, bo usunąłem konwersację z obawy przed Anią, chociaż to przecież był zwykły SMS do mojej pracownicy z zawodowym pytaniem, tylko na końcu był taki, niewinny przecież, dopisek, a jednak winny, moja intencja winna: pięknie wyglądałaś dzisiaj. To znaczy wczoraj. Pięknie wyglądała wczoraj.

I czekałem z telefonem w dłoni, patrzyłem w ekran z napięciem, aż pojawiła się kopertka i poczułem się jak przy orgazmie. Barcz się śmiał. Ale ja się tak poczułem, kiedy przeczytałem jej odpowiedź. A więc nie ma śmieszności, nie ma odrzucenia, bo pisze, odpisuje, odpowiada konkretnie na nieważne pytanie dotyczące projektu, Barczowi pisze, że oczywiście, że nie przeszkadzam, bo tak napisałem, że w sumie nic ważnego, ale nie chcę przeszkadzać wieczorem, więc czy mogłaby powiedzieć, czy coś tam, a poza tym, post scriptum, to pięknie wyglądała, a ona, oczywiście, że nie przeszkadzam, czytam jeszcze raz, oczywiście, że nie przeszkadzasz.

W biurze wszyscy jesteśmy na ty, dobry zwyczaj, łatwiej opierdolić Marcina czy Kasię — tak jak to robi Kolasiński. Słuchaj, kurwa, Marcin, co ty odpierdalasz w ogóle, co to, kurwa, jest, kto ciebie uczył projektowania, czyś ty w ogóle kiedyś normy widział, kurwa, człowieku, przecież tutaj się nawet odległości nie zgadzają. Wypierdalaj mi z tym, kurwa, ale już! Nie, kurwa, żadne „ale Piotrek". Jakbym miał ci wszystko pokazywać, to mógłbym to równie dobrze sam, kurwa, zrobić, jasne? I chcę to mieć dzisiaj, chociażbyś miał, kurwa, siedzieć do północy! Tak? Chuj mnie obchodzi twoja rodzina, nie podoba się, to wiesz, mogłeś od razu dobrze zrobić, a nie taką chujnię! No to wypierdalaj, jak nie! Tak? Kurwa, słyszałeś, wypierdalaj!

Właśnie od tego jest Kolasiński, od opierdalania. Ja tylko unoszę brwi i kręcę głową, a boją się tego bardziej niż Piotrkowych ryków. I słusznie. Bo wiedzą, że Piotrek ryczy i ryczy, ale nikogo z roboty nie wypierdoli od razu, a jak ja kogoś trzy razy odeślę w milczeniu, to może się pakować.

Więc jesteśmy na ty w biurze. Odpisuje: oczywiście że nie przeszkadzasz; i jej post scriptum: nie wiem, czym sobie zasłużyłam, ale dziękuję, sprawiłeś mi tym wielką przyjemność.

Nie zbywa milczeniem, tylko dziękuje, a ja czuję, jak ze splotu słonecznego, z brzucha promieniuje ciepło: ciepło nieśmieszności, ciepło męskości. Nie jestem śmieszny, jestem mężczyzną. Ja. Dzięki Barczowi, przez Barcza, ale ja.

A potem kasuję te SMS-y, w obawie przed Anią, nie chcę, żeby je przeczytała, nie może przeczytać tych SMS-ów, ale już nie odpisuję. Siedzę przez godzinę. Kolasiński mówi, że nie można odpisywać dupom. Ale ja tak nie myślę o kobietach, chciałbym, ale nie umiem, nie wiem jak Barcz, może Barcz potrafi, ale za wiele w Barczu jest ze mnie i chyba nie potrafi, ale nie odpisuję. Przecież ta Martyna — to kto to jest w ogóle? Na pewno chciałaby, żeby przeleciał ją doktor inżynier architekt Jacek Barcz, Barcz, Kolasiński i Partnerzy, bardzo chciałaby. A ja chcę, żeby chciała i marzyła, to ona się musi starać, nie ja, ja tylko mogę jej zostawić drzwi, przez które ją wpuszczę, uchylone drzwi, żeby wiedziała, że jest wejście, ale to ona się musi starać. A ja mogę tylko z wdzięcznością te starania przyjmować, nic więcej.

A potem cały czas mam komórkę w kieszeni, może coś napisze jeszcze, wiem, że nie może napisać, teraz przecież moja kolej, ona nie może napisać.

Chciałbym znowu przeczytać jej SMS-a i mojego do niej SMS-a, ale nie mogę, bo je skasowałem. I teraz tego żałuję. Nie jestem pewien, czy aby na pewno dobrze je odczytałem, czy to właśnie te emocje między znakami, czy aby na pewno o to chodziło, o co chodziło, czy może jednak byłem śmieszny, czy byłem śmieszny, czy nie byłem, czy byłem nachalny, czy nie?

A rano: uczelnia, studentki, nie interesują mnie studentki, to klisza, klisza jest śmieszna. Myślę o SMS-ach. Dlaczego Martyna milczy? Milczy, bo nie wie, nie wie, jak wiele dałaby mi jednym SMS-em, jak wiele zmieniłaby w moim życiu, jak wiele ciepła rozlałoby mi się w brzuchu, gdyby wiedziała, to pisałaby, ale nie wie. Skąd miałaby wiedzieć?

Potem pani profesor. I wspomnienia. A teraz siedzę za szybą mojego akwarium: jej plecy, kursor w okienku komunikatora. Idę po kawę do kuchni, mógłbym poprosić recepcjonistkę, ale widzę, że gada z kurierem, więc mogę iść sam, zostanie to zauważone i zostanie to docenione, Barcz widzi, że Kasia jest zajęta. Kasia robi kawę szefom. Kasia to nasza sekretarka i recepcjonistka, Kasia rozmawia z kurierami, więc Barcz idzie sobie zrobić kawę sam, w końcu może, chociaż mógłby kazać każdemu w biurze, ale idzie sam. Więc idę, chociaż wcale nie chcę kawy. Kiedy idę, to nie odwracam się wcale, niech patrzy na moje plecy, a kiedy wracam z kawą, ona uśmiecha się do mnie.

Uśmiecha się do mnie.

Uśmiecha się do mnie. Do Barcza.

Odpowiadam uśmiechem, oczywiście, a potem, w moim akwarium, kryję się za wielką zasłoną mojego komputera i jestem wściekły, bo już byłem gotów, już miałem ją wezwać do siebie, a teraz nie mogę, bo nie mogę jej wezwać tylko dlatego, że się do mnie uśmiechnęła, więc nie wzywam, nie wzywam wcale, tylko siedzę, a ona też siedzi, a potem nic, a potem niewiele więcej. Potem mija siedemnasta, a ja nie pracuję, ale siedzę w pracy. Potem mamy naradę z Kolasińskim i dwoma branżowcami, więc radzimy. Wyłączam siebie i zostaję tylko Jackiem Barczem, tym Barczem z ciętego w nierdzewnej stali napisu

„Barcz, Kolasiński i Partnerzy", więc jestem tym architektem ze zdjęć z „Architektury & Biznesu". Stoimy pod filarem z architektonicznego betonu, rysunek desek szalunku jak amonity odciśnięte w kamieniu, stoimy plecami do siebie, dotykając się ramionami, ręce założone. Obaj: grafitowe garnitury, wąskie spodnie, wyglądamy jak bracia, Kolasiński w szarym golfie pod garniturem, ja w nisko rozpiętej koszuli, zdjęcie czarno-białe, takie do sepii trochę, więc nie widać, jakiego koloru koszula, ale raczej ciemna, białe linie chusteczek w kieszonkach, obaj jesteśmy szczupli i piękni, krótkie brody, krótkie włosy, prostokątne okulary, oto, proszę państwa: Barcz i Kolasiński — architekci, korona stworzenia.

Na takiego Barcza patrzą branżowcy. Ja śpię, schowany pod ciepłą wątrobą, mnie nie ma, jest tylko Barcz. Barcz załatwia swoje: pewność siebie, raczej bez uśmiechów, poza zdawkowymi na powitanie i pożegnanie. Kolasiński: dobry policjant, jowialny, przyjacielski, ten sam Kolasiński zadzwoni, jeśli trzeba kogoś wydymać na kasie, wstrzymać fakturę. Ja jestem projektantem, geniuszem kreski, czerwony pisak na jasnożółtym papierze. A Kolasiński dzwoni: nie, nie zapłacimy panu. Na razie. No, nie wiem. Kiedyś. Mamy zastrzeżenia do pańskiego projektu. Zwyczajnie. Tak. A idź pan do sądu! Ale najpierw se pan, kurwa, umowę przeczytaj, tak? I nawzajem! Ale radzę uważać, bo to pan chce od nas pieniędzy.

I tak w każdym wywiadzie: bez Piotra, proszę pani, żaden ze mnie architekt. Ech, Jacek, daj spokój — kryguje się Kolasiński. Nie, nie dam spokoju, Piotrek jest bardzo skromny, ale my jesteśmy zespołem: Piotr i ja, wszystko, co zrobimy razem, jest naszym wspólnym dziełem, oczywiście. Kolasiński: no, Jacek tak zawsze, jeszcze na studiach coś tam robiliśmy razem, i zawsze tak było, że ja brałem Jacka ideę i sprowadzałem ją na ziemię. Nie no, przestań, proces twórczy jest nasz wspólny. I przez tyle lat żadnych sporów? Wie pani, to nie tak, my się bez przerwy kłócimy: o wszystko, o każdy projekt, pomysł, wszystko rodzi się w bólach, ale i o bzdury często się spieramy.

Tak że: zespół. Zespół. Nie ma Kolasińskiego bez Barcza ani Barcza bez Kolasińskiego.

Ale przecież i tak wszyscy wiedzą, że to nieprawda.

Nieprawda, kurwa! Bo ja nie mogę pracować bez wspólnika, ale znalazłbym kogoś innego, mógłbym znaleźć kogoś innego, kurwa, to nawet nie musiałby być architekt, tylko jakiś zdolny menedżer, organizator. A Kolasiński beze mnie to co? Kolasiński bez Barcza to prowincjonalny architekcik. Jakie on miałby realizacje sam? Bez wizji, bez wiedzy, bez erudycji. Z Normanem Fosterem to komu nagrali spotkanie? Kolasińskiemu czy Barczowi? Oczywiście, kurwa, że Barczowi! To ja jestem architektem. Uścisk ręki, garnitur mój wcale nie gorszy niż Fostera. Czy ja mam dobry akcent? A Kolasiński? To mój, kurwa, zastępca czy chuj tam wie co, ale nie ja, nie jest mną przecież. Więc niech se dowodzi tym jachtem naszym za milion.

I on to wie, i ja to wiem, ale oczywiście nie mogę tego powiedzieć i nigdy nie powiedziałem, zawsze na to samo kopyto, bez Piotra — nic, to nasze wspólne dzieło, bo to mnie wyszlachetnia, bo i tak wszyscy wiedzą, a ja tak szlachetnie, taka piękna przyjaźń męska.

I po spotkaniu usypiam Barcza, wybitnego architekta. Idę do akwarium pełen obaw: a jeśli już sobie poszła, mogła sobie pójść przecież, już czas, żeby sobie poszła, nie musi być w biurze o osiemnastej, patrzę na zegarek, osiemnasta piętnaście, przecież nie musi, wchodzę do akwarium.

Są jej plecy. Oprócz niej jeszcze dwie osoby, chłopak, którego imienia nie pamiętam, bo to Kolasiński zajmuje się rekrutacją, chuj mnie to obchodzi, i dziewczyna, Monika, niezbyt ładna i raczej głupia, niezgrabna, z oczami złego chomika. Są jeszcze dwie osoby, więc nie ośmiesza się tym, że jeszcze siedzi, nie siedzi sama, nie czeka na mnie, widzę jej monitor, kreski ArchiCAD-a, dobrze, pracuje.

Martyna, pozwól do mnie, proszę. Piszę w komunikatorze, ton wspaniale szefowski, ton wyniosły, pozwól do mnie. Umarłbym, gdybym nie mógł wydawać ludziom poleceń. Barcz umarłby, ja żyłbym, bo żyłem, kiedy nie mogłem. Wstaje od razu, uśmiecha się do mnie z daleka, przez szybę się uśmiecha, idzie.

A ja nie mam kwestii, nie mam pytania, przecież nie zacznę od razu od sedna, oczywiście, że nie zacznę od sedna, nie mogę zacząć, muszę mieć powód, żeby do mnie przyszła, ona idzie, a ja nie mam, dlaczego nie mam, chciałbym mieć. Jacek, Jacek, pomóż!, wołam na pomoc Barcza, a on śpi, nie ma Barcza. Jestem tylko ja, ten ja, do którego pani doktor Niezgoda mówiła „głupku", ten ja, którego pani doktor Niezgoda zapytała, wstawiając dwóję do indeksu, dlaczego pan tak mi się przyglądał przez całe ćwiczenia.

A ja przywołałem moją wściekłość na Anię, bo pojechała na pół roku na wymianę do Bostonu, mimo że błagałem, więc zerwałem z nią, jak wyjeżdżała, nie pocałowałem, powiedziałem: pierdol się, odwróciłem się i odszedłem, i poszła w chuj, niech ją tam pieprzą Murzyni, w sensie Afroamerykanie niech ją pieprzą, swoimi wielkimi, bostońskimi kutasami. Może to już Barcz powiedział: pierdol się?

Pani doktor wpisuje mi dwóję. Dlaczego pan tak mi się przyglądał? A ja spiąłem całą swoją bezczelność, która zaprowadziła mnie tam, gdzie mnie zaprowadziła, i odpowiedziałem: bo jest pani niesłychanie piękna, pani doktor.

Ale dzisiaj jest pani stara, pani profesor. Pani doktor Niezgoda umarła, niech żyje Barcz, ja jestem Jacek Barcz, Barcz, Kolasiński i Partnerzy.

Ale wtedy nie było ze mną Barcza, byłem tylko ja. A pani doktor patrzyła na mnie i uśmiechała się swoim uśmiechem stalowym jak ostrze, już wtedy miała ten uśmiech, ale tylko dla studentów, dziś ma go dalej, chociaż już nie ma pani doktor, ale ten uśmiech ma dalej, teraz już dla wszystkich. Myślę, że nawet dla rektora może mieć ten uśmiech, szybka kariera, wtedy kończyła habilitację, a był to koniec lat dziewięćdziesiątych, tak szybko habilitacja, a do tego kobieta.

A pani doktor patrzy na mnie.

Słyszałam pana i kolegów. Mówił pan, że Niezgodę to by pan zerżnął, aż by furczało. To ma pan na myśli, mówiąc, że jestem niesłychanie piękna?

Uśmiech ze stali dotknął mojego policzka i wycina mi w skórze ranę śmieszności. Milczę. Nie oddycham. Nie ma powietrza. Mówiliśmy tak, musiała słyszeć, albo nie mówiliśmy, czy ja mówiłem, czy mogła słyszeć, czy tylko tak mówi. Milczę. Przełykam ślinę. Nie ma śliny, sucho w ustach.

Jutro. Niech pan przyjdzie do mnie, do domu. O dziewiętnastej.

A potem, znaczy następnego dnia, obejmuje mnie palcami, jakby chwytała małe zwierzę, i trzyma mnie, jak na smyczy. No i co, synku? Zerżnąłbyś? Będzie furczało? A ja stoję bezbronny, nagi, w jej ręku.

A teraz siedzę bezbronny — w ręku Martyny, która boi się mnie jak bóstwa, co to może ją wynieść w górę albo zepchnąć w dół. Gdzie jest Barcz? Dlaczego mi nie pomaga? Potrzebuję pytania.

Martyna wchodzi bez pukania, tak się robi u Barcza, Kolasińskiego i Partnerów, nie puka się do szefów, ale nie przychodzi się, jeśli szef nie wezwał, anonsuje się przez komunikator, a jak szef nie odpowiada, to się siedzi, kurwa, na dupie i czeka, aż szef odpowie! Jasne, kurwa, Marcinku?, ryczy Kolasiński, jasne?!

Martyna wchodzi, a Barcz już ma pytanie. Kiedy tylko otwarły się drzwi. Kocham Barcza, za to, jak jest mną, jak to możliwe, że robi to tak cudownie, że pomaga mi, kiedy staję przed widmem śmieszności, Barcz przychodzi i podaje mi dłoń, Barcz mym pasterzem, nie brak mi niczego, jego kij i laska pasterska moją pociechą. Więc Martyna puszcza plik na ploter, przynosi wydruk, na monitorze źle się ogląda, przynosi wydruk i uzgadniamy kwestię szerokości korytarzy w toaletach, ja, piękny Barcz, architekt nad projektem, jak piękny, młody generał nad mapą, on układa mury z trupów, ja z betonu. A ona obok. Każde moje słowo ma moc rozstrzygającą, ona słucha, oczywiście, Jacku. Zawsze wołacz, wołacz jest jak najuniżeńsze „proszę pana", oczywiście, Jacku, no tak, nie pomyślałam o tym. Kończymy, Martyna zwija projekt, jeśli nie teraz, to nigdy, a więc teraz. Słuchaj, może poszlibyśmy na drinka.

Jak to obrzydliwie brzmi, na drinka, nie mogłem zapytać, czy nie poszlibyśmy czegoś zjeść albo coś przekąsić, albo na piwo, nie, na piwo nie, pójść na piwo brzmi jak wzdęty brzuch, więc źle, źle, źle. Może poszlibyśmy na drinka brzmi, jak chciałbym ją przelecieć, a to przecież nie tak, to ona ma chcieć mnie przelecieć, to znaczy, żebym ja ją przeleciał, a jeśli odmówi, pytanie jeszcze nie wybrzmiało, a ja spadam, w odmęt, w otchłań, w czerń lecę, w śmieszność. I nagle ratunek.

Mówię. Barcz mówi, Barcz mym pasterzem.

Pracujesz tutaj już rok i jestem bardzo zadowolony z twojej pracy, więc chciałbym z tobą porozmawiać o perspektywach, jakie dla ciebie widzę.

Śmieszności się ustrzegłem, przed śmiesznością się uchyliłem, śmieszności uciekłem, ale śmieszność zawsze jest za mną, nie dalej niż o krok. Nemezis moja, przekleństwo moje, mój treser, smagający mi plecy batem.

Jak kornak na słoniu: w dłoni bodziec, ankus, dźga mnie ostrzem, szarpie hakiem, zmusza do biegu, zatrzymuje, kiedy trzeba, jego półnagie ciało, przy pasku dłuto i młot. Jeśli trzeba, wbije mi to dłuto w mój słoniowy kark, zabije na miejscu. Ale teraz śmieszności się ustrzegłem, przed śmiesznością się uchyliłem.

Ale wycofałem się. Z propozycji, jaką żonaty mężczyzna może złożyć młodszej dziewczynie, na propozycję rozmowy o pracy. To też pewna śmieszność, ale mniejsza.

I nagle boję się. To przecież zabrzmiało jak szantaż. Awans za seks. Śmieszność triumfuje. Najpierw drink, a potem awans. Widzę, jak gaśnie jej uśmiech. A przecież tego nie chcę. Chcę uwielbienia, nie strachu. Nie chcę, żeby spała ze mną z myślą o przyszłych zarobkach, chcę, żeby porzuciła myśli o zarobkach i karierze po to, żeby spać ze mną. Chcę łamać serca, nie sumienia. Barcz chce. A czego ja chcę? Ja nie chcę niczego łamać, czego ja chcę? Barcz chce ich krwi.

Ale po co, po co?

Więc znowu mówię.

To znaczy, plączę się, to znaczy twój awans to jest decyzja Kolasińskiego, oczywiście, to znaczy Piotra, to Piotr decyduje o kadrach. Ja w zasadzie nie o tym, bo ode mnie niewiele zależy, chociaż oczywiście rekomendowałem cię i będę rekomendował do poważniejszych spraw i do pewnej samodzielności, więc, plączę się, ja nie o tym chciałem, tylko jakoś o twoich drogach, to znaczy o perspektywach twoich jako architekta, jesteś pilna i inteligentna, wydaje mi się, że masz też talent, o tym chciałbym porozmawiać. Talent to wcale nie jest częsta rzecz, nawet w tym mieście architektów, plączę się, plączę, śmieszności oddech czuję na karku, śmieszność wpuszcza swoją wąską, zimną mackę do nogawki moich spodni, śmieszność zaraz oplecie mi jaja i ściśnie tak, że zabraknie mi tchu.

Jacku, z rozkoszą.

Chryste, tak odpowiedziała?! Barczowi czy mnie odpowiedziała? Z rozkoszą. Z uśmiechem, oczywiście, zamierzona dwuznaczność czy niezamierzona, z rozkoszą. Nie ma śmieszności, śmieszność zniknęła, po co się tłumaczyłem, trzeba było tylko zapytać, a ona by po prostu odpowiedziała, z rozkoszą.

No, to chodźmy.

Ale gdzie, przecież nie tam gdzie zawsze, bo tam mnie wszyscy znają, więc gdzie, gdzie idziemy, gdzie?

Ania z Zosią w Warszawie, u siostry, więc mógłbym ją po prostu zabrać do domu, rozebrać i na kanapie albo na podłodze, ale to zbyt ryzykowne, bo jeszcze spotkalibyśmy angoli, z Kolasińskim spoko, albo żonę Kolasińskiego, więc nie. Poza tym tak zrobiłby Barcz, ja nie mógłbym tak zrobić, a może mógłbym, tylko inaczej.

Mógłbym jej od razu powiedzieć: chodźmy do hotelu, do hotelu Diament, ale to byłaby metoda Kolasińskiego, a ja tak nie chcę.

Więc idziemy do Gramofonu. Tam byłem chyba tylko ze dwa razy, mogę spotkać kogoś znajomego, ale to przecież nic takiego w sumie, przecież w knajpie nie będę z nią niczego robił, wypijemy piwo i tyle. Nie piwo — wino, i tyle. I nawet jak nas ktoś zobaczy, to co, to co z tego? Przecież można, przecież wolno, dlaczego nie?

Idziemy, to blisko, idziemy obok siebie, ale żadnego kontaktu, to przecież wykluczone, idziemy razem, razem siadamy, pijemy piwo, jednak piwo, piwo marki Wzdęty Brzuch, ja śpię, Barcz przed nią, Barcz tokuje, Barcz mym pasterzem. Martyna jest zachwycona, jakże by miała nie być, z kim wcześniej chodziła na piwo, z chłoptasiami, kurwa, a dzisiaj siedzi tu z Barczem, który wygrał konkurs na Muzeum i zostawi swój ślad na Warszawie, swoją pieczęć w niej odciśnie. Siedzi Martyna z Barczem w szytych na miarę butach za trzy tysiące, z kordowanu. Przecież nawet nie wie, co to kordowan. Nie będę jej tłumaczyć, bo brzmiałbym śmiesznie.

No, ale przecież widzi różnicę między mną a przedstawicielami handlowymi, którzy do nas przychodzą, musi tę różnicę widzieć, bo to we mnie się przecież wpatruje, nie w nich, to znaczy w Barcza, o mnie przecież nie wie. Czy ja też mógłbym ją zainteresować, czy raczej odepchnęłaby mnie z odrazą?

Siedzi i nie wierzy we własne szczęście. Tak, właśnie tak: sam Barcz z nią siedzi i rozmawia, a ja milczę, schowany. I patrzę na Barcza, i podziwiam, jak tokuje: jak mówi o perspektywach i sensie architektury, mówi ze swadą, ze swoją świetną dykcją, precyzyjną wymową „tę stronę", A-ME-ryka, włączać, zakładać ubranie, nigdy ubierać, ubierać kogo coś w ubranie, wziąć, bez żadnego „eś" w środku, idealny akcent, jasne myśli, zro-BI-liśmy.

Podziwiam go, nawet kiedy popełni błąd, to tylko ska-za, podkreślająca doskonałość, Barcz jest idealny, Barcz musi być idealny, Barcz ma idealne ciało, idealną dykcję, idealny garnitur. Idealną żonę.

Myślę o niej, kiedy Barcz tokuje. Ania wyjechała do swojej siostry, też doktor inżynier architekt, do Warszawy, z Zosią. Idealna żona: z burzą jasnych włosów, z biodra-mi ponętnymi. Jedno dziecko, tylko Zosia, więcej nie, jed-no wystarczy, Zosia wystarczy, bo przecież nie chce Barcz mieć żony w pieluchach zagrzebanej, Barczowi taka żona niepotrzebna. Żona Barcza robi design, meble projektuje, ma własną praktykę, czasem współpracują, jej pracow-nia i Barcz, Kolasiński i Partnerzy. Porzuciła uczelnię po doktoracie, uczelnia żony Barcza nie interesuje. A może to Barcz jej ją wyperswadował, nie chciał jej oglądać na uczelni, która dla niego nie jest przecież miejscem pra-cy, co komu po miesięcznej pensji asystenta. Chociaż przydaje się czasem tych parę tysięcy, aby doczekać do dwustu, które są w perspektywie, albo pięciuset, które są w dalszej perspektywie, lecz nie na koncie. No a jednak to nie miejsce pracy przecież, tylko coś pomiędzy kawiarnią a klubem, zrzeszającym całą menażerię kreatur, tyle że w końcu to jest to środowisko, w którym Barcz może być Barczem w pełni. Na architekturze wszyscy czytują maga-zyny, w których Barcz bywa na zdjęciach, bo przecież nie w „Vivie". Więc bywa, z Kolasińskim, a jednak przecież głównie Barcz, nawet kadry tak ustawiają, żeby Barcz był z przodu, a Kolasiński za nim. I po co mu w takim środo-wisku żona? Barcz jest Barczem sam, samodzielnie. Żona potrzebna jest na bankiecie albo na kolacji dla przyjaciół, albo na pikniku z dziećmi, ale nie na uczelni. Więc Ania ma swoją praktykę i projektuje krzesła po dwa pięćset sztuka, których raczej nikt nie kupuje, ale pracownia jest, pieniądze jakieś są, a Barcz nie czuje się zagrożony żony swojej talentem, bo ma talent własny: ogromny, wiekopomny. Nie ożeniłby się z architektem bez talentu, na czym polega talent architekta, trudno powiedzieć, ale bez wątpienia jest coś takiego.

I tak długo się znają, tak długo. Poznali się na pierwszym roku, byli ze sobą, ale niezbyt poważnie, mówili sobie „kocham", chodzili do łóżka, ale cóż to wtedy mogło znaczyć. Nie wyobrażali sobie wiele, śmiali się, że są tak leniwi, że się pewnie zestarzeją razem z tego lenistwa właśnie, ale żadne z nich nie myślało o tym serio. A potem Ania wyjechała do Bostonu i zerwali ze sobą, pierdol się, i była pani doktor Niezgoda, która potem przestała wysyłać Jackowi rozkazy SMS-ami, bo zrozumiała, patrząc na Jacka na korytarzu, że kolejny rozkaz nie zostanie wypełniony i dlatego już nie może go wydać. I nie wydawała.

A potem Ania wróciła z Bostonu, nie miała złamanego serca. I najpierw zostali przyjaciółmi, i jeszcze oficjalnie nie chodzili ze sobą, ale już poszli ze sobą do łóżka, jakby tylko dla wspomnień, i Ania zaszła w ciążę, od razu, za pierwszym razem, i na przekór całemu światu, który nad tym ubolewał i załamywał ręce, oni się cieszyli, nikt nie rozumiał, jak mogą się cieszyć, życie sobie marnują, przecież teraz trzeba się bawić i pracować, skończyć studia, zacząć karierę, wyszaleć się, a oni się cieszyli. Bo Zosia. Od razu wiedzieli, że będzie Zosia, Zosia oznaczała ich miłość, Zosia była wcieleniem ich miłości i tej miłości objawieniem, od Zosi dowiedzieli się, że się kochają, wcześniej tej miłości nie widzieli, Zosia była ich miłością. Taka maleńka, kiedy się urodziła za wcześnie, dwa kilogramy sto, to były dwa kilogramy sto ich miłości, i teraz, taka duża, dwunastoletnia pannica, to trzydzieści osiem kilogramów ich wkraczającej w okres dojrzewania miłości, ich miłość szepcze z przyjaciółką o chłopcach.

I Barcz kochał Anię miłością jedyną i ostatnią. Nie wyobrażał sobie, aby mógł mieszkać z inną kobietą, nie wyobrażał sobie innej kobiety w towarzystwie jego córki, Barcz pewnie nawet nie wyobrażałby sobie, że można się z inną kobietą przespać, bo to byłoby niskie. *Cliché* — tak powiedziałby, z bezbłędnym akcentem. Więc Barcz sobie nie wyobrażał. Ale ja sobie wyobrażałem. A Barcza łatwo uśpić.

Ale może mylę się, może jest właśnie na odwrót, może to Barcz sobie wyobraża, a ja tylko czegoś szukam? To ja boję się śmieszności czy to Barcz boi się śmieszności?

I kim ona jest, pytam siebie i pytam Barcza, kim jest ta wesoła, gadatliwa kobieta, którą przez te lata Barcz ulepił na swoje podobieństwo i którą władał, a która władała mną, kim jest Ania, jak patrzy na mnie, kogo widzi? Wiem, jak patrzy na Barcza, z dumą. Okazał się godzien jej perfekcyjnej rodziny: ojca profesora, matki wiernej żony z doktoratem, trzydzieści pięć lat po ślubie, siostry, godzien okazał się Barcz domu w górach, zięć godzien jednej z idealnych córek, choć początek wydawał się taki niestosowny: w naszej rodzinie podobne rzeczy się nie zdarzały, u nas wszystko było i jest we właściwej kolejności. Ale dzisiaj to już wnuczka, która jest wybitną uczennicą w prywatnej szkole, a jakże! Ale kiedy Ania patrzy na mnie, to kogo widzi?

Przecież wie, ona akurat wie o mnie, wie, że jestem w Barczu schowany. Mały, wątły, słaby, głupi — jestem. Przerażony — jestem. Spragniony miłości — jestem. Głodny ciepła — jestem. I ona moje pragnienie i głód zaspokaja, ale czy na pewno wie? Może podejrzewa, że ja i Barcz to jedna osoba. Przecież jestem Jacek Barcz. Nawet ona może się tak pomylić.

I kim ja jestem, kiedy pytam, kiedy proszę o miłość, Anię, Martynę, panią doktor Niezgodę, która obejmuje mnie palcami? Czego szukam, czego od nich potrzebuję, na co liczę, co sobie wyobrażam, czego pragnę?

Pragnąłbym coś im dać, ale nie wiem co, nie wiem, czego mogłyby chcieć.

A potem Barcz wychodzi z Gramofonu, Martyna u jego boku, Martyna wypiła piwo, toma collinsa i long island iced tea, i jeszcze jedną. Martyna jest pijana, dłonie Martyny szukają dłoni Barcza, a może już moich dłoni? Ja idę za nimi. Czyją dłoń trzyma, pod czyje ramię wsuwa się jej miękkie ciało? Barcz je zna, widział niejedną, pijane zawsze szukają miłości i dotyku, jej usta szukają moich ust czy Barcza ust. A może w ogóle szukają po prostu innych ust. Chodźmy do mnie, tak mówi, czy to dobrze, że tak mówi, nie wiem, kogo zaprasza, mnie czy

Barcza, chodź do mnie, zapalimy skręta, mam w domu puszkę, chodź.

Czy powinienem? Jest pijana, czy pragnie mnie naprawdę, czy pragnie po prostu kogoś, kogokolwiek, więc może nie powinniśmy iść do niej, ale przecież tego chciał Barcz, czy ja tego chciałem, a może nie chcieliśmy, czego chcieliśmy?

Idziemy, oczywiście, że idziemy. Zamyka za nami drzwi, na łańcuch i na zasuwkę, i jeszcze jedną. Małe mieszkanie. Stoimy w małym przedpokoju. Ona patrzy na mnie, czeka, dobrze, że czeka, Barcz całuje ją, język znajduje jej wargi, jej zęby, jej język, ich oddechy i alkohol.

Odrywa się od niego, już wiadomo, co będzie, nawet nie trzeba słów. To nie jest już dziewczynka, przecież ma dwadzieścia pięć lat, przecież nie chodzi jej o to, by przytulali się na ławce w parku, o nie, ale odrywa się od niego. Zapalmy.

Barcz kładzie się na łóżku. Marynarkę odwiesza na krzesło. Ona rozpuszcza włosy, ściąga granatowy sweterek, wyciąga z drewnianego puzderka skręty, od razu dwa, ściąga spódnicę, podaje mu skręta, ściąga z niego koszulę, Barcz jej pozwala, kładzie się obok niego na łóżku już naga, zapala skręty, palą. Oblepia ich zapach dymu i czegoś jeszcze.

Jej dłonie szukają jego ciała.

Kocham cię, mówi Ania. Barcz patrzy na Martynę. Kocham cię, mówi doktor Niezgoda.

Jej dłonie znajdują jego ciało.

Kocham cię, tato, mówi Zosia. Kiedy tak ostatnio powiedziała? Kiedyś, kiedy miała pięć lat. Mówiła bez

przerwy: tatuś kochany. A wcześniej: tatuś jest alchitek-
tem. Kochany tatuś.

Martyna nad nim, jej włosy na jego twarzy, rozpuszczone. Kochamy cię, mówi Martyna. Całuje Barcza tam,
blisko miejsca, w którym ja jestem, nad pępkiem.

Chwytam jej głowę, przysuwam sobie do ust. Nalane
policzki pani profesor. Powiedz: obciągnij mi, ty kurwo,
rozkazuje doktor Niezgoda. Nie powiem tak, nie chcę
tak powiedzieć. Język pani profesor gruchocze moje zęby
Barcza.

Jesteś moim marzeniem, głos Ani z ust Martyny. Zosiu,
uciekaj stąd, Zosiu, nie patrz, Zosiu, wynoś się! Martyna
się śmieje. Zosiu, tatuś jest zajęty, daj spokój tatusiowi.

Martyna. Włosy Ani na mojej piersi. Martyna rozpina
mi pasek Barcza palcami pani doktor. Pani doktor obejmuje mnie palcami pani profesor. Jacek!, mówią razem,
obie — Jacek, Barcz, Jacek!, krzyczy Ania, westchnienie
Martyny. Zosiu, nie patrz!

Śmieje się. Ale jazda! Powiedz: obciągnij mi, ty kurwo.

Nie chcę tak powiedzieć. Powiedz, gnojku, albo koniec zabawy.

Obciągnij mi, ty kurwo! Martyna. Dlaczego tak powiedziałeś? Kim ja jestem dla ciebie, szmatą? Płacze, odsuwa się. Owija się prześcieradłem. Barcz milczy, ja milczę
i chciałbym płakać. Co ty sobie, kurwa, myślisz? Biorę
twojego fiutka do buzi, tak mówi, fiutka do buzi i możesz
tak do mnie mówić? Wynoś się, spierdalaj, wynoś, mówi
Ania.

Aniu, to nie tak. Wybacz mi, przepraszam, przysuwam
się. Ja nie chciałem.

Wynoś się, skurwysynu, wypierdalaj! Martyna, dlaczego, przepraszam, kocham cię, Martyna, ja nie wiem, co się dzieje, chcę być zawsze tylko z tobą, tylko ciebie kocham, Martyna. Nikogo innego, ciebie i Zosię. Wypierdalaj, słyszysz? Nie rób mi tego, Martyna, proszę cię, moje życie bez ciebie nie ma sensu. Co ty pierdolisz w ogóle? Płacze.

Przytulam ją. Wybacz mi, Martyna, przepraszam, nie utrzymuję prześcieradła, przytulam ją, stoję nagi przy niej i tulę ją. Nie odrzuci tych objęć, nie może, nie umie. Nadzy, rozebrani ze śmieszności. Ja ją obejmuję, nie Barcz. Wszystko będzie dobrze. To przez tego skuna, tak? Tak. Wybacz mi. Jej usta znajdują moje głodne usta, jej dłonie na ramionach Barcza, na szyi Barcza, na pośladkach Barcza, jej piersi rozgniecione na piersi Barcza, ale usta moje, mnie całuje, chociaż to Barcz jej dotyka, ja zlizuję jej łzy.

Kocham cię. Nie mów tak, błagam cię, nie mów tak, bo wiem przecież, a ja ciebie zawsze… Więc nie mów tak, skurwysynu, proszę, płacze, nie mów, tylko mnie całuj, nic nie mów. Kocham cię. Zamyka mi słowa w ustach, przykrywa mnie sobą, jej łydki wysoko. Kocham cię. Płacze i jęczy, i płacze. Daj mi w twarz. Nie chcę tak, bardzo panią proszę, nie chcę tak. Czego nie chcesz, jęczy. Przepraszam. Uderz mnie. Nie uderzę. Co? Uderz!

Pani doktor Niezgoda pod moimi biodrami, moje dłonie na jej szyi, pani profesor Niezgoda na fotelu obok, w jednej ze swoich dostojnych garsonek. Daj jej po ryju, suce się podoba, przypierdol jej, płacze, śmieje się głośno. Zosiu, nie patrz. Co tata robi tej pani? Nie patrz, Zosiu, nie patrz, nie możesz. Ania, zabierz ją stąd. Do kurwy nędzy, zabierz ją stąd!

Kocham cię, Ania, kocham. Płacze.

Zosiu, nie patrz. Zosiu, wyjdź stąd. Zosia patrzy, siedzi na kolanach pani profesor, piękną ma pan córkę. Martyna. Proszę, puść mnie, skamle cichutko, proszę, puść mnie, proszę, jęczy.

Ania, ja nie wiem, kim jestem. Chciałem cię kochać, ale ty kochałaś Barcza, a ja nie wiem, kim jestem, ukrywam się pod jego wątrobą, jestem bardzo maleńki, jestem obdartym ze skóry pisklęciem. Wiem o tobie, Jacek. Wiem. Kocham ciebie. Barcz nie jest mi potrzebny. A teraz uderz mnie, inaczej koniec zabawy. Ty kurwo. Daj mi w twarz. Uderz mnie! Biję.

Kochamy cię, Jacku. Jesteś cudowny, Jacku. Nie potrzebujemy Barcza, mówi Zosia, mówi pani profesor. Pani doktor Niezgoda przesuwa dłonią między pośladkami Barcza. Martyna milczy. Ty kurwo. Biję.

Weź mi otwórz, mówią drzwi. Co? Otwórz!, mówi Kolasiński. No, kurwa, dzwoniłeś! Ja dzwoniłem? Dzwoniłeś, ratuj mnie, Kolasiński, ratuj, bo napsociłem, ratuj. Dzwoniłem, nagle wiem: dzwoniłem.

Otwieraj, kurwa.

Co jest, człowieku? Otwieram. Weź, kurwa, ubierz się, chujowo trochę fiuta z rana oglądać. Co? No, ubierz się! Co się stało? Jezu, jaki ty jesteś porobiony. Wciągałeś coś? Co się stało?

No to co, poruchałeś sobie i co z tego? Co się stało, gdzie jest dziewczyna? W Warszawie. No jak to w Warszawie? No to może w katedrze, nie wiem, ale chyba jest w Warszawie, z Anią, to znaczy Niezgoda, z Zosią. Dobra, stary, zamknij się już.

Gdzie ona jest?

O dobry Jezu.

Coś ty zrobił, człowieku? O kurwa, coś ty zrobił.

Co ty robisz? Jakie pogotowie? Popierdoliło cię? Daj mi ten telefon, idioto, zamknij się, siadaj tutaj i się nie ruszaj.

Nie martw się, załatwimy to jakoś. Tak, żyje. Oddycha, to żyje. To przez narkotyki. Załatwimy to, nie martw się. Oczywiście, że potrzebuje lekarza, ale jak tu przyjedzie pogotowie, to po tobie, idioto. Wiem, kto się tym może zająć.

Co ja zrobiłem, co ja zrobiłem...? Kurwa, co ja zrobiłem?

Zrobiłeś, co zrobiłeś, poradzimy sobie z tym, nic się nie martw, Jacek.

Kochany Kolasiński.

2010

TAK JEST DOBRZE

Próbował rozmawiać z Bogiem, ale naj-
lepiej było, gdy rozmawiał z ojcem, więc
właśnie z nim rozmawiał i nigdy nie zapo-
mniał. Kobieta powiedziała, że to nic złego.
Powiedziała, że jego oddech to oddech Boga,
co to przechodzi od człowieka do człowieka
przez całe dzieje.

CORMAC McCARTHY, *Droga*
(przeł. Robert Sudół)

Mały drepcze w swoich gumiakach po tundrze i ciągle
znosi drewno, tylko te mniejsze kawałki. I jak to on: powoli, systematycznie, starannie układa te belki i deseczki
obok kręgu z cegieł, w którym Nikodem rozpala ognisko.
Cegły pozostały tu po Rosjanach.

Magnezjowe krzesiwko, które kupił w outdoorowym
sklepie, podobno wiatro- i wodoodporne, rzeczywiście
było odporne na wszelką aurę i przy każdej pogodzie szary słupek metalu, szarpnięty ostrzem noża, dawał piękny snop iskier. Tyle że od tych iskier nic się nie chciało
zapalić, nawet papier podarty na włókna. Na szczęście
oprócz norweskiego krzesiwka wrzucił do plecaka parę
kolorowych, jednorazowych zapalniczek bic.

Włożył w ogień dwie spore kłody, które służyły jednocześnie za paliwo i za ruszt. W czajniczku powoli pod-

grzewa się woda ze strumienia. Nikodem oszczędza gaz na takie biwaki, na których nie będzie mógł rozpalić ogniska. Tata. Obiadek?, pyta Mały. Spaghetti bolognese, mówi Nikodem i otwiera srebrną torebkę z liofilizatem. Lubisz? Mniam, mówi Mały i siada na ławeczce przy ognisku, na ławeczce. Ławeczkę Nikodem urządził, kładąc na dwóch cegłach wielką belkę, którą znalazł na starej przystani rosyjskiego promu. Mały macha nóżkami w czerwonych kaloszkach. Prom nie pływał tutaj już od pół wieku i wody zatoki Coles znów przemierzają leniwe stada białych waleni, wielkich jak perszerony, ich jasne grzbiety błyskają w czarnej wodzie.

Pokrywka czajniczka unosi się i czajniczek wzdycha, wypuszczając obłoczek pary. Zaraz będzie. Nie zimno ci?, Nikodem patrzy na Małego, na jego niebieski polarek i brudne, wodoodporne podobno spodnie. Nie, Mały kręci głową. Cieplutko, tata. Dobra. Ale czapki nie ściągaj, dobra?, upewnia się. Dobra.

Zalewa suchy proch liofilizatu wrzątkiem, zakręca torebkę i odstawia, żeby się dobrze uwodniło. Po fiordzie, daleko, idzie obojętny patrolowiec norweskiej straży przybrzeżnej, wojenny lodołamacz. Nie tak piękny, jak te najeżone działami okręty wojenne z drugiej wojny światowej, których modele Nikodem sklejał z tektury, kiedy był dzieckiem. KV „Svalbard" jest gładki i elegancki, główna nadbudówka ma pochyłe ściany, dla niewprawnego oka o wojennym charakterze okrętu przypomina tylko samotne działko na dziobie. Od Fuglefjella do zatoki spływa wielka chmura i gdyby nie oglądał tej chmury od paru dni, byłby pewien, że zaraz przykryje całą zatokę, Colesdalen i wszystkie inne okoliczne doliny. Ale chmura tylko wisi, uczepiona pół kilometra nad poziomem morza, do górnej powierzchni płaskowyżu na drugim brzegu zatoki, jak piana na kuflu piwa. Tata! Miś! Tam!, woła Mały. Uhm, na pewno, śmieje się Nikodem, ale i tak wstaje, wyciąga z kieszeni małą lornetkę i lustruje powoli stoki Nordhallet, i w końcu dostrzega zwierzęta.

To renifer, synku, tłumaczy cierpliwie. Aha. Renifer, zgadza się Mały. Boimy się?, pyta jeszcze, po chwili. Nie, nie boimy się. Tata ma karabin, jakby przyszedł miś, to mu powiemy, że ma się wynosić. A jak nie pójdzie? To go zastrzelimy. Na śmierć? Tak. A renifer? Renifer nam nic nie zrobi, bo je tylko trawę. Trawę? Chłopczyków nie? Nie. Tylko trawę. Chłopczyków nie.

Rybitwa wrzeszczy. Biały larus dobiera się do jej gniazda. Nikodem podnosi do oczu lornetkę: mewa człapie po tundrze, jest ogromna, wielkości małego orła, nie zwraca wcale uwagi na wściekłe ataki maleńkiej rybitwy. Na co patrzysz, tata? Daje lornetkę Małemu. To mewa blada, synku, rabuje gniazdo rybitwy polarnej. Aha.

Tata. Mały oddaje lornetkę. No? Obiadek. Jeszcze chwila, bo znowu będziemy jeść suche, jak wczoraj, też nie mogłeś wytrzymać. Jeszcze pięć minut.

Ale renifer chłopczyków nie? Nie.

Siedzą przez chwilę w milczeniu, bo Mały zainteresował się kawałkiem drutu, kolejną pozostałością po Rosjanach, i grzebie tym drutem w żarze. W końcu Nikodem otwiera paczkę z uwodnionym już liofilizatem i dzieli jedzenie na dwie porcje. Mały trochę je sam, swoją łyżką, w tym czasie Nikodem pochłania całą swoją część, aby potem nakarmić syna resztą jego porcji. Am, mówi Mały za każdym razem, kiedy zamyka usta na łyżce ze spaghetti.

Po kolacji przychodzi czas na wieczorną toaletę: siku, mycie rąk i buzi w strumieniu, wspólne mycie zębów, a potem wycieranie szyi, brzuszka, pach i pupy nawilżanymi chusteczkami. Spali w jednym śpiworze, przytuleni, albo Mały spał w śpiworze, a Nikodem obok, w polarowej wkładce do śpiwora, założywszy uprzednio wszystko, co tylko mógł na siebie założyć. Przed spaniem zaś należało opowiedzieć bajkę. Ale dzisiaj ja opowiem, tata. Dobra, opowiadaj.

Był sobie król. Miał swoją królowę...

Królową, poprawia Nikodem. Królowę, nie przeszkadzaj, tata. Dobra. Uśmiecha się, otacza ramiona chłopaka swoim ramieniem. Był sobie król. Miał swoją królowę i królowicza. I się bardzo kochali. Aż przyszedł zły czarodziejak i zaczarował króla. I król był niedobry dla królowy, a ona była niedobra dla królowicza. Ale potem wszystko dobrze się skończyło.

I żyli długo i szczęśliwie, kończy za Małego. Tak, tata. Żyli długo i szczęśliwie.

Nie da sobie z tym rady. To jednak obłęd.

Śpij, synku, dobranoc. Dobranoc.

Mały zagrzebuje się w śpiwór. Nikodem leży przy nim i czeka, aż oddech chłopca się uspokoi, wyrówna. Wtedy wychodzi z namiotu, dorzuca trochę drewna do ognia, stawia nową wodę na płomienie i siada. Przysuwa do siebie karabin i lornetkę. Zza chmury na Fuglefjella wyłania się nagle samolot, boeing linii SAS Braathens, błyska stroboskopowym światłem. Leci do Oslo albo do Tromsø. Kiedy jest już wysoko, przewala się na skrzydło, zmienia kurs. Nikodem zalewa dwie torebki liptona w dużym kubku, czeka, aż napar naciągnie, słodzi obficie. Z napierśnej kieszeni miękkiego softshella wyciąga paczkę tytoniu, bibułki i prostą maszynkę, nawiniętą na dwie rolki taśmę. Skręca cienkiego papierosa i pali, popijając słodką herbatą.

Nad zatoką przelatują gęsi, czarno-białe i tłuste. Plażą truchta lis polarny, wygląda jak trędowaty ze swoją obłażącą płatami sierścią. Słońce liże lodowce po drugiej stronie Isfjordu, dotyka masywu Protektorfjellet, innych gór, ale nie zachodzi, będzie tak się lepiło do horyzontu do rana, aż w końcu się oderwie i pójdzie w górę.

Nikodem postanawia, że wypali trochę afgana, którego dostał od Andriuszy, Ruskiego z Barenstburga. Poznał go w jednym z barów w Longyear. Andriej był urzędnikiem Arktikugolu, niezbyt szczęśliwym z tego, jak to określał, zesłania, przyjeżdżał do Longyearbyen, kiedy tylko mógł, i Nikodem wcale mu się nie dziwił. U Norwegów w Longyear miał wszystko: knajpy, supermarket, kino nawet, młode studentki z UNIS. W Barentsburgu — nic. Był tam dwa lata temu i nie znalazł nawet sklepu, tylko obskurny bar w jeszcze obskurniejszym hotelu.

Więc Andriej bawił się w Longyear i w sumie z przyjemnością napił się z tym samotnym, ponurym Polacziszką. Gadali po angielsku, wplatając czasem słowiańskie słowa w ten germańsko-romański światowy wolapik. Wtedy Andriej z przyjemnością obdarował Nikodema woreczkiem z marihuaną, za którą nawet nie przepadał. Nie zamierzał jej palić, a miał spory zapas, bo był to dobry sposób na zaciąganie do łóżka Norweżek z UNIS-u.

Wyciąga teraz zamykany na żyłkę woreczek z poskręcanymi jak owadzie trupy pękami konopi, rozciera odrobinę z tytoniem, robi skręta. Zaciąga się płytko. Trochę boi się niedźwiedzi, nie chciałby odurzyć się zbyt mocno, chce tylko małego rauszu.

Chociaż przecież po to tutaj przyleciał. To znaczy nie po to, żeby palić marihuanę, tylko po to, żeby się odurzyć. Pustką, przestrzenią, zmęczeniem i nocnym czuwaniem nad fiordami, zimnymi jak trupie palce przypływami oceanu.

Nikodem wstaje, rozgląda się. Nie ma niedźwiedzia, oczywiście, że nie ma. Zarzuca pasek karabinu na ramię, idzie z dwiema butelkami po wodzie mineralnej do strumienia, zanurza je delikatnie, tak żeby tylko część światła szyjki butelki była w wodzie. Wypełniają się powoli, a cieknący w strumieniu lód parzy mu palce i barwi na ciemno nubuk nieprzemakalnych butów, kiedy te powoli zagłębiają się w grząskich, podciekających wodą mchach.

Podobno gdzieś w tych strumieniach i jeziorkach są ryby, wielkie i małe palie alpejskie. Przypominają dużego pstrąga. A wielkie i małe, bo w jeziorach żyją dwie populacje. Małe palie, żywiące się jakimiś tam paprochami, i duże, żywiące się małymi. Przed wylotem wymyślił sobie, że spróbuje jakąś złowić, oprawi i zje, chociaż nigdy nie łowił ryb, ale cóż to za filozofia spróbować, wrzucić haczyk z błystką do wody i ciągnąć. Nawet zabrał żyłkę i kotwiczkę z błystką, wytłumaczył się z ignorancji miłemu sprzedawcy w sklepie wędkarskim i ten pomógł mu wybrać.

To też miał być element odurzenia. Głębiej zanurzyć się w dziczy. Zjeść coś, czego nigdy nie badał żaden inspektor, co nigdy nie leżało w fabryce ani w sklepie, zjeść coś, co się samemu upolowało, złowiło. Ciągle sądził, że to naprawdę ważne. Kiedy był dzieckiem, często jadł jedzenie, za które nie trzeba było płacić: jabłka z dziadkowego sadu, gęsi, kury i baraninę. Chociaż dziadek nie był przecież chłopem ani nawet chłoporobotnikiem, nie pracował fizycznie, był kierownikiem jakiegoś działu w elektrociepłowni. Ale w dużym ogrodzie kiedyś pasły się gęsi i pasł się baran, którego śmierć Nikodem pamiętał tak dobrze: oglądał ją z okna na piętrze murowanego domu. Rzeźnik strzelił baranowi w łeb, a potem poderżnął mu gardło, podwieszając go za tylne nogi na poprzeczce wyglądającej jak stalowy wieszak do ubrań. I dalej: obdzieranie ze skóry, patroszenie, ćwiartowanie — nie pamiętał już, w jakiej kolejności. Wszystko to powinno zostawić w psychice sześcio- czy siedmioletniego chłopca jakiś wyraźny ślad, tymczasem śladów nie było. Białe baranie jelita suszyły się na sznurach jak chińska dekoracja noworoczna. Potem rzeźnik napełniał te jelita, używając maszynki, i Nikodem ciągle pamiętał, po tylu latach, smak mocno wędzonych, cienkich kiełbasek, za które nikt nigdy nie wyznaczył ceny.

Skręt z marihuaną gaśnie. Nikodem zapala go ponownie, zaciąga się parę razy i resztę wrzuca do ognia. Przez chwilę pachnie konopiami, potem wiatr przegania dym i zostaje już tylko woń płonącego drewna i próchna suszącego się obok ogniska, rybi zapach morza i torfowy zapach błota, spod mokrej tundry.

Nikodem marznie.

Wstaje, spod tropiku zabiera mały toporek na kompozytowym trzonku, po czym sprawnie rąbie na cieńsze szczapy żywiczny kawał dryftowego drewna, dorzuca do ognia, obok ogniska robi się cieplej.

Tata!

Nikodem otwiera zamki błyskawiczne tropiku i sypialni, ze ściągniętego sznurkiem otworu śpiwora patrzą na niego wielkie, brązowe oczy, błyszczące od łez, które jeszcze nie pociekły po policzkach. Już dobrze, już. Obudziłem cię rąbaniem? Nie. Tata, czy ja umarłem?

Głuptasku, to sen. To tylko sen. Dotyka chłopięcego czoła, ale Mały nie ma gorączki. Nie umarłem? Nie, syneczku, to był tylko sen. Aha. Kładzie się obok, tuli to małe ciałko, pod puchem śpiwora czuje chude ramiona synka, głaszcze go po główce i Mały zasypia prawie natychmiast.

Czy ja umarłem?

Nikodem wychodzi z namiotu, siada przy ogniu. Z Synndalen, odnogi doliny Coles, wylewa się gęsta chmura i rozpełza po szerokiej, podmokłej, nadmorskiej równinie, nad bagnistą deltą Coleselvy. Przekraczali wczoraj te rozlewiska, miał wędkarskie wodery, zakrywające prawie całe uda. Gumiaczki Małego nie były wyższe niż dwadzieścia centymetrów, więc szli na raty. Przenosił chłopca na ramionach, Mały sam się musiał trzymać, bo Nikodem podpierał się kijkami, błoto było bardzo śliskie. Potem Mały czekał na jakimś suchszym kawałku tundry, a Nikodem wracał po plecak, ale nigdy dalej niż dwadzieścia, trzydzieści metrów, tak żeby Mały cały czas go widział.

Jutro pójdą dalej. Kilka godzin drogi stąd stoi chata, otwarta i gościnna, w środku są prycze, stół i żeliwny piec na węgiel. Pomieszkają tam trochę, jeśli będzie pusta, a pewnie będzie.

Buty mu ciągle nie przemokły i nie przestawał się temu dziwić. Po raz pierwszy nie przemokły mu tutaj buty, chociaż zawsze miał porządne, trekkingowe, z goreteksem i wszystkim, co trzeba. Teraz kupił sobie obrzydliwie drogie, uszyte z jednego kawałka skóry, porządnie je zaimpregnował, ale i tak był przekonany, że nie wytrzymają i że najpóźniej drugiego, trzeciego dnia marszu przemokną. A te nie przemokły. Poruszał palcami w ciepłych skarpetach. To dobre buty.

Szkoda, że Mały ma gumowce zamiast porządnych butów do chodzenia. Kupiłby mu takie. Widział dobre marszowe buty nawet dla tak małych dzieci. Ale, z drugiej strony, szli tak wolno, że może gumowce były lepsze dla Małego. Nie miał otarć ani odcisków na stopach, Nikodem sprawdzał codziennie, małe skarpetki zawsze były suche.

Robi sobie nowy kubek herbaty. Przez lornetkę gapi się trochę na unoszące się na falach larusy, potem zauważa w wodzie jakiś czarny kształt i po dwóch kwadransach obserwacji ciągle nie potrafi stwierdzić, czy to syberyjska kłoda, czy foka albo dwie foki.

Nie chce mu się spać, nie chce mu się też czytać. W końcu wyciąga z kieszeni mały notes i pióro, notuje datę i miejsce, brzegi zatoki Coles, niedaleko Vestpynten, ale dalej już nie potrafi znaleźć słów. Długo patrzy na pustą stronę. W końcu pisze dwa zdania o pogodzie. Z wielofunkcyjnego GPS-u przepisuje dane: temperatura pięć stopni powyżej zera, ciśnienie dziewięćset dziewięćdziesiąt hektopaskali. Patrzy na morze: wiatr — nie więcej niż jeden w skali Beauforta, w porywach może do trzech. Stan morza — jeden.

Chciał jeszcze pisać o zachmurzeniu, ale w końcu uznał, że to jednak idiotyczne.

Kiedy przyleciał na lotnisko w Longyearbyen sześć dni temu, pogoda była dokładnie taka sama. Tylko drugiego dnia wiało, od fiordu ciągnęło straszną szóstką. Namioty na kempingu obok lotniska gięły się jak bańki mydlane, ale nie pękały, chociaż spało się strasznie, kiedy skrzypiały wygięte pałąki z włókna węglowego, jęczały linki i czasem jakiś fragment tropiku wpadał w dziki łopot, jak seria z pistoletu maszynowego, i trzeba było wyłazić ze śpiwora i dopinać dokładnie zamki błyskawiczne, przyciągać linki, żeby w ogóle dało się spać.

Przespał się tamtej nocy z nieładną, rudą Belgijką, która pracowała w obsłudze kempingu. Była młodsza od Nikodema o dobrych dziesięć lat, przysiadła się, kiedy w mesie gospodarczego budynku na kempingu otworzył sobie butelkę wina. Może myślała, że szuka towarzystwa, i nie zniechęciła się, kiedy na jej pytanie, wygłoszone tą śmieszną angielszczyzną z francuskim akcentem, czy może się dosiąść, odburknął tylko, że *you're welcome*, i wykonał niezbyt zachęcający ruch ręką. Więc dosiadła się, piła jego wino, potem przyniosła swoje, pili razem, na imię jej było Sonia, miała również jakieś nazwisko, ale Nikodem go nie zapamiętał. Głównie ona gadała: o studiach i o pracy na kempingu, u Niemca nazwiskiem Umbreit, który pisze również przewodniki dla turystów. Potem się upiła i zaczęła płaczliwie paplać o tym, że jest samotna i brzydka. Nikodem, również lekko już pijany, stał się nieco bardziej czuły i, trochę bez przekonania, zapewniał ją, że to nieprawda. Na szczęście nie pytała go o nic, tylko o zawód. Powiedział jej, że jest reporterem w podróżniczym piśmie. Śmiali się, że w takim razie oboje są tutaj w pracy. Potem spodobała mu się bardziej, bo ściągnęła polar i zobaczył obcisłą, trekkingową koszulkę szczelnie opinającą duże, miękkie piersi, które drżąc przy każdym geście dziewczyny, odwróciły jego uwagę od jej podłużnej, grubo ciosanej twarzy, od zbyt małych i zbyt szeroko rozstawionych oczu i kartoflanego nosa.

Ale nie uwodził jej, nie miał na to siły, w końcu ona sama, pijana, nowoczesna i znużona konwersacją w nielubianym języku, chwyciła go za ręce i powiedziała cicho — *I want you to fuck me*. I wcale nie powiedziała: *I want to fuck you*, jak te wszystkie nowoczesne kobiety, które wiedzą, czego chcą. Nie, powiedziała: *I want you to fuck me. But I don't have condoms*, powiedział. *That's OK, I have them*, odparła. Prezerwatywy to była tylko głupia wymówka, w ogóle chciał jej odmówić, był na takie rzeczy za stary i zbyt obojętny. Był zupełnie martwy, ale w wypalonej duszy zrobiło mu się jakoś żal tej niezbyt ładnej Soni, która studiuje *marine biology* i dorabia sobie pilnowaniem jedynego kempingu w Longyearbyen. Wzięli więc śpiwory i poszli do namiotu Nikodema.

Była raczej nieporadna, pewnie nie miała wielu mężczyzn, ale żywiołowo reagowała na jego pieszczoty, aż przez chwilę trochę się wstydził, że dziewczyna tak głośno wzdycha i jęczy, przecież namiot nie jest dźwiękoszczelny — ale zaraz stwierdził, że kogo to obchodzi, niech sobie krzyczy. Zasnęli przytuleni. Z całej tej przygody to było najprzyjemniejsze, spać nago, w zimnym namiocie z ciepłą dziewczyną, dotykać udami jej ciepłych pośladków i podtrzymywać miękkie piersi, w ciepłych, polarniczych śpiworach z edredonowego puchu, pachnących seksem. I słuchać wycia lodowatego wiatru na zewnątrz.

To było jeszcze w liceum, pierwsze wyjazdy w góry. Z Dorotą. Potem dalekie, backpackerskie podróże za trzysta dolarów, długie miesiące w Indiach, w Argentynie, w Afryce i w Mongolii, te śmieszne czasy, w których pozostawieni w samotności, nie potrafili spędzić kwadransa bez wepchnięcia sobie języków w usta i dłoni pod ubrania. I potem ich pierwsze małżeńskie łóżko, wielkie jak lotniskowiec, miłość dojrzała i umiejętna, ciepła, mądra i piękna. Łóżeczko Małego obok ich łóżka.

Teraz biała skóra Belgijki nakrapiana bladymi piegami pod jego dłonią. I jej ciepło.

Rano poszła sobie szybko i kiedy Nikodem wstał, pozbierał rzeczy i w mesie zrobił sobie śniadanie, ona była już w swoim kantorku dla obsługi. Uśmiechnęła się, puściła oko, ale nie rzuciła mu się na szyję, nie obsypała pocałunkami. Bo i po co?

Po śniadaniu spakował namiot, plecak, na plecaku powiesił karabin, wziął kijki i ruszył w kierunku Bjørndalen. Tyle razy wychodził już z Longyearbyen i nigdy nie wyszedł inną drogą, nigdy nie poszedł w górę Adventdalen ani przez lodowiec do Fardalen, zawsze szedł powoli, wzdłuż pasów startowych lotniska, do Vestpynten i potem aż do wylotu Bjørndalen. I potem już zmieniał trasy: albo wspinał się na Fuglefjella, albo wlókł się w górę doliny, aż do podnóży Lindströmfjellet.

Tym razem wybrał podejście. I w połowie drogi, jak za każdym razem, był przekonany, że wyżej się już naprawdę nie da. Ciężki, prawie trzydziestokilogramowy plecak, obciążony dodatkowo karabinem, ściągał go w dół, spod butów usuwały się kamienie, jak małe lawiny. Prawie całą drogę przebył jak na czworakach, puszczał kijki na paski i pomagał sobie dłońmi. Często musiał robić długie trawersy, szukając wśród zwietrzałej skały ścieżek w górę. I nigdy nie pamiętał, która z dwóch górnych odnóg pierwszego od strony morza żlebu jest lepsza, i jak zwykle wybrał złą, lewą. I na koniec, na samym prawie szczycie klifu, śliskie błoto, zmieszane z rzadką trawą.

I kiedy usiadł na równym jak stół szczycie płaskowyżu, otworzył sobie piwo, zabrane specjalnie z myślą o uroczystym podsumowaniu wspinaczki. Patrzył na fiord, na strome klify z drugiej strony Bjørndalen i jak zwykle nie wierzył, że znowu udało mu się to podejście, ta wspinaczka po skruszonej skale.

Nie był nawet zmęczony, po kwadransie mógł już iść dalej, ale nigdzie mu się nie spieszyło, a ze szczytu Fuglefjella, zwykle przykrytego chmurami, rzadko miał okazję podziwiać takie widoki, rozbił więc szybko namiot, na gazie ugotował sobie wodę do liofilizatu i na herbatę i leżał potem w śpiworze w otwartym namiocie, i gapił się w przestrzeń. Zabrał ze sobą *Wilka stepowego* Hessego, czytał obojętnie i mechanicznie, potem znowu gapił się na morze, na lodowce, aż w końcu zasnął — pierwszy nocleg poza kempingiem.

Rano zebrał się szybko, zjadł na śniadanie kuskus z tłustym sosem, wypił wielki kubek rozpuszczalnej kawy i poszedł drogą, którą znał tak dobrze, że nie musiał wyciągać ani mapy, ani GPS-u. Z Fuglefjella, omijając wyżłobione strumieniami kaniony i żleby, trzeba przejść na przełęcz pod Lindströmfjellet, trzymając się z dala od moreny czołowej lodowca. Należy tam znaleźć ledwie widoczne na tundrze resztki starej, ruskiej drogi z lat pięćdziesiątych albo jeszcze starszej. Potem trzeba się tylko tej drogi trzymać przez jakieś sześć czy siedem kilometrów. Idzie się wygodnie, po poziomicy na zboczach Lindströmfjellet tundra nie jest zbyt podmokła, chociaż suchą nogą przejść nie ma szans. W końcu, w pewnym miejscu, Nikodem dobrze wiedział w którym, należy odbić w dół, w stronę brzegów zatoki Coles.

Więc szedł tą samą drogą, po raz siódmy czy ósmy, nie umiał się doliczyć. Był sam i była to piękna samotność, samotność spokojna i przynosząca ulgę.

Schodząc ku morzu, trzeba wybrać dobry, niezbyt stromy żleb, bo inaczej idzie się bardzo powoli i zejście jest dość niebezpieczne. To znaczy nikt się w tym żlebie nie zabije, ale nogę skręcić łatwo, albo złamać nawet, bo kamienie mokre i śliskie, a Nikodem był sam i trochę się takiej ewentualności obawiał.

Kierował się do chatki Rusanowa, zbudowanej podobno przez rosyjskiego polarnika o tymże właśnie nazwisku jakieś sto lat temu. Nie miał pojęcia, czy z oryginalnego domku coś tam jeszcze zostało. O chatę bez wątpienia ktoś się troszczył, robił remonty. W arktycznym klimacie opuszczony budynek po dwóch zimach wyglądał, jakby nikt się nim nie zajmował od lat dwudziestu. Połowę chaty zajmowało samoobsługowe muzeum Rusanowa, treściowo i formalnie radzieckie, wyposażone jednakowoż w księgę pamiątkową z wpisami sięgającymi początku lat osiemdziesiątych i w ustawione ładnie pod ścianą łóżka polowe — w drugim pomieszczeniu stały piętrowe prycze, stół i piec.

Nikodem zatrzymywał się u Rusanowa za każdym razem, kiedy przyjeżdżał na Spitsbergen. Zawsze wpisywał się do księgi. Z chaty roztaczał się piękny widok na zatokę Coles oraz na fiord Is. W zasięgu krótkiego spaceru były mroczne, industrialne ruiny radzieckiego portu, obsługującego kiedyś, dawno temu, kopalnię w Grumantbyen.

Norwegowie nawymyślali setki idiotycznych praw, które miały chronić polarną przyrodę i dziedzictwo kulturowe, więc nocleg był tam — teoretycznie — zabroniony. Podobnie nie można zatrzymywać się w żadnych budynkach, nawet w tych otwartych i ewidentnie przez Rosjan przygotowanych do tego, aby służyły wędrowcom za schronienie, jak chatka Rusanowa czy podobna na Nordhallet. I to nie tylko w środku — namiotu nie można rozbijać bliżej niż sto metrów od nich. Ogniska wolno palić, ale nigdy z drewna, które nosi ślady obróbki przez człowieka. Nikodem śmiał się kiedyś, że sam fakt, iż drewno znalazło się na Svalbardzie, jest jednoznacznym śladem obróbki przez człowieka, bo przecież nie ścięły się same syberyjskie modrzewie, spławiane w dół Leny czy Jeniseju, które wymknęły się flisakom i które, niesione oceanicznymi prądami, oszlifowane przez piasek i żwir, lądują na svalbardzkich plażach. A innego drewna na Svalbardzie nie ma, bo po Rosjanach, obok innych śmieci, zostały ogromne sterty desek i belek z lat sześćdziesiątych i siedemdziesiątych, które świetnie nadawały się na ogień. A jeśli zaliczyć je do dziedzictwa kulturowego, to nie miał racji Sokrates, kiedy mówił, że tłum ludzi nie jest armią, tak jak sterta cegieł nie jest domem.

Nikodemowi kiedyś sprawiało wielką frajdę to, jak głęboko w dupie Rosjanie mają norweskie regulacje. Od zakazu posiadania kotów (bo mordują ptaszki polarne, wredne kociska), które Rosjanie w Barentsburgu oczywiście trzymali, po — tak samo ignorowany — zakaz lotów helikopterem.

Ale to było kiedyś, kiedy Nikodema obchodziły różne sprawy. Żył wtedy z pisania podróżniczych relacji — od Spitsbergenu po Malediwy — i mimo że były to bzdury dla spasionych burżujów szukających nowego miejsca na wakacje i że to wszystko, o czym pisał, zawsze było pełne emocji, pisał właśnie o takich sprawach. Teraz nie napisałby już niczego.

Teraz chciał tylko samotności, chciał słyszeć wieczny rytm fal, patrzeć, jak odpływ odsłania przybrzeżne kamienie i jak oblepiają je wodorosty, nagle nie zwiewne, lecz obślizgłe, zawstydzone swoją nagością. Patrzeć, jak wydrzyk, w codziennym znoju, wydziera z dziobów rybitwom i mewom swój chleb powszedni. Może zresztą chciał, żeby którejś nocy jego ludzki zapach poczuł *ursus maritimus*, żeby przyszedł do namiotu i zabił Nikodemowe ciało jednym ciosem niedźwiedziej łapy. A potem niech żre to, co z Nikodema zostało.

W magazynku karabinu, który niósł, schodząc do Rusanowa, spoczywało pięć ładunków, każdy z pociskiem grzybkującym. Uderzając w ciało, taki pocisk rozwija się jak kwiat lilii i drąży szerokie, straszne korytarze w niedźwiedzim mięsie. Ale Nikodem nie był przekonany, czy sięgnąłby po broń, gdyby w końcu — po tylu latach — pośród letniej tundry spotkał niedźwiedzia. Widział ich kilka, kiedy za firmowe pieniądze był na zimowym safari. Grzali na skuterach przez Spitsbergen: zupełnie biały, bez morza i bez tundry, wszystko tak samo zamarznięte i przykryte śniegiem. Był kwiecień, zaczął się już dzień polarny, na błękitnym niebie słońce świeciło jak szalone przez zamarzłe powietrze. I widzieli niedźwiedzie, tłuste po całej zimie ucztowania na fokach, skore do zabawy. Oglądali je przez lornetki i przez grube pięćsetki, podłączone do canonów i nikonów, a Nikodem nie myślał wtedy o niczym innym, jak tylko o tym, kiedy skończy się ten monochromatyczny koszmar, kiedy w końcu wróci do Longyear, wsiądzie do samolotu i wyjedzie z tej białej pustyni do Doroty i do Małego. I potem wróci na Svalbard latem, kiedy śnieg będzie leżał, a jakże, ale tylko w łatach i płachtach, w zakamarkach żlebów i w osłoniętych od słońca dolinach, a Spitsbergen będzie w tych wszystkich odcieniach żółci, zgniłej zieleni, brązu i czerni skał, przecinanych brudną bielą lodowców.

Zimą to była inna kraina, zimą to nie był Spitsbergen Nikodema. Dlatego zimowych spotkań z niedźwiedziami, tak nieuniknionych i raczej bezpiecznych — bo niedźwiedzie zimą były najedzone — nie liczył. Liczył na chudego, wściekłego z głodu, trzystukilogramowego samca, którego sierść jest brudna i pożółkła, a który mógłby się na Nikodema zaczaić gdzieś, za kamieniem — bo niedźwiedź polarny to nie lew ani bawół, które człowieka atakują tylko w ostateczności. Głodny *ursus maritimus* na człowieka zapoluje tak samo, jak poluje na renifera albo na lisa — z niechęcią (bo gdzież temu kościstemu mięsu do tłuszczu spod foczej skóry), ale jak na zwykłą zwierzynę. Nie wie jeszcze najwidoczniej niedźwiedź polarny, że homo sapiens to korona stworzenia.

Nikodem liczył na tego głodnego niedźwiedzia. Niech to będzie ten pierwszy raz, latem. Kiedyś spotkany na szlaku Norweg powiedział Nikodemowi, prowadzącemu wtedy czterech warszawskich menedżerów średniego szczebla ku wylotowi Reindalen, że w pobliżu widziano samicę, co nie załapała się na odejście lodów i została na tym świecie, który bez fok stał się dla niej głodową pustynią. Warszawscy krawaciarze natychmiast podniecili się tak bardzo, że Nikodem zastanawiał się, czy erekcja pod sztywnym goreteksem nie przeszkadza im w marszu. On sam martwił się i bał. Najbardziej — wszystkich formalności, których trzeba by dopełnić, gdyby zmuszeni byli niedźwiedzicę zastrzelić, a które mogłyby skutecznie zniweczyć dalszą część trekkingu. Bał się też, czy najgłupszy z warszawiaków, pan Marcin, czterdziestoletni, rzutki poszukiwacz „życia na krawędzi” — w środku wypalony jak Hiroszima — na sam widok niedźwiedzicy nie zacznie walić do niej ze swojej sportowej strzelby, którą przywiózł na Spitsbergen z dumą i której poświęcał więcej czasu niż żonie. O tym z kolei wiedzieli wszyscy towarzysze podróży, bo pan Marcin nie omieszkał o swoich stosunkach z żoną opowiedzieć, łącznie z pikantnymi szczegółami życia intymnego: z nią i z prostytutkami. Miał przy tym mocne konserwatywno-liberalne poglądy: nienawidził feministek, socjalistów i nierobów oraz wszystkich tych, którzy byli zbyt głupi albo zbyt leniwi na to, by dużo zarabiać.

Ale to było dawno temu, w innym życiu. Teraz widział już czerwone ściany i dach chatki Rusanowa, szedł jednak powoli, czuł w kolanach i w kręgosłupie wagę plecaka. Gdyby dzisiaj miał wędrować parę dni z takim panem Marcinem, zapewne zastrzeliłby go na pierwszym postoju. I to nie jest retoryczna przesada — po prostu, wtedy bał się administracyjnych komplikacji po zabiciu niedźwiedzia, bo zależało mu na tylu sprawach, wszystko wtedy było ważne. Teraz nie zależało mu na niczym i nic nie było ważne, dlaczego więc miałby znosić towarzystwo takiego pana Marcina, skoro mógłby się od niego uwolnić za pomocą jednej kuli? Pan Marcin zbyt przypominałby jego samego, aby mógł wytrzymać takie towarzystwo. Nie znosił luster i nie znosił ludzi, którzy byli doń podobni — to znaczy nie podzielał bynajmniej poglądów pana Marcina. Pan Marcin po prostu był takim mężczyzną, jakim Nikodem był kiedyś, poglądy nie są tu ważne, był silny, pewny siebie, zdecydowany, ekspansywny.

A do niedźwiedzia jednak by nie strzelił, chyba że niedźwiedź zacząłby się do niego łasić, aportować rzucony kijek i leźć za Nikodemem jak pies. Wtedy zaraz przystawiłby mu lufę za ucho i nacisnął na spust. Ale gdyby niedźwiedź pozostał niedźwiedziem, dzikim i głodnym, to Nikodem nie zdjąłby wtedy broni z ramienia.

I w końcu był już na tej nadmorskiej wysoczyźnie, na klifie wyrastającym na piętnaście metrów nad czarną plażą, i przed nim stanęła chatka. Z komina zaś nie szedł dym, co bardzo Nikodema ucieszyło: jest szansa, że w środku nikogo nie ma, że będzie sam. Ruszył więc raźniej, miał do przebycia nie więcej niż pięćset metrów. Wspominał to dawne uczucie satysfakcji ze zmęczenia, z bolących pleców i drżących ud, które pojawiało się pod koniec ciężkiego dnia, kiedy widać już było miejsce, w którym zrzuci plecak.

Kiedy doszedł do chaty, odpiął broń, zdjął plecak, oparł wszystko o ścianę i chciał wejść do środka, aby sprawdzić, czy rzeczywiście jest pusto, bo było już po północy, w środku mógł jednak ktoś spać i nie palić w piecu. Tata.

Nikodem, pewien, że ma słuchowe omamy, patrzy jednak za siebie. Na ławeczce przed chatką Rusanowa siedzi syn Nikodema, drobny czterolatek w czerwonych gumowcach, w ciepłym polarku i czapce z daszkiem. Ławka stoi obok stołu z grubych belek, na stole leży niebieski plecak, w którym kiedyś, w dawnym świecie, wozili z Dorotą wszystkie rodzicielskie artefakty: pampersy na zmianę, smoczki, soczki i butelki, zapasowe ciuszki, na wypadek gdyby się Mały porzygał, i zabawki.

Nikodem podchodzi do dziecka. Tata. Długo czekam już, wiesz, tata?

Nikodem jest pewien, że oszalał. Ale niech trwa to szaleństwo.

Nikodem podnosi swojego syna, tuli go i płacze, i w jego pustym wnętrzu wzbiera miłość, miłość go wypełnia, sprawia, że powstaje z martwych.

Tata, nie płacz. I nie ściskaj tak, boli.

I wtedy zaczął go pytać — skąd, dlaczego, jak... I coraz bardziej w Małego wierzył. A chłopiec nie potrafił na nic odpowiedzieć: wiedział tylko, że czekał tutaj na tatę i że czekał długo, ale wiedział, że tata na pewno przyjdzie.

Nikodem nie odważył się zapytać go o to, co najstraszniejsze. Nie zapytał. Poszli po prostu do chaty, w której nikogo nie było, i Nikodem, chociaż dalej nie wykluczał szaleństwa, to jednak wiedział, że to jest jego syn, to on, z krwi i kości. Prawdziwy. Pachniał jak Mały, miał głos jak Mały, miał jasne włosy Małego: proste, prawie białe, gęste, lecz cieniutkie i niemożliwe do ułożenia. Miał jego oczy. I jadł jak Mały, siedział przy ściemniałym ze starości stole i wiosłował aluminiową łyżką, aż dzwoniła menażka, pochłonął prawie całą, podwójną porcję liofilizowanego chili con carne, wypił kubeczek herbaty i powiedział, że chce iść spać. W plecaku Małego było trochę ciepłych ubrań, miś, kubek, witaminy, mleko w proszku i zasypka.

I Nikodem położył swojego syna spać, w swoim śpiworze, Mały otulił się puchem, który pachniał jeszcze Belgijką z kempingu, przycisnął policzek do misia i zasnął, a Nikodem siedział na rosyjskim krześle zrobionym z metalowych rurek i rozpiętej na nich brudnej dermy, patrzył na Małego i prawie nie mógł złapać tchu. Jedno wiedział na pewno: nie chce niczego rozumieć. Nie chce niczego wiedzieć. Jedyne, czego mógł się dowiedzieć, to tego, że to nie może być prawda.

Jedyne, czego mógł się dowiedzieć, jedyne, co mógł zrozumieć, gdyby próbował, to to, że Mały leży w grobie, obok swojej matki, leżą w czarnej ziemi i gniją oboje, a przez szpary w trumnie prześlizgują się robaki, omijają czarną wełnę garniturku, który Nikodem specjalnie kupił dla syna do trumny, omijają biały różaniec, którym palce Małego oplotła babcia, matka Doroty, jedyna wierząca osoba w rodzinie.

Więc niech będzie tak, jak jest. Tak jest lepiej.

I siedział tak do rana. Nie mógł spać. Nie chciał. Bo jak miałby spać, skoro właśnie był tu i chciał być tu, w miejscu, do którego uciekł przed truchłem, jakim stało się to, co kiedyś nazywał życiem. Zawsze uciekał właśnie tutaj, nawet wtedy, gdy przyjeżdżał zarabiać pieniądze, kiedy jeszcze nie umiał utrzymać się z podróżniczego programu w telewizji i podróżniczych gazet. Po dwóch tygodniach pracy jako lider grupy na statku wycieczkowym, po prowadzeniu długich trekkingów na Ziemi Dicksona czy na Ziemi Nordenskiölda i krótkich wycieczek w okolicach Longyearbyen inkasował wypłatę, kupował liofilizaty, amunicję — i szedł przed siebie. Sam, z przyjaciółmi, nawet dwa razy z Dorotą. Nie udawał polarnika, odkrywcy, na Svalbardzie nie było już niczego do zdobywania, mapy może niedokładne, ale bez białych plam — a letnia wyprawa nie była większym wyczynem niż późnojesienny marsz poza szlakami w dzikich ukraińskich Karpatach. Po prostu szedł przed siebie, dolinami, wybrzeżem, trawersował lodowce, rozbijał namiot w jakimś miejscu obfitującym w drewno na plaży i w widoki. I siedział kilka, kilkanaście dni, aż zatęsknił do ogrzewania, do wina i do toalety, w której nie wieje w tyłek.

Wtedy wracał, szedł w Longyear na parę imprez z polarnymi znajomymi — Włochami, Niemcami, Norwegami, kumpli miał wielu, z nikim się nie przyjaźnił — i wracał, przez Oslo, do Polski.

Niekiedy podczas tych samotnych dni przesiedzianych nad ogniem przeżywał swoje małe satori. Odnajdywał prosty i jasny sens w pływach oceanu, w krzykach mew, w okrucieństwie przyrody: w gnijącym reniferze, który zdechł z głodu, bo porożem wplątał się w zardzewiałe druty, pozostawione przez jakąś polarną ekspedycję, dawno zapomnianą przez ludzi i historię, w wyrzuconym na brzeg zdechłym cielęciu białuchy, martwym i ślepym, z oczami wydziobanymi przez mewy. I w grobach angielskich i niderlandzkich wielorybników, którzy przypływali tutaj czterysta lat temu, zabijali wieloryby, wyciągali na brzeg i topili ich tłuszcz w wielkich piecach, a z biblijnych paszczy wycinali fiszbiny, które potem dotykały gładkiej skóry dworskich modniś. Takiej skóry, jakiej oni, nawykli do portowych kurew i rybackich cór, nigdy nie dotknęli. I tyle po nich zostało: fundamenty pieców i płytkie groby, w których przez kamienie widać wypolerowane, szczerbate czaszki. Należą oni do porządku przyrody, nie do porządku historii: bo czy ktoś po nich płakał, kiedy ginęli? Kiedy marli na szkorbut, topili się w morzu, ginęli od zębów niedźwiedzia, od wściekłości wielorybiej i od wściekłości ludzkiej, kiedy ostrze noża przeciskało się między żebrami? Opłakano ich — jeśli w ogóle miał ich kto opłakać — kiedy szli w morze, po pieniądze ukryte w cielskach humbaków i finwali. I gdy już na morzu się znaleźli, byli jak martwi, i kiedy umarli naprawdę, cieleśnie, obdzierano ich z wszystkiego poza najbliższym ciału ubraniem i oblekano w kamienny strój, nie kopiąc zbyt głęboko — przez zmarzlinę. A jeszcze mocniej do porządku przyrody należą też ci, którzy na Spitsbergenie dokonali swego żywota, ale którzy nie mają swoich grobów, bo zjadły ich niedźwiedzie albo głodni ludzie, kamraci, z którymi przyszło im zimować.

Nikodem myślał o tych strasznych chwilach, kiedy musieli wychodzić na plażę, do zatoki, gdzie spodziewali się zastać swój wielorybniczy statek, a zamiast tego napotykali tylko zziębłe już węgle ognisk i malejące żagle na horyzoncie. Może ktoś łaskawy zostawił im beczkę z solonym mięsem albo skrzynię słynnych robaczywych sucharów Royal Navy i beczułkę z prochem, i muszkiet, po to chyba tylko, żeby umierali dłużej. I umierali wolno, razem ze światłem: kiedy przychodziły ciemność i mrozy, nie byli już w stanie niczego upolować. I, jeśli jeszcze żyli — a mogło tak być tylko wówczas, kiedy okoliczności pozwoliły im zbudować jakieś schronienie — to właśnie wtedy, kiedy boskie słońce chowało twarz za horyzont, aby na tę diabelską ziemię nie spojrzeć przez cztery miesiące, wtedy ginęły też boskie prawa i w końcu ktoś kładł łeb pod nóż, i czyjeś chude mięso skwierczało na ogniu.

Nikodem zastanawiał się czasami, czy solili to ludzkie mięso, zanim je zjedli. Na pewno je piekli, bo nie zdołaliby pogryźć i strawić surowego, pewnie dawno potracili już zęby od powracających szkorbutów. Ale czy chciało im się to ludzkie mięso posolić? Czy żarli je, spalone z zewnątrz i surowe jeszcze w środku, żarli, aby tylko wypełnić żołądki, czy nawet w kanibalizmie okazywali się chociaż trochę ludźmi i sypali sól na mięso z pośladków i ud swych dawnych towarzyszy?

To były właśnie te małe satori Nikodema i kiedy już się nimi znudził — wracał. Wracał spokojniejszy i — jak mu się wydawało — za każdym razem trochę mądrzejszy. Jakby, patrząc na chmury, na lód, na przypływy i na odpływy, na małe śmierci ryb w mewich dziobach, na prawo silniejszego, dzięki któremu wydrzyki zdobywały swój łup na słabszych, dowiadywał się czegoś o świecie, czegoś, czego nie da się przeczytać w książkach.

Rano Mały się obudził i wszystko było zupełnie zwyczajnie, jakby był tutaj ze swoim tatą od zawsze. Siku, potem poranna toaleta. Nikodem zagrzał wody w wielkim garze na piecu. Zjedli śniadanie: musli z mlekiem w proszku, i przy śniadaniu Nikodem postanowił, że muszą iść dalej, dalej od Longyear, dalej od miejsc, w których obecność Małego zostałaby jakoś ontologicznie obalona. Więc poszli, powoli, tempem czterolatka. Mały dzielnie wędrował po tundrze w swoich gumowcach. Zatrzymywali się często, Nikodem opowiadał synowi o wszystkim, o czym miał jakiekolwiek pojęcie: o ptakach, o radzieckich portach, kiedy mijali ruiny, o zatopionych przy molo barkach, o wielkim, geologicznym świdrze na czterokołowej przyczepie, który od czterdziestu lat stoi przy zniszczonym molo, o spitsbergeńskim węglu i o kopalniach, które drąży się tutaj poziomo, w ścianach dolin, gdzie czarne złoża widać gołym okiem.

I tak doszli tutaj: rozbili namiot po drugiej stronie zatoki.

Mały śpi.

Nikodem jednak sięga jeszcze do woreczka z afganem. Napiłby się piwa, ale piwa nie chciało mu się nosić, poza tym jednym, które wypił po wspinaczce na Fuglefjella, a afgan nic nie waży. Pąki, skręcone i suche. Miesza marihuanę z tytoniem: gdybyś, Andriusza, wiedział, jak mi się ten twój afgan przydał.

Pali. Tak po prostu jest, jest Mały, który nie jest omamem, Nikodem przekonuje sam siebie. Mały nie jest halunem — przypomina sobie stary skecz Halamy i śmieje się głośno, i zaraz przestaje, zażenowany własnym śmiechem.

Nie trzeba niczego rozumieć, rozumienie nie przywróciłoby mu syna, który nie żył, a teraz żyje, a niezrozumienie, niewiedza, ignorancja — owszem, Nikodem nie ma pojęcia jak i dlaczego, ale Mały śpi w jego namiocie, tutaj, na czarnej bazaltowej plaży nad czarnymi wodami zatoki Coles.

Konopny dym gryzie w gardło, Nikodem popija dym herbatą.

Gęsi wracają, lecą w drugą stronę, po gęsiemu ociężałe. Wydrzyk siedzi w tundrze, obojętny i obcy, z samym koniuszkiem dzioba zagiętym, jak to u drapieżników.

Nikodem idzie spać, trzeba tylko jeszcze potykacz przeciwko niedźwiedziowi rozstawić, więc wtyka w miękką tundrę stalowe szpile, rozpina drut, sprawdza zawleczki flar. Hukiem i błyskiem odstraszyć mają ciekawskiego misia, który dotknie naciągniętego drutu i zbudzi śpiących w namiocie ludzi.

Repetuje karabin, który do tej pory bez ładunku w komorze spoczywał wsparty o sowiecką belkę. Nikodem chce mieć broń gotową, gdyby do ich namiotu przyszedł głodny niedźwiedź odebrać mu syna już raz utraconego.

Zasypia, drżąc z zimna, ale nie chce budzić Małego, włażąc do obszernego śpiwora, w którym mieszczą się obaj. Otula się więc polarowym ocieplaczem i ma dreszcze, i patrzy na pulchne policzki Małego i na jego zamknięte oczy, na długie rzęsy, które prawie tych pulchnych policzków dotykają, w pomarańczowym świetle polarnej nocy, przefiltrowanym przez dwie warstwy namiotowego nylonu.

Rano śniadanie, mycie zębów i medytacje nad rozpływającymi się na falach przyboju plamami z pasty do zębów. Potem zwijają obóz, Mały bardzo stara się pomagać, wyciąga namiotowe szpilki, roluje dmuchane karimaty, a te ciągle, jakby złośliwie, wyślizgują mu się z paluszków.

Potem ruszają objuczeni plecakami i Nikodem chce iść wzdłuż plaży, na północny zachód, do ruskiej chatki na stokach Nordhallet, jednak Mały zatrzymuje się. Tam nie idziemy, tata. Musimy iść tam — pokazuje paluszkiem na wschód, w górę Colesdalen. Tam.

Nikodem wie, że Mały ma rację. Nikodem nie chce zaburzyć obecności Małego, która wydaje mu się tak bardzo delikatna. Dobrze, synku. Dlaczego wczoraj nie powiedziałeś, przyszliśmy przecież prawie stamtąd.

Wczoraj nie wiedziałem.

Dobrze.

I idą tam, gdzie pokazał Mały.

Idą pod stromymi zboczami Alteret, tutaj tundra jest równa i sucha, nie zapadają się po kostki w błocie, potem przekraczają duży strumień i robi się mokro, idą u wrót

285

doliny Synndalen, po morenie czołowej lodowca, którego już nie ma, przekraczają kolejne rzeki. Idą bardzo powoli. Nikodem oddał jeden ze swoich teleskopowych kijków Małemu i idą teraz razem. Mała dłoń w rękawiczce w dużej dłoni Nikodema, obaj mają po jednym kijku.

W końcu Mały jest już bardzo zmęczony i zatrzymują się na płaskim dnie Colesdalen, rozbijają namiot na bujnej tundrze, Nikodem gotuje obiad na stopionym na gazie śniegu i tłumaczy Małemu, że płożąca się po ziemi wierzba jest w rzeczywistości drzewem i że rozbili swoje namioty na spitsbergeńskim lesie. Małemu bardzo się ta koncepcja podoba: patrz, tato, potrafię iść po lesie tak, jak się idzie po trawie.

Nie palą ogniska, bo nie ma tu drewna. Idą szybko spać, rano szybko ruszają, Mały wcale nie marudzi, jak marudziłoby każde dziecko w jego wieku w takiej sytuacji. Marsz go męczy, zatrzymuje się, czasem ze zmęczenia, a czasem, bo zainteresowały go kamień czy zrzucone poroże renifera, ale zaraz wstaje, idzie dalej, jakby przypomniał sobie coś ważnego, jakby przypomniał sobie, gdzie idą.

A rano Mały mówi: tata, musimy wracać. Dlaczego? Nie wiem, tata, musimy. I Nikodem nie protestuje, wracają, idą tą samą drogą. Mały jest bardzo zmęczony, ale kiedy Nikodem chce się zatrzymać na nocleg, Mały prosi: tata, chodźmy jeszcze. Plecak Nikodema jest już lżejszy, zjedli sporo jedzenia, bierze więc Małego na barana, idzie chwiejnie, powoli, mocno opiera się na kijkach, a Mały trzyma się, obejmując głowę taty. Mijają starą przystań, przy której spali dwie noce temu, idą dalej, wzdłuż wybrzeża stoi parę domów, Norwegowie z Longyearbyen w weekendy przypływają tu pontonami. Przy domach skubią trawę dwa renifery.

Renifery chłopczyków nie jedzą, tata? Nie jedzą. I nie boimy się? Nie boimy się, w ogóle niczego się nie boimy, synku.

Na plaży leżą wielorybie kości, wielkie jak meble, stare, porowate i twarde jak pumeks.

Nikodem chciałby, żeby jego kości też tak kiedyś leżały, nieme, wieczne pomniki dawnego życia, ale wie, że to niemożliwe. Ludzkim kościom brakuje wielorybiego dostojeństwa.

Plecak Nikodema waży dwadzieścia pięć kilogramów. Karabin — cztery. I na barkach niesie jeszcze Małego, który waży kilogramów piętnaście. Tatusiu, jeszcze kawałeczek, prosi Mały. Jeszcze idź.

Więc Nikodem idzie. Najtrudniejsze są wąwozy o stromych ścianach, głębokie na osiem, dwanaście, dwadzieścia metrów. Mały przysypia na ramionach taty, ale nie zwalnia uścisku, więc Nikodem nie ściąga go z ramion, nawet kiedy wdrapuje się na strome, błotniste ściany tych małych kanionów, wyciętych w szerokim na czterysta metrów pasie nadmorskiej równiny, wyciętych strumieniami wody z topniejących śniegów. Drżą mięśnie ud, brakuje tchu, rwą plecy, ale idzie.

Kiedyś pociągały go takie sprawy, chociaż nigdy nie był wyczynowcem, to przecież w Polsce zakładali się z kumplami, kto pierwszy spuchnie w marszu z czterdziestokilogramowym plecakiem bez odpoczynków. Szli do lasu, narzucali sobie wzajemnie dzikie tempo i padali w końcu po piętnastu, dwudziestu czy trzydziestu kilometrach. Wspinali się na wyścigi, biegiem, na Lindströmfjellet, na lekko: tylko karabin, woda i czekolada. Albo Aconcagua: jeździł przecież po całym świecie z programem — on, Stasiek z kamerą i Marcin jako techniczny. Weszli z kamerą na Muztag Ata w Chinach, stosunkowo łatwy siedmiotysięcznik, z mało wymagającym podejściem, kiedy porówna się je do prawdziwego himalaizmu, po prostu włazi się pod górę po śniegu i zjeżdża w dół na nartach. Ale kondycję trzeba mieć żelazną, relacja szła w TVN Meteo, było pięknie. I programy udało się z tego ze trzy sklecić.

I Nikodem potrafił temu wszystkiemu podołać. Był bardzo szczupły, z kośćcem oplecionym mięśniami mocnymi i żylastymi. Czasem tył, kiedy siedział w Polsce, na brzuchu rosła mu opona z tłuszczu, aż wylewała się na spodnie, ale nie przejmował się tym wcale, wystarczyło gdzieś wyjechać — a wyjeżdżał ciągle, taka praca — i tłuszcz znikał, skóra znowu obciągała mięśnie szczelnie jak pokrowiec. Tak bardzo podobał się Dorocie zawsze, kiedy wracał z wyjazdów i kiedy zaraz pierwszej nocy szli do łóżka, a ona głaskała jego płaski brzuch i śmiała się, że musi się nacieszyć, bo za miesiąc tych mięśni już nie będzie widać.

Więc Nikodem idzie, chociaż plecy bolą go tak, jakby kręgosłup miał mu zaraz pęknąć z trzaskiem. Ale idzie. Kiedy przystaje na chwilę, Mały mruczy pod nosem: jeszcze kawałek, tatuś. Kawałeczek, wiesz?

Nikodem nie sprzeciwia się synowi. Idzie.

I w końcu rozumie. Wśród tundry stoi samotna postać. Widział ją już od dłuższego czasu, ale rozpoznał dopiero, kiedy zbliżyli się na sto metrów.

Dorota.

Mama!, krzyczy Mały.

Nikodem czuje, że mdleją mu kolana, drżą i nie uniosą już dłużej plecaka, broni, Małego i ciężaru, który spadł na barki Nikodema. Żylaste mięśnie ud Nikodema puszczają i Nikodem klęka, jak trafiony na komorę bawół, którego karma właśnie się dopełnia i tkanki ustępują pod naporem myśliwskiego pocisku. Mały zsuwa się z ramion ojca i biegnie w stronę Doroty. Mama!, krzyczy. Kobieta przyklęka, rozkłada ramiona, Mały rzuca się jej na szyję, matczyne ramiona otaczają chłopca.

Jak to było?, myśli Nikodem.

Strasznie się pokłócili, przy kolacji. Mały już spał w swoim łóżeczku pod sufitem w gwiazdki, a oni wrzeszczeli na siebie, Dorota płakała, Nikodem wrzał z gniewu, w końcu powiedział jej, że ma dosyć. Wziął portfel, kluczyki i wyszedł. I po raz pierwszy nie wrócił na noc. Spał w hotelu.

Wrócił rano, chciał przeprosić, ale ona nie dała mu szansy. Nigdy ci tego nie wybaczę, wysyczała, a z niego wylała się złość i dalej sprawy potoczyły się już same, bez ich udziału — ba, potem był nawet pewien, że w ogóle wbrew ich woli, potoczyły się bezwładnością tego, co międzyludzkie. Ani on, ani Dorota nie potrafili przekroczyć tej formy, bezradni wobec czegoś większego niż ich wolna wola. On spakował walizkę i trzasnął drzwiami, a ona była skrzywdzoną i porzuconą żoną.

Oboje z pogardą odrzucali podejmowane przez rodzinę i przyjaciół próby mediacji.

Ale, musiał przyznać, Dorota próbowała formę przekroczyć. Przynajmniej raz. Przynajmniej raz próbowała zapanować nad tą nieubłaganą bezwładnością. I przyszła do niego, bez Małego, za którym tak bardzo tęsknił, i powiedziała: Nikodem, co my robimy?

Co my robimy? Nie zniszczmy tego, co jest między nami, bo przecież między nami jest coś, co jest największe na świecie. Nikodem, przecież to ja, twoja Dorota, przecież nie kochasz żadnej innej, ja to dobrze wiem, chociaż wszyscy sądzą, że znalazłeś sobie jakąś nową młodą dupę, ale ja wiem, że przecież żadna nie mogłaby mi cię odebrać.

Nikodem, nasza miłość nie tylko nas trzyma przy życiu, nasza miłość trzyma świat. Tylko dlatego świat ciągle istnieje. I ja przecież wiem, że mnie kochasz, i tak naprawdę nic się nie stało, możesz po prostu zabrać rzeczy i wrócić. I będzie tak jak dawniej. Będzie dobrze, tak jak było dobrze przez naszych czternaście lat. Przecież to, co się stało między nami, to tylko wściekłość, to można łatwo pokonać.

I Nikodem wie, że Dorota ma rację. Mógłby po prostu wyjść stąd, wrócić do domu i zasnąć z nią razem, w jednym łóżku, spać, czując ciepło jej skóry i nasłuchując, jak oddycha Mały.

Kochany, chodź ze mną. Po prostu chodź. Mały czeka na dole w aucie, nie chcę go zostawiać samego zbyt długo, ale możesz po prostu ze mną zejść na dół i możemy razem pojechać do domu.

Nie, mówi Nikodem i trzaska drzwiami. Słyszy wagę tego słowa. To słowo ciąży mu na barkach, zgniata serce. Dorota stoi pod drzwiami zamkniętymi. Nikodem stoi po drugiej stronie. Dorota czeka, aż on te drzwi otworzy, musi je przecież otworzyć i Nikodem już chce to zrobić, już wyciąga rękę w stronę klamki, już chce ją nacisnąć, kiedy słyszy jej kroki na schodach i te kroki tylko rozniecają w nim gniew, jakby rzucała mu obelgi, stukając pantofelkami po betonie.

I potem wyjechał, bo musiał. Wszystko już było załatwione: hotele, bilety na samolot dla całej ekipy. Nie mógł tego odwołać, więc pojechał do tej pieprzonej Argentyny wspinać się z kamerą na tę pieprzoną Aconcaguę, chciał zadzwonić przed odlotem, ale w drodze na lotnisko wyładowała mu się komórka, więc uznał, że zadzwoni, dopiero kiedy wróci.

A kiedy wrócił, było już za późno. Za późno było w ogóle już wtedy, kiedy wylądował w Buenos Aires i w hotelu naładował komórkę. Od razu doszły naglące SMS-y od ojca. Zadzwonił zaraz i dowiedział się wszystkiego. A tak naprawdę zbyt późno było już wtedy, kiedy Dorota zbiegła po betonowych schodach, stukały obcasiki jej pantofelków, a on słuchał ich zza zamkniętych drzwi i czuł, jak powoli umiera.

Wrócił pierwszym samolotem, akurat na pogrzeb. Potem chciał się zastrzelić, ale mu nie pozwolili. Ojciec zabrał mu z domu całą broń. Był kiedyś myśliwym i wiedział, jak czasem strzelba patrzy na mężczyznę, jak obiecująco zerka czarne oko lufy, jak prosi o to, by objąć je ustami i przez podniebienie wysłać tłustą grudę ołowiu pod kopułę czaszki, tam, gdzie mieszka wszystko to, z czym już nie chcemy żyć, i dumnie dołączyć do tego wspaniałego grona martwych mężczyzn, którzy odstrzelili sobie łby, bo uznali, że tak jest godnie i przyzwoicie. Oprzeć zmęczone czoło o dwoje czarnych oczu dubeltówki, jak Hemingway, i na ściany i sufit hallu rozrzucić mózg, w którym nie było już żadnej książki ani żadnego opowiadania. Albo z pistoletu w skroń, jak Márai. Albo strzelba dwudziestka i podbródek, jak Cobain. Albo Walery Sławek i stary, wierny brauning, z którego strzelał kiedyś w Bezdanach.

Ale ojciec zabrał mu z domu całą broń, Nikodem siedział więc tylko w fotelu i myślał, czy Dorota rzeczywiście spała, kiedy samochód, którym jechała z Małym, uderzył w betonową podporę wiaduktu. Widział wrak: musiała jechać co najmniej sto siedemdziesiąt, nocą, po pustej, wąskiej drodze. Żadnych śladów hamowania. Mały siedzi w swoim foteliku. Jego małe ciałko gniecie blacha i szkło, Dorota uderza w kierownicę, pasy tną jej pierś, pękają żebra, pęka czaszka.

Nikodem postanowił więc, że umrze na Svalbardzie. To dobre miejsce, żeby umrzeć. Skoro było jednym z tych miejsc, w których dobrze się żyło, będzie też dobre na śmierć. Pójdzie przed siebie i w końcu umrze. Zastrzeli się, umrze z głodu albo rzuci się z urwiska. Ojciec jednak uznał, że to koniec rozpaczy i ucieszył się, kiedy Nikodem powiedział, że jedzie. Oddał Nikodemowi karabin. Jedź, synek, może tam odnajdziesz życie, które zgubiłeś.

Brat Nikodema pytał: stary, jechać z tobą? Nie, zostań z tatą. Tata cię potrzebuje teraz.

I został, a Nikodem kupił bilety, spakował plecak i pojechał.

I jest tutaj.

A Dorota stoi na tundrze, tak absurdalnie i niewiarygodnie żywa, w trekkingowych butach i czerwonym goreteksie. Mały tuli się do niej, ściska ją za szyję małymi rączkami. Musimy iść, mamo.

Jest. Jest obok. Nikodem wyciąga rękę, dotyka jej twarzy, włosów. Dorota.

I ona dotyka jego dłoni.

Tak jest dobrze.

2010

FADE TO: BLACK

Długo czekałem, aż do mnie wyjdzie. Krzesła na tarasie zimne i wilgotne. Lato się kończy.

— Posiedzieć z tobą? — zapytała bardzo cicho.

— Nie.

Stała tak przez chwilę, niepewna, nieomalże owdowiała, smutna i piękna, owinięta szarym kocem o wzorach grubych jak warkocze.

— Kochany, ja... — zaczęła, ale przerwała zaraz.

Wzruszyłem ramionami. Nagle odkrywam jej zapomniane piękno, kiedy tak stoi dramatycznie, na wpół oświetlona.

— Przynieść ci jeszcze wino? — pyta.

— Przynieś.

Zabiera pustą butelkę, przynosi nową. Słyszę z kuchni, że odlała trochę dla siebie, ale nie wzięła swojego kieliszka, pewnie został na blacie. Latają nad nim muszki owocowe, zaraz któraś się utopi szczęśliwie pijana, trzeba będzie ją wyciągać albo wypić.

— Chcesz być sam, tak?

Nie odpowiadam.

— Ale ja jestem dla ciebie, kiedy tylko będziesz mnie potrzebował. Wiesz o tym.

Gówno prawda, pomyślałem. Nikogo nie ma dla mnie. Nikogo, ciebie też nie. Nalałem wina. Ania ciągle stała obok.

— Idź sobie — powiedziałem. Okrutnie. Nie patrzyłem na nią, patrzyłem przed siebie w pustą ciemność.

Przełknęła okrucieństwo, nie miała wyjścia. Poszła, cicho poszła. Nalałem wina. Nie pachniało. Jak bym nosa do kieliszka nie wetknął — nie pachniało. A powinno. Rozpłakałem się po cichu.

— Ciągnie lepiej niż Mariola — powiedział parę godzin temu taksówkarz. Nagle usłyszałem jego głos. — Dwa koma trzy litra, ciągnie lepiej niż Mariola.

Wsiedliśmy do tej strichachty, zielonej z białym dachem, nigdy nie umiałem się oprzeć starym mercom, zagadnąłem młodego złotówę o to, czy sam go odrestaurował i jak oldtimerem się jeździ na taryfie, zagadnąłem, jakby nic innego mnie nie obchodziło, tylko ten merc na taryfie, a on rozgadał się na dobre o tym i o innych samochodach. Szpera, sto sześćdziesiąt koni. Rocznik 76. Panie! Ciągnie lepiej niż Mariola.

Wracaliśmy od lekarza. Czarne plamy na trzepoczących jak żagle wielkich kliszach, żadnych nadziei, żadnych wątpliwości. Nic. Ania milczała całą drogę. Ja byłem pobudzony. Zapytałem złotówę o samochód, zaśmiałem się na tę Mariolę. Ania go nie słyszała. Przez sekundę myślałem, czy mu nie powiedzieć. Nie powiedziałem.

Do lekarza też taksówką, bo przed wyjściem wypiliśmy oboje po dużej wódce, a potem jeszcze po jednej, jakoś nie dało się inaczej. W milczeniu wypiliśmy. Nerwy. Wtedy jeszcze: nerwy. Dzieci u teściów, zabawki obumarłe na podłogach, martwe oczy misiów i lalek wpatrzone w sufity, ściany i podłogi. Poćwiartowane ludziki z klocków Lego, głowy osobno, nogi osobno. Nie było komu posprzątać.

Kiedy wyszliśmy z gabinetu, Ania drżała, ja byłem spokojny, ciągle na lekkim rauszu. Zdziwiony trochę. Na postój taksówek niedaleko szedłem w milczeniu. Ania zadzwoniła do swojej mamy, pewnie zapytać, czy dzieci mogą u nich zostać. Nie słucham, co mówią. Oni i tak pewnie nie pytali o nic, bo zrozumieli, jak mogliby nie zrozumieć. O moich rodzicach wtedy nie myślałem. Nie mogłem. Myślę teraz. Nie powiem im, nic im nie powiem. A ojciec może się wcale nie dowie, przecież matka do niego nie zadzwoni, nawet w takiej sytuacji nie zadzwoni. A ja nie wiem, czy zadzwonię.

Kończę drugą butelkę, wstaję, chwiejny trochę, trochę pijany i jednocześnie całkiem trzeźwy, trzeźwy mimo rauszu, trzeźwy przerażająco. Patrzę w noc i niczego w niej nie widzę.

— Kurwa mać, ja pierdolę — powtarzam cicho ulubioną modlitwę, klątwę na cały świat. Lecz dziś nie pomaga, dziś pomóc nie może, bo nie ma już poranków ani wieczorów, zostały tylko tygodnie, od dziś jestem martwy, a w martwych nienawiść do świata umiera.

Nigdy nie dawała mi siły, ale dawała gruby, miękki pancerz, zbroję z gliny.

Teraz nie potrzebuję ani siły, ani pancerza. Nie potrzebuję niczego.

Wracam do domu. Na stoliku komputer, więcej go nie otworzę. Nieotwierany puchnie od e-maili, powoli jak nabrzmiewający wrzód, niech puchnie, niech puchnie, aż eksploduje, odłamki aluminiowej obudowy wbiją się w ściany. Powódź e-maili zgniata rodzący się między klawiaturą a ekranem scenariusz. Film. *Maga*. W filmie scena na plaży, moja ulubiona. Siedzą sobie z aparatem, czarną, dwuobiektywową mamiyą, zdjęcia piasku i wody, i horyzontu na kliszy sześć na sześć. Jest jesień. Chociaż reżyser mogłaby być innego zdania. Nieważne. Moja ulubiona scena.

```
Scena nr 18
PLENER. PLAŻA. WIECZÓR.
MAGA i JANEK siedzą na piasku.

MAGA
(patrzy w horyzont, nie na Janka)
Jak ty potrafisz tak żyć? Jesteś
tam z nią, opiekujesz się nią, ale
teraz jesteś jednak ze mną. To z kim
w zasadzie jesteś?

JANEK
(cicho)
Z tobą. Chyba.

MAGA
Nie kłam, łajdaku, przynajmniej nie
kłam.
```

Nie ma już tego filmu. Nie tylko nie będzie, ale nie ma. Ania siedzi przy kuchennym blacie, przed pustym kieliszkiem.

— Nie pij — bełkoczę trzeźwo. — To bez sensu.

Patrzy na mnie. W oczach szaleństwo. Wiem, co chciałaby powiedzieć, chciałaby powiedzieć to, co zwykle mówią kobiety, ten potok innych lekarzy, drugich opinii, konsyliów, klinik, bioenergoterapeutów, alternatywnych terapii, mis tybetańskich i akupresur. Ale ona wie, wie to samo co ja, wie. Więc zamiast tego wszystkiego pyta:

— Czy ty jeszcze wierzysz w Boga?

— Nie — odpowiadam od razu, bez zastanowienia.

Zaciska szczęki. Patrzy na mnie, jakby liczyła, że sam uciekę, wycofam się, powiem coś, co załata tę dziurę. Przynajmniej w obliczu tego czarnego krzyżyka, który wisi na ścianie i na który ona patrzy teraz. A ja milczę. A ona nie.

— Ale może mógłbyś spróbować?

— Nie mógłbym.

To nieprawda, mógłbym. Mógłbym bardzo łatwo. Ale nie chcę. Teraz po prostu nie chcę, teraz duma mi nie pozwala. Na to już za późno.

Odwracam się, idę do sypialni, rozbieram się powoli. Ania idzie za mną, kładzie się i już leżymy każde na swojej połowie łóżka, czarno, ciemno, bo rolety opuszczone, tylko oczy świecą w tej ciemności, kiedy patrzymy w ciszę. Nie dotykamy się.

— Nie umiem cię pocieszać — mówię. — Nie chcę cię pocieszać. To bez sensu.

I milczymy dalej.

Wyciszona komórka na stoliku nocnym zaczyna buczeć. Nie odbieram, buczy dalej, stolik jak pudło rezonansowe. Sięgam po nią nagle, nie patrzę i ciskam aparatem w ciemność. Trafiłem w beton ściany, pryska szkło.

Ania obok zachłystuje się oddechem i leży przerażona, jak zawsze, kiedy mój gniew nagle się materializował, jakby bała się, że ją uderzę, chociaż przecież wiedziała, że nie mógłbym, ale bała się moich wybuchów od zawsze. Może i w końcu kiedyś bym ją uderzył. Ale nie uderzę.

— Co teraz będzie...?

— Nic. Zostaniesz sama. To znaczy z dziećmi. Zdarza się.

Jej oddech przyspiesza, wzbiera, słyszę, jak powoli wzbiera w niej szloch.

— Nie płacz, to bez sensu.

— Wiem — szepcze już przez łzy.

— Wszystko zrobię tak, jakby był. Pójdę do spowiedzi nawet i w ogóle. Wszystko uporządkuję, wszystkie sprawy. Załatwię kasę, zabezpieczę. Z ubezpieczenia będzie. Napiszę listy do dzieci. Takie, że będą czytać potem. Scenariusz skończę jeszcze.

— A potem?

— No proszę cię... — odpieram zgryźliwie.

— Nikodem... — płacze Ania. — Nikodem, ale o tym nie myśl, Nikodem...

— O czym? — pytam, chociaż przecież wiem, co ma na myśli. Ale chcę, żeby to powiedziała. Ale ona nie powie.

— Wiesz przecież… — płacze. — Nie możesz niczego przyspieszyć. Obiecaj mi, Nikodem. Przyrzeknij.

— Tego nie można obiecać, Ania — szepczę. — Przecież wiesz. Nie można. To znaczy można, obiecać można wszystko w ogóle, ale to i tak unieważnia takie obietnice.

Płacze, płacze i szuka mojej dłoni. Nie znajduje dłoni, więc cała pełznie do mnie powoli, po prześcieradle, przywiera do mnie, ustami szuka ust, pocałunek po pocałunku kroczą jej usta po mojej skórze. Płacze, cały czas płacze. Jej piersi dotykają mojego brzucha, matowa skóra, oddech i szepty, i jej usta, i dłonie: Nikodem, Nikodem, kocham cię, kocham, Nikodem. I szloch, bardzo cichy: Nikodem, Nikodem, nie możesz odejść. Tak płacze.

Odpycham ją nagle, nie wiem dlaczego, nie wiem po co, przecież mógłbym. Ania płacze bardzo głośno, wstaję, nie ubieram się, wychodzę z sypialni, szepcząc jakieś próżne usprawiedliwienia, jakieś marne „nie, nie mogę, przepraszam".

Ale przecież zrozumie, Ania zrozumie. Zresztą cóż może zrobić innego, niż zrozumieć? Może nie zrozumieć. Na to samo wyjdzie.

Nagi, pijany, wychodzę do ogrodu, zataczam się. Noc jest zimna, bo już wrzesień, ale zimno mi nie przeszkadza, bo nic mi już nie przeszkadza. Nikt mnie tu nie zobaczy. Trawa jest mokra, stopy też mam mokre. Kładę się w tej mokrej trawie, biała plama ciała pod białą plamą księżyca. Marznę, wychładzam się, ale to dobrze.

— Nikodem! — woła w ciemność Ania, ja ją widzę, ona mnie nie widzi.

Wstaję, bo zaraz zaczęłaby mnie szukać. Głupio tak leżeć. Wracam do domu, mijam ją bez słowa, kładę się na kanapie, twarzą do oparcia, owijam się burym kocem.

— Nik?

Nie odpowiadam, odchodzi wreszcie, więc odwracam się na plecy, nade mną szara, złamana księżycem ciemność, wyżej sufit, a jeszcze wyżej? Nie wiem. Nie zasnę dzisiaj.

Byłem rano u mamy. Przed lekarzem. Mama sama. Sama mama, sama, w małym i wysokim jak studnia mieszkaniu w kamienicy, przycupnięta przy podłodze, na stołeczku, przy stoliczku, maleńka, dziwne małe jej życie, nie puste, ale dziwne. Żadnych mężczyzn po tacie, przynajmniej żadnych, o jakich bym wiedział, żadnych kłopotów, żadnych trosk, tylko uczelnia, koleżanki i podróże. Wycieczki tygodniowe albo dłuższe, nigdy stacjonarne, zawsze zwiedzanie, jak najwięcej zwiedzania, Włochy, Wielka Brytania, w pośpiechu, zobaczyć jak najwięcej, Szwecja, Tajlandia, w autobusach i samolotach z przypadkowymi towarzyszami tych podróży, zobaczyć jak najwięcej, jakby chciała najeść się świata, póki świat istnieje, i prawie żadnych zdjęć, po kilka z każdej podróży, bez mamy na tych zdjęciach, żadnych krajobrazów, tylko jakieś rzeczy: klamka, kosz na śmieci, śpiący kot, winobluszcz na starej kamienicy, skrzynka na listy „Poste italiane". Zdjęcia wywołane, starannie oprawione w duże passe-partout, równym szeregiem na białej ścianie. Mama zawsze spokojna, nigdy żadnej skargi, uśmiechnięta, elegancka, niebiedna — i sama.

I nigdy ani słowa o tacie. Na każde moje pytanie: taty już nie ma. Ani słowa więcej. Ani złego, ani dobrego, nic, żadnego pytania, co u niego. Zresztą: nie wiedziałbym. Co mnie obchodzi on, tak daleko.

Dowiedziałem się potem wszystkiego, od innych, od babci, od cioci, od kuzynki, wszyscy mówili, tylko nie mama. Taty już nie ma. Nie ma tak bardzo, jakby nie było nigdy.

Siedzieliśmy przy wysokim kuchennym blacie, na wysokich stołkach. Mama zrobiła kawę, ale nie piliśmy. Suchymi palcami dotykała moich dłoni. Pytała, co z dziećmi. Czy się zająć. U rodziców Ani. Dobrze. A potem milczeliśmy. Zjesz coś? Pójdę już.

Przy drzwiach, wiązałem buty.

Synku...

Wyszedłem. Tylko mnie ma i mnie nie ma, i nic nie ma.

A dokładnie miesiąc temu tak samo siedziałem u niej. Z radia trąbiła rocznica powstania w Warszawie, więc wyłączyłem radio, bo Warszawa daleko. Zatem siedziałem, mama paplała coś o fiordach i wyprawie statkiem wycieczkowym, ja prawie nie słuchałem, bo myślałem o różnych kobietach, między innymi o Ani, mojej żonie, a potem straciłem przytomność i spadłem z krzesła.

Potem było dużo kobiecego troskliwego jazgotania, lekarz, szpital, badania, tomografia, za dużo takiego i owego wina, papierosów za dużo i stresu, idź, musisz pójść, bo dzieci, bo życie, odpowiedzialność, nie poszedłem. To moje życie, nie mojej żony, nie moich dzieci, nikogo, tylko moje, moje, nigdzie nie pójdę, bo moje, moje.

Za dużo pracy, co rano kawiarnia, wielkie słuchawki na uszy i na przykład Hercules and Love Affair, pulsowanie i dziesięć godzin, których nie byłem godzien, tak jak nie byłem godzien całego mojego życia, głupi łajdak, któremu wszystko się udaje, do czasu jednak, do czasu! No i nie ma. Pisałem *Magę*, scenariusz skierowany już do produkcji, a ja ciągle pisałem i nie mogłem skończyć, pisałem o kobietach, mężczyznach, miłości i śmierci, i ciągle źle.

```
Scena nr 9
WNĘTRZE. MIESZKANIE MAGI I JANKA. DZIEŃ.

MAGA i JANEK siedzą naprzeciwko siebie
na białych krzesłach, dłonie na blacie
białego stolika.

MAGA
(prawie bezgłośnie)
Co?

JANEK
Ona ma raka.

MAGA
Rozwiodłeś się z nią! To już nie jest
twoja żona!

JANEK
(bardzo cicho)
Ale dzieci… Ona umrze, Maga, rozumiesz?
```

Źle. Zaznacz, usuń. Usunąłem. Widziałem ich przy tym stole, ale nie słyszałem słów. A one paść muszą. Ale inaczej. Miałem je innymi wymyślić.

A jeszcze wcześniej siedziałem z prawdziwą Magą z ciała, z mięsa i wszystkiego, w tej samej kawiarni, w której potem piszę *Magę* z Magą z papieru, Magę ze światła i marzeń ludzi w kinowych salach, nieswój siedziałem, kiedy Maga z ciała, z mięsa i wszystkiego, trochę nerwowo piła kawę i mówiła o nich, o Janku, o Piotrze, o różnych mężczyznach mówiła do mnie mężczyzny, bo przecież nie do mnie kogoś innego, nie do mnie autora scenariusza. Dziwnie brzmiały te słowa między nami, jakby nie było płci i jednocześnie jakby były właśnie najbardziej. Podobała mi się i nie podobała mi się, obca w swojej otwartości i bliska, bałem się jej i nie bałem. Słuchając, myślałem: jak ona na mnie patrzy?

Ale to nieważne. Głowa pełna ludzi, twarzy i słów.

A potem wpadłem na ulicy na kobietę, która dawno temu wzięła sobie chłopca do łóżka, ten chłopiec miał kilkanaście lat, był rok młodszy niż ona, ale też młodszy o pół życia, miał długie włosy, a w sobie wiele pychy kryjącej się w szarym oceanie kompleksów, z których leczyły go jej długie palce, jej usta i jej małe piersi, długie złotobrązowe nogi i szerokie biodra, i nagle w kilka tygodni od pierwszego w życiu pocałunku przebył drogę z dzieciństwa do świata, z którego nie ma, niestety, powrotu.

Siedliśmy przy stoliku, znowu w tej samej kawiarni, okrągłe stoliki jak czakramy, a my dokoła jak głupcy. Była w ciąży, drugie dziecko, rozmawialiśmy — o dzieciach, domach, ale przecież nic mnie nie obchodziły dzieci i domy, myślałem nie o niej i nie o jej ciele sprzed lat, i nie o jej ciele dziś, ciężarnym, myślałem tylko o tym chłopcu, którego wzięła sobie do łóżka dawno temu, a który potem zaginął w ciemnościach. Uśmiechałem się, zapytałem, czy czasem o tym myśli, głupio zapytałem, przecież ona w ciąży, więc głupio, ale może nie zapytałem wcale, może nie musiałem pytać, już nie pamiętam, ona się uśmiechnęła i nie odpowiedziała, a ja zemdlałem po raz drugi, wpadłem pod stolik okrągły jak czakram, kiedy otwarłem oczy, pochylała się nade mną, a odzyskałem przytomność bardzo szybko, jakbym tylko na sekundę zanurzył się pod wodę, więc pochylała się nade mną, i jej niebieskie oczy, i włosy jak białe złoto, proste i suche, i barista się pochylał, i pytał o pogotowie. Nic mi nie jest, krzyczałem, przepraszam, zerwałem się i uciekłem, uciekłem zawstydzony, nie wróciłem tam już nigdy, bo pytaliby mnie o to, patrzyliby na mnie z troską, a ja za tę troskę musiałbym im napluć w gęby.

Nie zasnę dzisiaj. Otworzyłbym komputer, ale nie otworzę, nie chcę już otwierać komputera.

Wstaję, owijam się kocem jak togą, idę do sypialni. Ania nie śpi.

— Wszystko będzie, jak trzeba — mówię.

— Jak trzeba…? — pyta się nie mnie i płacze, wcale nie przestała płakać.

— Będę czekał na ciebie. Po drugiej stronie — kłamię.

Ania płacze, płacze słowami:

— Och, zamknij się, idioto, zamknij się...

— Pójdę do dzieci — odpowiadam.

Ania zanosi się płaczem, twarz schowana za kratą palców.

Idę.

Gdzie jest ich pokój? Co jest...? Wracam.

— Ania, ja... ja nie umiem znaleźć pokoju dzieci...

Ania płacze. Płacze.

— Ania, proszę cię.

— Wredny idioto, dlaczego...? Dlaczego? Jak możesz...?

Nie rozumiem jej, więc wychodzę. Kładę się na kanapie. Gdzie jest pokój dzieci?

Zadzwonię do ojca. Znajdę jego numer w komórce, zadzwonię, daleko, do Niemiec, przecież odbierze, trudno, wiem, która godzina, tato, ja...

Szukam komórki, długo, przypominam sobie: przecież rozbiłem. Szukam numeru w notesie. Jest. Dzwonię z domowego.

— Tato?

Milczy, długo milczy.

— Jesteś pijany, Nikodem?

Jezu, jak ja dobrze znam ten głos, ten głos jak żelazne hufce, głos jak stal w ogniu hartowana, głos jak napalm.

— Nie. Trochę. Czemu pytasz?

— Bo dzwonisz.

Teraz ja milczę. On milczy krócej.

— Ostatni raz rozmawialiśmy pięć lat, trzy miesiące i dwanaście dni temu. A teraz dzwonisz. O trzeciej w nocy.

Mówi bardzo powoli, słowa jak krople z niedokręconego kranu.

— Dlaczego od nas odszedłeś? — pytam.

— Nikodem, nie bądź dzieckiem — odpowiada spokojnie.

— Jestem dzieckiem.

Byłem dzieckiem. Jestem dzieckiem. Dwadzieścia lat temu. Stałem w korytarzu. Mama siedziała w kuchni, a ja stałem w korytarzu, miałem w ręce czerwoną kredkę, oderwałem się od rysunku, kiedy usłyszałem to, co powiedział do mamy. Rysowałem smoka, najbardziej lubiłem starannie rysować łuk każdej łuski i zgrubiałe stawy jaszczurczych łap i ostre pazury, i chińskie oczy. Ale oderwałem się i stałem w korytarzu, z czerwoną kredką w dłoni. Tata stał teraz przy drzwiach w beżowej wiatrówce, z małą walizką. Nikt nie płakał, wszyscy umierali troszeczkę. Można umrzeć troszeczkę, można umrzeć zupełnie. Gdzie idziesz?, zapytałem wtedy. Muszę już iść, odpowiedział. I poszedł.

— Obudziłem cię? — pytam teraz.

— Co się stało, Nikodem?

— Nic.

— Nikodem, to dobrze, że...

Odkładam słuchawkę. Po chwili wyciągam jeszcze kabel z gniazdka.

Jednak otwieram komputer. Maile kasuję bez czytania, zatroskani przyjaciele do kosza. Scenariusz. *Maga*.

```
Scena nr 26
WNĘTRZE. MIESZKANIE PIOTRA. NOC.

PIOTR
(beznamiętnie)
Wynoś się.

MAGA
Co?

PIOTR
Słyszałaś.

MAGA
Ty mnie wyrzucasz…?

PIOTR
Tak.

MAGA
Tak po prostu…?

PIOTR
Tak po prostu. Nie mogę ci ufać.

MAGA
Ty mi nie możesz ufać, chuju?

Rzuca się na PIOTRA z pięściami. PIOTR
chwyta jej przedramiona, delikatnie,
ale stanowczo.
```

MAGA
(krzyczy, płacząc, szarpiąc się)
Ja cię nie zdradzałam! Nie pisałam na
portalach z dupami! Siedemnaście lat,
kurwa, chcesz dupczyć siedemnastki?

PIOTR puszcza ją, odpycha od siebie.

PIOTR
(spokojnie, zimno)
Wynoś się, po prostu się spakuj
i wypierdalaj, dobra?

MAGA
(wrzeszczy)
Myślisz, że co, one ci lepiej obciągną?
Lepiej niż ja? Że będziesz je w dupę
pierdolił?

Za mocno, czy za mocno? Nie wiem. Może za mocno.
Może fałszywie. Ale to już bez znaczenia. Ale właśnie
nie, to właśnie ma znaczenie. Muszę skończyć ten scenariusz, poprawić, więc kasuję, muszę napisać scenę na
nowo, muszę skończyć, podpisać, wydrukować, zbindo-
wać ładnie i wysłać Marcie, niech to swoją szajbą ogarnie,
wybebeszy, ktoś inny już to poprawi, przerobi, dialogi
i tak nie zostaną, a ona obsadzi w tym jakąś swoją ko-
chankę i zrobi mroczne zdjęcia, i rzecz pójdzie do kin,
witaj, świecie. I będzie w kinach moja Maga, mój Piotr,
mój Janek, i Ania z Magą z ciała pójdą to obejrzeć, razem,
na premierze, będą siedzieć w smutnych rzędach, Ania,

Maga, mama, Marta, Maga pewnie powie tym wszystkim swoim byłym, powie im o wszystkim, ale oni na premierę nie przyjdą. I ja też nie przyjdę.

A dzieci, co z dziećmi, z kim zostaną dzieci? Scenariusz nieważny, one ważne, a cóż to dla nich za dokument, jakie to dla nich pożegnanie?

Biegnę do sypialni. Gdzie są dzieci?

— Ania, gdzie są dzieci? — krzyczę prawie.

Patrzy na mnie długo. Bardzo długo. Jakby przykleiła się do mnie tym spojrzeniem.

— Jakie dzieci, Nikodem? Jakie, kurwa, dzieci? — pyta bardzo cicho, bardzo spokojnym, drżącym głosem.

Wściekam się, że pozwala sobie na takie żarty, w takiej sytuacji. Otwieram usta, żeby wrzasnąć, walnąć pięścią w szafkę, już zaciskam tę pięść. I chcę wrzeszczeć, wrzeszczeć ich imiona.

Ale nie umiem sobie przypomnieć ich imion, nie umiem sobie przypomnieć ich twarzy, płci, nawet tego, ile ich jest. Było. Są. Jest. Ale były.

I stoję z otwartymi ustami.

— Jakie dzieci, Nikodem? O co ci chodzi? — pyta Ania.

Nie ma. Były, nie umarły, ale nie ma, były i nie ma.

Usta mam rybie, otwieram i zamykam. I biegnę: biegnę przez dom, otwieram kolejne drzwi i nie znajduję tego, czego szukam, wybiegam do ogrodu, a w ogrodzie nie ma piaskownicy. W ogrodzie nie ma trawy. Niczego nie ma.

Ania znajduje mnie klęczącego.

— Nik, to stres, kochany. Spokojnie. Chodź.

Wracamy do domu. Nie wracamy, jesteśmy w domu.

— Chodźmy do ogrodu — proszę. Chcę powietrza i gwiazd. Trochę.

— Nik, jesteśmy u nas w domu. Nie możemy wyjść. Nie ma ogrodu.

Siadam przy stoliku, kładę komputer na kolanach, otwieram. Taki nawyk. Ania siada obok mnie. Patrzy, martwi się.

— Rozmawiałem z ojcem — mówię.

Ania martwi się jeszcze bardziej.

— Nik, ty jesteś bardzo pijany.

— Zadzwonię do mamy — mówię, gapiąc się w ekran komputera. Na ekranie scena nr 32.

— Pamiętasz numer? Bo rozwaliłem komórkę.

Ania milczy. Zamykam komputer. Ani nie ma. Rozglądam się.

— Ania? Ania! No gdzie poszłaś?

Wstaję, zaglądam do kuchni.

Chcę zawołać ją po imieniu, nie ma imienia.

Chcę wrócić do pokoju, nie ma pokoju.

Otwieram usta, mówię i słowa są bezgłośne. Nie padają. Pusto w pustce. Wyszedłbym do ogrodu, ale nie ma. Otwieram komputer, nie ma komputera.

Scena nr 32
WNĘTRZE. STARE MIESZKANIE MAGI. NOC.

MAGA śpi. Budzi ją wibrująca na stoliku nocnym komórka.

JANEK (V.O.)
(przez telefon)
Jadzia nie żyje.

MAGA
(zaspana)
Co?

JANEK (V.O.)
Jadzia umarła. Dzisiaj.

Nie ma mnie. Nie ma. Niemnie. Nie ma.

Scena nr 35
WNĘTRZE. MIESZKANIE JANKA. NOC.

MAGA dzwoni do drzwi. JANEK otwiera,
zaskoczony.

MAGA
(pijana, rozmazany tusz pod oczami)
Weź mnie. Proszę cię, weź mnie do
siebie.

JANEK
Boże, nie na klatce. Wejdź.

Wchodzą do mieszkania.

MAGA
Jej już nie ma. Ona nie żyje. Umarła!

JANEK
Jesteś pijana.

MAGA
Jestem twoja.

JANEK przytula MAGĘ. Objęci, milczą
przez chwilę.

JANEK
(pieszczotliwie)
Wiesz, rybo, w innej sytuacji…

MAGA
Nie ma innej sytuacji.

Janek przytula ją jeszcze mocniej.

JANEK
(szepcze MADZE do ucha)
Zamówię ci taksówkę.

MAGA
(płacze)
Nie chcę taksówki. Chcę ciebie!

JANEK odpycha ją delikatnie, wybiera
numer w komórce.

JANEK
(do telefonu)
Dobry wieczór. Kordeckiego czterdzieści
osiem. Tak. Dobrze. Może być za pięć
minut.

MAGA stoi bezsilna, słaba, złamana.

JANEK
(wygrzebując banknot z portfela)
Stówę mam. Oddasz mi potem.

MAGA nagle otwiera drzwi wyjściowe
i rzuca się ze schodów. Spada
kilkanaście stopni, rozbita głowa,
krew z nosa i uszu, spódnica podwija
się, obnażając nagie krocze
i nogę w widoczny sposób złamaną
w udzie.
JANEK zbiega za nią.

Nieja. Nie. Nie. Nie.

Scena nr 37
WNĘTRZE. SALA W PRYWATNYM SZPITALU.
DZIEŃ.

Na łóżku w gipsach i kroplówkach
leży MAGA. Obok zaaferowany,
nieobecny JANEK.

JANEK
Tak że, no, wszystko masz zapłacone,
i spoko, to jest po prostu z mojego
Medicovera, tak że, no…

MAGA
Zostań ze mną, proszę cię, zostań.
Potrzebuję cię.

JANEK
Proszę cię, daj spokój. Nie ciągnijmy
tego. Muszę lecieć.

JANEK wychodzi.
FADE TO: BLACK.

2012

SPIS OPOWIADAŃ

Wydanie pierwsze

Opieka redakcyjna
Waldemar Popek

Redakcja
Wojciech Adamski

Korekta
Jacek Błach, Monika Ślizowska, Aneta Tkaczyk

Projekt okładki i stron tytułowych
Rafał Kucharczuk

Redakcja techniczna
Robert Gębuś

Książkę wydrukowano na papierze
Ecco Book Cream 70 g vol 2,0

Printed in Poland
Wydawnictwo Literackie Sp. z o.o., 2017
ul. Długa 1, 31-147 Kraków
bezpłatna linia telefoniczna: 800 42 10 40
księgarnia internetowa: www.wydawnictwoliterackie.pl
e-mail: ksiegarnia@wydawnictwoliterackie.pl
fax: (+48-12) 430 00 96
tel.: (+48-12) 619 27 70
Skład i łamanie: Infomarket
Druk i oprawa: Drukarnia POZKAL

ISBN 978-83-08-06433-7 — oprawa broszurowa
ISBN 978-83-08-06434-4 — oprawa twarda